afgeschreven.

Doodskus

Eerder verschenen van Lauren Henderson bij Pimento:

Fatale kus
Zoenen & leugens
Kus in de nacht

Doodskus

LAUREN HENDERSON

Pimento

www.uitgeverijpimento.nl

Oorspronkelijke titel *Kiss of Death*
Tekst © 2011 by Lauren Henderson. All rights reserved.
Kiss of Death © Singpress Ltd, 2011
Oorspronkelijk uitgegeven bij Delacorte Press, New York
Nederlandse vertaling © 2011 Ineke van Bronswijk en Pimento,
Amsterdam
Omslagbeeld Getty Images/Tai Power Seeff
Omslagontwerp Studio Marlies Visser
Opmaak binnenwerk ZetSpiegel, Best

ISBN 978 90 499 2520 8
NUR 284

Pimento is een imprint van FMB uitgevers bv

 Dit boek is ook leverbaar als e-book
ISBN 978 90 499 2558 1

Voor mijn liefste Greg –
Scarlett heeft haar ware liefde gevonden,
net als ik

We boffen

I

SPOKEN UIT HET VERLEDEN

Er is me echt nog nooit zoiets verschrikkelijks overkomen.

In het donker kijk ik van opzij naar Taylor, die strak voor zich uit staart, verstijfd van afschuw. Ik weet dat zij hetzelfde voelt als ik. Taylor en ik hebben samen zoveel meegemaakt; je zou denken dat we immuun zijn geworden voor alles wat een mens op deze aardbol kan treffen. We hadden gewaarschuwd moeten zijn. Maar niets had ons op zoveel gruwelijks kunnen voorbereiden.

Ik pak mijn mobieltje, waarvan ik het geluid heb uitgezet, en kijk naar het scherm. O nee. Ik draai me opzij naar Taylor en stoot haar aan, zodat zij het ook kan zien. In de gloed van het scherm zie ik dat ze een grimas trekt, en ze knijpt haar ogen dicht alsof ze pijn heeft. Ze ziet eruit als een waterspuwer. Het licht is blauwig, waardoor haar gezicht nog spookachtiger lijkt.

'Ik kan er niet tégen!' fluistert ze.

'Het moet,' zeg ik grimmig. Ik kijk naar links en naar rechts, en krijg bevestigd wat ik al weet: ontsnappen is uitgesloten.

Volgens de klok van mijn mobieltje moeten we dit nog een kwartier volhouden. Vijftien helse minuten.

Ik doe mijn ogen dicht, dan hoef ik die treurnis tenminste niet te zien. Maar dan moet ik naar de geluiden luisteren, en die zijn nog erger als er niets te kijken valt. De hel, stel ik me zo voor, moet net zoiets zijn als dit. Tot in de eeuwigheid gevangen, gedwongen om een marteling te ondergaan, zonder dat je een eind kunt maken aan je ellende.

En – zout in de wonde – dat je moet aanzien dat je beste vriendin dezelfde foltering ondergaat.

Er klinkt een werkelijk ondraaglijk geknars, en in een reflex doe ik mijn ogen open. Nagels die over een schoolbord gaan zijn hierbij vergeleken een slaapliedje. Toch zou ik, als ik het ergste aspect van het tafereel moest beschrijven, waarschijnlijk niet kiezen voor het geluid dat ze maken, al is dat nog zo afschuwelijk en oorverscheurend.

Ik zou voor de kleren kiezen.

Eigenlijk weet ik maar heel weinig over Noorwegen. Er schijnen fjorden te zijn, er ligt vaak sneeuw, en de mensen zijn groot en blond en heel erg wit – tot op dit moment waren dat zo ongeveer alle leuke Noorse weetjes die ik kon opsommen. Maar nu kan ik er, kijkend naar de vier leden van de Noorse folkgroep Hürti Slärtbärten (of iets in die geest – ik heb misschien iets verkeerd gedaan met de trema's), die op het podium hun violen mishandelen, aan toevoegen dat de Noren klaarblijkelijk verstoken zijn van alles wat op moderne mode lijkt. Ze zien eruit alsof ze door een of andere grootscheepse blokkade in het eind van de jaren tachtig van de vorige eeuw zijn blijven steken. De twee meisjes dragen foeilelijke jurken van rode tafzijde, met een vierkante halslijn, een verlaagde taille en ruches aan de rok, het soort jurk dat een wraakzuchtige bruid zou kiezen voor de bruidsmeisjes die haar familie haar heeft opgedrongen. En de twee jongens, in rode glimoverhemden en zwarte bandplooibroeken, zouden dan op dezelfde bruiloft voor ober kunnen spelen.

Ze zijn inderdaad groot en blond; ik had dus nog wel iets goed. En ze staan op een rijtje en glimlachen en knikken naar elkaar, terwijl ze met de strijkstok over de snaren zagen en opzettelijk kattengejammer voortbrengen. Ieder normaal mens zou de strijkstok vol afschuw hebben laten zakken en zich tegenover het publiek verontschuldigen omdat hij straal was vergeten om voor het concert zijn viool te stemmen.

Taylor en ik zitten in het midden van de rij, ingeklemd tussen andere meisjes van Wakefield Hall. Miss Carter heeft zich strategisch op de laatste stoel aan de ene kant geposteerd, en tante Gwen aan de andere. Om eruit te kunnen zouden we over iedereen heen moeten klauteren, en ons bovendien de woede van de twee engste docenten van de hele school op de hals halen. Ik buig me naar voren om onder mijn stoel te kijken en te zien of ik er misschien onderdoor kan kruipen – zoveel rijen zijn er niet achter ons, dus misschien kan ik op die manier wegvluchten...

Terwijl ik voorover hang, met mijn hoofd tussen mijn knieën, besef ik dat er op het podium iets gebeurt. Er klinkt geritsel om me heen, mensen rechten hun rug. Het gekrijs van de violen klinkt zo mogelijk nog schriller en valser. Bijna stoot ik mijn hoofd aan de stoel voor me als ik me weer opricht, net op tijd om te zien waarom iedereen opeens de adem inhoudt. De meisjes gaan naar de ene kant van het podium, de jongens naar de andere, en stomverbaasd kijk ik toe als er een vijfde lid van Hürti Slärtbärten uit de coulissen komt.

Hij is gekleed in net zo'n zijdeachtig rood hemd als de twee andere jongens, maar dat van hem heeft folkloristisch wijde pofmouwen. Alsof dat niet erg genoeg is, draagt hij ook nog een zwarte vlinderdas. Zijn met gel ingesmeerde haar staat in stekeltjes overeind, alsof er op zijn hoofd een dennenappel is ontploft. En hoewel hij net zo lang en blond is als de andere groepsleden, kan ik niet naar eer en geweten zeggen dat hij net zo wit is, want zijn gezicht is overdekt met vurige puisten die net zo rood zijn als zijn blouse.

Hij paradeert naar het midden van het podium, wiegend met zijn heupen en zwaaiend met zijn viool alsof hij een popster is. Hij grijnst en knipoogt naar de twee meisjes, flirt met ze, en danst dan naar de jongens om een triootje te vormen. Dan rent hij achter de meisjes aan over het podium, alsof ze een of andere bizarre paardans opvoeren, en intussen blijven ze hun violen mishandelen. Om de zoveel tijd knipoogt de ster naar het publiek – hij schijnt te denken dat we hem allemaal adembenemend sexy en charmant vinden.

Ik ben verlamd. Mijn mond hangt open. Volgens mij verkeert de hele zaal in dezelfde toestand: we zijn collectief verbijsterd dat deze jongen met zijn puistenkop, die is uitgedost als een übernichterige ijsdanser, zich gedraagt alsof hij zo weergaloos knap is dat we elk moment gillend het podium zullen gaan bestormen.

En dan hoor ik iets, verderop in de rij: het onmiskenbare, schelle geluid van spottend gelach.

Er is voor alles een eerste keer, neem ik aan. Ik had nooit gedacht dat ik nog eens dankbaar zou zijn voor Plums sarcastische lachje. Maar op dit moment is dat geluid als manna, want het vermindert de druk op mijn ribbenkast, waardoor ik bijna was gestikt. Als een reeks dominostenen die omvallen begint ieder meisje van onze school te giechelen en dan steeds harder te lachen, totdat we allemaal dubbel liggen. Er gaat een soort golfbeweging door de zaal; ik kan zien dat de schouders van de mensen voor me schokken als zij ook beginnen te proesten.

'Sst!' sissen Miss Carter en tante Gwen nijdig. 'Sst! Het ís niet grappig!'

Maar daardoor worden wij juist nog hysterischer. De ster trippelt nu op zijn tenen en komt op de meisjes af alsof hij een stier is. Ze huppelen weg en kijken naar hem over hun schouder, wapperen quasikoket met hun rokken, en Plum giert het uit, bijna net zo schril als die zogenaamde muziek van hen. De violen bereiken een onmogelijke toonhoogte als ze op de finale aansturen, net als Plums stem. Puistenkop staat triomfantelijk tussen de twee meisjes, die hem met hun viool een krijsende serenade brengen. Tegen die tijd lach ik zo hard dat de tranen over mijn wangen stromen.

De laatste noten zijn zo schel en vals en pijnlijk dat mijn hele gezicht ervan vertrekt, zodat ik me haast in mijn eigen snot verslik. Ik heb het gevoel dat de hele zaal op dezelfde manier reageert; gedurende een fractie van een seconde blijft het stil omdat we allemaal worstelen met de behoefte om onze handen tegen onze oren te drukken.

'Bravo! Bravo!' Plum begint uitzinnig te klappen en te juichen.

Ze is op haar manier geniaal. We doen natuurlijk allemaal mee. Ik roffel met mijn voeten op de vloer. *'Yay!'* roept Taylor, zo'n kreet die alleen Amerikaanse cheerleaders in het openbaar durven te slaken, terwijl ieder ander van schaamte door de grond zou gaan. De hele rij met Wakefield-meisjes gilt naar Hürti Slärtbärten alsof we hardcore fans zijn met posters van de groep op de muren van onze slaapkamer, posters die we met lipstick op onze lippen met kusjes hebben overdekt.

En Puistenkop gelooft het ook nog. Hij maakt een zwierige buiging, knipoogt nog een keer naar ons, wiegt met zijn heupen, en dan doet hij er nog een schepje bovenop: hij steekt zijn viool tussen zijn benen en speelt een paar akkoorden, waarbij hij het instrument sexy naar ons toe beweegt.

We liggen blauw. Het licht gaat aan en Hürti Slärtbärten verlaat het podium, maar voor ons is het al veel te laat. We hangen slap in onze stoel, met rode gezichten die nat zijn van de tranen, en snakken naar lucht.

'Dat was schandálig gedrag!' zegt tante Gwen kwaad.

'Meisjes toch,' voegt Miss Carter eraan toe.

'Ik moet toegeven,' zegt Miss Carters vriendin Jane, die naast haar zit, 'dat ze niet heel erg goed waren, Clemency. Ze speelden váls.'

'Dat is juist typerend voor de Scandinavische folkmuziek,' protesteert Miss Carter, hoewel ze zich duidelijk kapot schaamt. 'Die dissonantie is volgens mij opzettelijk.'

'Nou, als je niet gewend bent aan dit soort muziek,' houdt Jane vol, 'klinkt het toch echt alsof ze vals spelen. En ik kan het de meisjes niet kwalijk nemen dat ze het een beetje te kwaad kregen toen hij die viool tussen zijn benen stak...'

Plum ziet het weer voor zich en giert het uit. En Plums lach is, zoals ik net al zei, nogal karakteristiek.

'Plum?' roept een stem aan de andere kant van de zaal.

Taylor en ik schrikken ons rot. We vegen onze ogen af en kijken naar de andere kant van het gangpad. Daar is een meisje gaan staan, dat onze kant op kijkt. We herkennen haar onmiddellijk. Het is Nadia Farouk. Ik zou dat prachtig golvende, glanzende, blauwzwarte haar, die geraffineerde make-up, de gouden sieraden en het chic in het zwart gehulde figuurtje overal herkennen.

Allicht. Ik heb zeven jaar met haar op school gezeten.

'O mijn god,' zegt Nadia hijgend, en ze knijpt haar ogen tot spleetjes.

Plum zit opeens kaarsrecht op haar stoel, alsof iemand een ijzeren staaf door haar ruggengraat heeft gestoken, en ze schudt haar haren naar achteren – dat laatste doet ze altijd voordat ze iemand de oorlog verklaart. De twee meisjes kunnen elkaars bloed wel drinken.

Vorig jaar had Plum een schunnig filmpje van Nadia, en Nadia haalde mij en Taylor over om het te jatten en te vernietigen. Wij wisten alleen niet dat Nadia ook een schunnig filmpje had van Plum, dat ze toen prompt verspreidde, waardoor Plum van St. Tabby werd gestuurd, haar en mijn voormalige school, en op Wakefield Hall Collegiate terechtkwam, waar Taylor en ik al op zaten.

Kortom, we hebben op spectaculaire wijze onze eigen glazen ingegooid. Hoe dom kun je zijn?

Terwijl Plum en Nadia elkaar de maat nemen, dwaalt mijn blik af naar de meisjes die naast Nadia zitten. Ik herken diverse gezichten uit mijn klas op St. Tabby. Ik zie er ook twee die ervoor zorgen dat mijn hart even stil blijft staan, waarna het steeds sneller gaat kloppen, alsof het weg probeert te lopen uit mijn borstkas.

Alison en Luce, mijn twee beste vriendinnen op St. Tabby. We waren zo ongeveer onafscheidelijk; we zaten bij elkaar in de klas, we gingen elke dag na school samen turnen, en dan gingen we naar Alisons of Luce' huis om huiswerk te maken en te eten. Ik bleef altijd zo lang mogelijk, want ik woonde in die tijd op het zolderkamertje van een vriendin van mijn grootmoeder in Holland Park.

We waren niet alleen beste vriendinnen, Alison en Luce ontfermden zich ook echt over me, en voor het eerst sinds mijn ouders doodgingen, toen ik vier was, voelde ik me ergens een klein beetje thuis. We werkten hard voor school en droegen zonder enige gêne bodystockings; we waren nog net geen duffe dozen, maar het scheelde niet veel. Na de turntraining gingen we bezweet en giechelend met de bus naar huis. We moedigden elkaar aan tijdens wedstrijden, we keken naar elkaar als we op de doodenge evenwichtsbalk salto's maakten, we hielpen elkaar overeind als we op ons gat vielen en probeerden stoer te doen als Ricky, onze trainer, tegen ons tekeerging. We wisten echt alles van elkaar, waar we slecht in waren maar vooral ook waar we goed in waren.

En daarvoor heb ik ze beloond door ze plompverloren te dumpen zodra ik de kans kreeg om me bij een hippere kliek aan te sluiten. Op aandringen van Plum nodigde Nadia me uit toen ze een feestje gaf – mij alleen, zonder Alison en Luce, werd er nadrukkelijk bij gezegd – en ik ging. Schandalig, natuurlijk, en ik kreeg mijn verdiende loon. Op dat feestje zoende ik met een jongen – beeldschone, sexy Dan McAndrew, op wie ik al jaren verliefd was – en hij viel het volgende moment dood neer aan mijn voeten. Dat gaf gewéldig veel heisa. Ik werd van St. Tabby getrapt en verbannen naar Wakefield Hall, de kostschool waar mijn grootmoeder de scepter zwaait. Voor Alison en Luce was ik even dood als Dan.

Ik was moederziel alleen en dacht dat ik iemand had vermoord, totdat ik Taylor leerde kennen en – na wat gekissebis – geleidelijk een band met haar kreeg. Uiteindelijk hebben we met z'n tweeën het mysterie van Dans dood ontrafeld. Maar ik neem het Alison en Luce niet kwalijk dat ik eenzaam was. Absoluut niet. Ik heb ze in de steek gelaten. We waren dan wel drie musketiers, maar ik heb me niet aan het allen-voor-één-en-één-voor-allen gehouden, terwijl het hele musketieren daar natuurlijk juist om draait.

In plaats daarvan liet ik ze zien dat ik meedoen met de jetset belangrijker vond dan trouw zijn aan mijn beste vriendinnen.

Het was mijn verdiende loon dat ze me hebben laten stikken.

En nu kan ik mijn ogen niet van ze afhouden.

Luce heeft nog steeds geen tieten. Maar goed, dat had ze zelf al verwacht; haar moeder is zo plat als een pannenkoek. Ze ziet er wel veel volwassener uit. Luce is een klein ding, met bruin haar in twee staartjes, een kapsel dat haar er jaren jonger deed uitzien. Nu heeft ze een jongenskopje à la Audrey Hepburn, en ze is zelfs opgemaakt. Opeens is ze... *stylish*.

Verbluft kijk ik naar Alison, die een total make-over heeft ondergaan en in een fotomodel is gemetamorfoseerd. Haar krullende rode haar is nu steil, een sluik gordijn dat met een brede haarband van zwart fluweel naar achteren wordt gehouden, en ze heeft niet alleen mascara op, zo te zien heeft ze zelfs haar wenkbrauwen donkerder gemaakt. Het is echt een verbijsterende verandering; door die lichte wimpers en wenkbrauwen leek haar gezicht heel vlak en kon je haar trekken niet goed zien. Nu is ze echt heel mooi, op een ouderwetse manier.

Zij hebben mij nog niet gezien; alle meisjes van St. Tabby kijken naar Plum, die zoals gewoonlijk geniet van de dramatische confrontatie.

'Hé, Nadia,' roept ze met een ijzige stem. Ze tilt een hand op en wappert met haar vingers afwijzend in Nadia's richting.

Ik staar nog steeds naar Alison en Luce, versteld dat ze er zo anders uitzien. En met mijn doordringende blik trek ik hun aandacht, want ze draaien hun hoofden iets verder opzij, voorbij Plum. We maken oogcontact.

Ik zie dat ze schrikken. En dan, als de schrik wegzakt, zie ik hun boosheid.

Ze zijn nog steeds woedend op me.

Ik zou het liefst wegkijken, maar dat lijkt laf. Toch wil ik ook niet dat ze denken dat ik me vijandig opstel. Ik ben dan ook immens dankbaar als het zaallicht wordt gedimd, Nadia weer gaat zitten en iedereen weer naar het podium kijkt.

'*Och*, wat zijn jullie een geweldig publiek!' kirt de vrouw achter de knoppen met haar ontzettend leuke Schotse accent, en iedereen is meteen ontspannen en blij. 'Bedankt allemaal dat jullie naar Celtic Collections zijn gekomen. Dit is altijd een bijzondere avond van ons muziekfestival, want vanavond krijgt jong talent de kans om te schitteren. Het is een feest om de folksterren van de toekomst te zien, vinden jullie niet? En dan is het nu tijd voor onze laatste groep. Op het Stornoway Folk Festival hebben ze al de eerste prijs voor jong talent in de wacht gesleept, vijf *bonny laddies* met een veelbelovende toekomst. Graag een warm applaus voor Mac Attack!'

Plum grinnikt om het *bonny laddies*, en ik ben het met haar eens dat het veel grappiger klinkt dan *nice boys*. Lizzie en Susan lachen uiteraard mee; als Plum proestend naar een verminkt lijk zou wijzen, zouden ze ook braaf meedoen. Maar dan daalt er een theatrale, blauwgroene gloed over het podium neer, met paarse randen, en als Mac Attack begint te spelen, verstomt hun gelach direct.

Soms weet je het meteen als mensen echt heel erg goed zijn in wat ze doen. Je krijgt kippenvel als een actrice haar eerste zin uitspreekt, of een danser opkomt met een indrukwekkende sprong. Hürti Slärtblärten was om te huilen, maar vanaf het allereerste akkoord weten we allemaal dat Mac Attack vét goed is. Ze spelen een nummer in mineur, lieflijk en indrukwekkend, en het spreekt onmiddellijk tot mijn verbeelding. En het is ons niet ontgaan dat de vier jongens op het podium, de toetsenist, de fluitist, de gitarist en de bespeler van de contrabas, stuk voor stuk prima benen hebben. Dat kunnen we constateren, want ze dragen kilts.

Jongens in kilts, die gevoelige muziek maken. Het publiek is nu al in vervoering.

En dan klinkt het geluid van een viool, zoet en melancholiek, als een stem in de verte die een triest lied zingt.

17

If with me you'd fondly stray
Over the hills and far away...

Het is een oude folksong die ik herken, al heb ik het liedje nog nooit zo horen vertolken. Gespeeld op een viool klinkt het magisch, alsof de melodie een toverformule is die een net over je hart werpt en je meeneemt, alsof de violist de Ratten-vanger van Hamelen is. Langzaam loopt hij het podium op, al spelend, en er gaat een gesmoorde golf van opwinding door de rij meisjes heen. We buigen ons allemaal naar voren, alsof we aan onzichtbare touwtjes vastzitten.

Hij is beeldschoon, met zo'n klassiek lichaam waar ieder meisje van droomt: brede schouders, smalle heupen, sterke, gespierde benen – en dat valt goed te zien, want ook hij draagt een kilt. Zijn kuiten, gehuld in hoge wollen sport-kousen, zien er zo goed uit dat Taylor goedkeurend haar wenkbrauwen optrekt. Ik weet dat ze gruwt van jongens met magere kuiten. Hij draagt een T-shirt, en zijn armspie-ren, die rimpelen tijdens het spelen, zijn al even indrukwek-kend als zijn beenspieren. Die idiote eerste violist van Hürti Slärtbärten zwaaide zijn viool als een speeltje heen en weer in een mislukte poging om indruk te maken op het publiek, maar deze jongen hanteert de zijne alsof het instrument deel uitmaakt van zijn lichaam, en hij concentreert zich volledig op de muziek die hij maakt.

Wauw. Die jongen is woest aantrekkelijk.

En dan, als hij naar de schijnwerper in het midden van het podium loopt, krijg ik de schrik van mijn leven, want nu hij helemaal in het licht staat, kan ik zijn gezicht zien. Zijn haar is heel kort en zijn schedel gaaf gevormd, zodat niets afleidt van zijn trekken, die ik meteen herken: de grijsgroene ogen, de rechte neus, de hoge jukbeenderen. De volle roze lippen. Die me, beken ik tot mijn schaamte, wel heel erg bekend voorkomen.

Die lippen heb ik gekust.

Het is Callum McAndrew, Dans tweelingbroer.

Natuurlijk ben ik niet het enige meisje in de zaal dat Callum herkent. Taylor verstijft in haar stoel – zij is destijds ook naar Schotland gekomen toen we de moord op Dan probeerden op te lossen. We hebben Callum ontmoet onder omstandigheden waar niemand aan herinnerd wil worden.

En een eindje verderop hoor ik Plum tegen Lizzie en Susan fluisteren wie de bandleider van Mac Attack is. Plum heeft Dan heel goed gekend – héél goed. Hij was een kernlid van haar kliek – ultrahippe meisjes en snelle jongens – een feestbeest. Callum is heel anders dan Dan, absoluut geen uitgaanstype. Maar Plum kent hij wel; zijn ex-vriendin, Lucy Raleigh, hoorde bij Plums clubje van puissant rijke, beeldschone, langharige party girls.

Ik zak in elkaar op mijn stoel en staar als gehypnotiseerd naar Callum, die zoete klanken ontlokt aan de viool onder zijn kin. Het is onvoorstelbaar dat dit hetzelfde instrument is waar Hürti Slärtbärten dat vreselijke gejank mee produceerde. En toch kan ik, ondanks Callums voortreffelijke spel, wel in tranen uitbarsten.

Hoe kan dit nou? denk ik wanhopig. De meisjes van St. Tabby en Callum McAndrew in hetzelfde auditorium? Ik heb het gevoel dat het verleden een verpletterende en zeer ongewenste comeback heeft gemaakt. Het is alsof ik de woede van Alison en Luce kan voelen; er lijkt een rode mist over me neergedaald. Dat is geen pretje, en tot overmaat van ramp staat Callum McAndrew op het podium, een jongen die eruitziet als een god en speelt als een engel, wat betekent dat alle meisjes in de zaal nog wekenlang alleen maar over hem kunnen praten, dat ze gaan giechelen als zijn naam wordt genoemd, en dat ze eindeloos gaan googelen om foto's van hem te vinden.

Over spoken uit het verleden gesproken. Telkens als ik denk dat ik de moord op Dan van me heb afgeschud en met een schone lei kan beginnen, komt het hele gedoe als een boemerang terug. En nu heb ik het gevoel dat ik erin verzuip.

Het zure is dat ik deze hele ramp over mezelf heb afgeroepen. De school organiseerde een reisje naar Edinburgh in de maartvakantie, en ik was de eerste die zich ervoor opgaf. Ik snakte naar afleiding, want Jase, mijn vriendje, is al twee maanden foetsie. Hij stuurt me sms'jes en we hebben een paar keer geskypet, maar dat vluchtige contact maakt het eigenlijk alleen maar erger, alsof je kruimels gooit naar iemand die op sterven na dood is.

Ik mis hem vreselijk. Ik mis het om hem te voelen, om hem te kussen, om mijn armen om hem heen te slaan, om mijn neus in zijn gladde hals te begraven en zijn geur op te snuiven. Ik dacht dat het beter zou gaan naarmate ik hem langer niet zag, maar het wordt juist steeds erger; het gemis voelt als een gat in mijn binnenste, zo groot als een vuist, gevormd als een vuist, alsof iemand een hand naar binnen heeft gestoken en een onontbeerlijk orgaan heeft weggerukt.

Ik hoopte dan ook dat ik het verdriet in Edinburgh even zou kunnen vergeten. Een nieuwe omgeving, nieuwe belevenissen, en vooral een plek zonder herinneringen aan Jase.

Elke keer dat ik op Wakefield Hall een hoek om ging, elke keer dat ik over het terrein liep, dacht ik heel even dat ik hem zag, bezig om bladeren weg te harken of bomen te snoeien, of soms dat hij naar me toe kwam lopen, stralend omdat hij blij is om me te zien.

Over afleiding gesproken. Ik ben in een slangenkuil terechtgekomen.

2

IN NOORWEGEN ZIJN ZE HEEL BEROEMD

'Die jongens hebben bodyguards nodig,' zegt Taylor. Ze kijkt naar Mac Attack die na hun gig in de foyer van het cultureel centrum achter een tafel met stapels van hun cd zitten. Meisjes zwermen opgewonden om hen heen, alsof ze de sterren in een nieuwe vampierfilm zijn. De organisatoren van Celtic Connections proberen zonder veel succes orde te scheppen in de chaos.

'Ze zijn over de rooie,' zeg ik, knikkend naar de mensen van de organisatie; een ervan heeft zich net tussen een groep meiden en Callum gewaagd en is bijna onder de voet gelopen.

'Zeg dat wel,' zegt Taylor. 'Maar ze hebben er zelf om gevraagd. Je doet toch geen kilt aan als je voor een meidenpubliek gaat optreden?'

Ik giechel. 'Waarschijnlijk wisten ze niet dat letterlijk elke school in Edinburgh een bus vol tieners zou sturen.' De organisatie heeft duidelijk zoveel mogelijk scholen aangeschreven om het optreden van aanstormende folkbands te promoten.

'Niet alleen de scholen in Edinburgh,' merkt Taylor op. 'Wij zijn er, en zij ook.' Ze gebaart naar Nadia, die wordt omringd door een groepje meisjes die minstens even lang voor de spiegel hebben gestaan als zij, met drankjes in hun hand die ze bij de bar hebben gehaald. Ik durf te wedden dat er meer dan alleen cola light in Nadia's plastic bekertje zit. 'Wie zijn Alison en Luce?'

Ik wijs ze aan, en ze zet grote ogen op.

'Ik dacht dat ze sportief en een soort van stoer waren,' zegt ze, starend naar Alison en Luce. 'Wauw. Als de sportieve meisjes van St. Tabby er zo uitzien...'

Ik schud mijn hoofd. 'Nee, zo zijn ze pas geworden nadat ik ben weggegaan,' verzeker ik haar.

'Ik geef het niet graag toe,' mompelt Taylor, 'maar allemaal samen in een groep zijn ze behoorlijk griezelig. Het is alsof Plum zich heeft vermenigvuldigd.'

Ik knik, want ik weet precies wat ze bedoelt. Zo te zien zijn alle meisjes van St. Tabby naar Edinburgh gekomen met een stijltang, een uitpuilende make-uptas en een paar stiletto's, en hebben ze voor het concert bovendien uren de tijd gehad om zich zo mooi mogelijk te maken. De delegatie van Wakefield Hall is daarentegen met de trein uit Londen gekomen, een trein die ruim anderhalf uur vertraging heeft gehad dankzij 'baldadige jongelui', om de conducteur te citeren, die in Dorcester 'rottigheid' uithaalden op het spoor.

'Rij toch gewoon over ze heen!' had Plum opgemerkt. 'Het is de enige taal die ze verstaan.'

Maar na een hele reeks aankondigingen ('De jongelui zitten nog steeds op het spoor. De politie is gewaarschuwd,' en: 'De politie doet pogingen om de jongelui te verwijderen,' en, ten slotte: 'Gelukkig kan ik melden dat de meeste jongelui inmiddels zijn gearresteerd, maar er is één jongen die zich blijft verzetten'), waren we zo ongeveer allemaal even bloeddorstig als Plum. Vanwege die 'baldadige jongelui' zijn we namelijk na meer dan zes uur in de trein stijf van het zitten uitgestapt, te laat om onze bagage af te zetten in de kostschool waar we gedurende ons verblijf logeren, en moesten we rechtstreeks naar het cultureel centrum voor het concert. We voelen ons allemaal vies en gekreukeld, vooral omdat het contrast met de meisjes van St. Tabby zo groot is; zij zien eruit om door een ringetje te halen, wij als een stel daklozen.

'Ga je naar ze toe?' vraagt Taylor.

Ik kijk naar mijn spijkerbroek en hoodie en schud mijn hoofd. 'Niet zoals ik er nu uitzie. Ik voel me veel te shabby.'

Een van de fijne dingen van Taylor is dat ze altijd zegt waar het op staat. Lizzie Livermore, nuffige, kirrende Lizzie, zou me onmiddellijk als een spraakwaterval hebben verzekerd dat ik er absoluut gewéldig uitzag en alleen nog een vleugje lipgloss nodig had. Taylor kijkt echter naar mijn outfit en knikt. 'Ja. Ik ben een beetje zweterig, en jij ruikt vast ook niet zo lekker,' zegt ze in alle eerlijkheid. 'Ik doe een moord voor een douche.'

Zelfs Plum, Susan en Lizzie, die er meestal uitzien alsof ze zo uit de *Teen Vogue* zijn gewandeld, kunnen niet tippen aan de ultrakortgerokte en hooggehakte meisjes van St. Tabby. Het alledaagse uniform van Plum en de Plum-strijkers bestaat de laatste tijd uit een legging, een lange sweater en UGG's, en dat hebben ze allemaal aangetrokken voor de reis, maar ik weet zeker dat ze speciaal voor dit concert superstrakke, sexy outfitjes hadden meegenomen. Als Pasen en Pinksteren op één dag vallen – zó vaak is Plum underdressed.

Tot nu toe dan.

'Meisjes!' roept Miss Carter, en ze gebaart naar een kleine tafel naast de bar, waar haar vriendin en tante Gwen al klaarstaan. 'Ik heb iets te eten besteld omdat ons programma door de vertraging in het honderd is gelopen. Tast toe!'

'O néé!' roept Plum ontzet uit als ze de wraps ziet die op de tafel zijn uitgestald. Die zien er inderdaad behoorlijk smerig uit; er steekt sla uit die zo slap is als gebruikte tissues en de geraspte kaas heeft de kleur van mandarijntjes. 'Is dat kááś? Ik heb een lactose-intolerantie.'

'Ik ook,' kraait Lizzie. 'En witte tarwe is zó slecht voor mijn spijsvertering.'

'Wat een elléndige dag. De éne ramp na de andere,' verzucht Plum. 'Een saladebar is toch wel het mínste wat ze konden doen.'

'Wat is dit?' vraagt Taylor als ze een flesje met een feloranje goedje van de tafel pakt.

'Het heet Irn-Bru,' legt Jane, Miss Carters vriendin, haar opgewekt uit. 'Het is de Schotse versie van Fanta. Maar dan een beetje anders.'

'Het ziet eruit als ice tea,' zegt Taylor. Ze draait de dop eraf en zet de fles aan haar mond. 'Jammie,' zegt ze na de eerste slok enthousiast. 'Een beetje raar maar wel jammie.'

'Hoe smaakt het?' Ik pak zelf ook een flesje.

'Naar sinaasappel en koffie,' zegt Taylor peinzend. 'En naar water. Een beetje raar, dat zei ik al. Maar op een lekkere manier.'

'Cool.' Ik neem een teug. Het doet een beetje aan Red Bull denken, zo'n energydrink, maar dan Schots. 'Mmm! Lekker!'

Terwijl ik Irn-Bru drink kijk ik om me heen. De foyer van

het cultureel centrum is aan een opknapbeurt toe; zo te zien is er sinds de jaren zeventig van de vorige eeuw, toen het centrum moet zijn gebouwd, geen vinger meer naar uitgestoken. We hebben nog niet zo lang geleden een module design gehad, dus weet ik dat de vloerbedekking met de gele, bruine en oranje krullen, het lage plafond en de formicatafels met bijpassende, al even gebutste stoelen klassiek zijn voor de jaren zeventig. Het licht van de tl-buizen is zo ongeveer even flatteus als een kokerjurkje in maatje S bij een meisje met maat L. Het enige positieve wat je over dit decor kunt zeggen, is dat je er emmers oranje Irn-Bru over kunt uitgieten zonder dat het iemand zou opvallen.

'Ze zouden wel drie keer dat aantal cd's kunnen verkopen,' merkt Taylor op. Mac Attack zet de ene handtekening na de andere; hoewel massa's meisjes trots een cd vasthouden met alle vijf de handtekeningen van de bandleden, is de tafel nog steeds omstuwd, want de fans blijven in de buurt om zo ongeveer kwijlend naar hun nieuwe idolen te staren.

Ik kan het ze niet echt kwalijk nemen. Callum is beslist niet de enige knappe jongen van de groep. De fluitist is een stevig gebouwde knul met indrukwekkende schouders, een vierkante kaak en bruine sproeten op zijn neus; de gitarist is een lange slungel met een grote bos donkerrode krullen, en als hij naar de veertienjarige meisjes kijkt die gretig hun cd naar hem toe schuiven, zie ik een olijke twinkeling in zijn lichtbruine ogen. Ik vind hem meteen sympathiek; hij is net een oudere broer die aardig is tegen de vriendinnetjes van zijn jongere zusje.

En dan is Callum er natuurlijk ook nog. Hij zit in het midden en lijkt zich opgelaten te voelen door alle aandacht.

'Hij ziet er niet erg happy uit,' merkt Taylor op.

'Hij kijkt nooit erg happy,' zeg ik. 'Niet dat ik weet tenminste.'

'Hm,' zegt Taylor. 'Ik heb hem maar één keer gezien, en toen was hij nou niet bepaald...'

Haar stem sterft weg, maar ik weet precies wat ze bedoelt. Die ene keer voor haar was toen zij, Callum en ikzelf bij elkaar waren in een vervallen toren op het Schotse landgoed van zijn ouders. En dat is geen herinnering die een glimlach oproept.

Opeens, nu ik moet denken aan wat er is gebeurd, ben ik weer helemaal verdrietig. En precies op dat moment kijkt Callum toevallig mijn kant op. We maken oogcontact. Ik zie dat hij me herkent en zich rot schrikt, en lees dan een kluwen van emoties in zijn ogen. Verbazing uiteraard, en verdriet, vergelijkbaar met het mijne, en ook nog iets anders, een soort echo van wat ik voel nu ik in zijn grijsgroene ogen kijk. Een heel andere herinnering.

De laatste keer dat ik Callum heb gezien, hebben we gezoend.

Toch wist ik, na Dans dood en wat er in de toren is gebeurd, dat Callum en ik nooit een relatie zouden kunnen hebben. Te veel ballast, te veel nare dingen meegemaakt. Mij leek het destijds het beste om zo snel mogelijk de deur dicht te doen en nooit meer om te kijken.

En die deur zou nog steeds dicht zijn geweest als het toeval niet anders had beschikt. Nu kijken we elkaar aan in de foyer van het Edinburgh Arts Center terwijl hordes hitsige tieners als keffende chihuahua's om zijn aandacht strijden.

'Ha!' snuift Taylor. Ze pakt twee wraps, een voor haar en

een voor mij. 'Hier. Eten. En als je het op hebt, mag je me precies vertellen wat jij en Callum hebben uitgespookt. Ja, ja, ik weet dat jullie elkaar hebben gekust, maar als ik zie hoe jullie naar elkaar kijken, krijg ik de indruk dat het eerder een, hoe zeg je dat...' Ze denkt even na en besluit dan met een vet bekakt accent triomfantelijk: 'Dat het eerder een volledig uit de hand gelopen tongzoen is geweest.' Het klinkt zo grappig dat ik begin te lachen. Dat maakt haar gelukkig nijdig genoeg om niet verder over Callum en mij te speculeren...

'Ben jij Scarlett?' zegt een jongensstem.

Ik verslik me in de laatste druppels Irn-Bru, veeg lomp mijn mond af met de rug van mijn hand, en knik naar de gitarist van Mac Attack, die met het rode haar en de leuke ogen.

Begeleiders drijven de jongere meisjes bij elkaar, en het valt niet mee om alle kikkers in de kruiwagen te krijgen. De jongens van Mac Attack hebben inmiddels al hun cd's en T-shirts verkocht, en de tafel waar ze zaten is helemaal leeg.

De gitarist buigt zich voorover, deels omdat hij een stuk groter is dan ik, deels omdat hij, concludeer ik uit zijn schichtige blikken naar links en naar rechts, iets te zeggen heeft dat alleen voor mijn oren is bestemd. 'Callum is in de artiestenfoyer,' zegt hij. 'Hij zou het leuk vinden als je even dag komt zeggen. Hier is het een gekkenhuis.'

'Eh... oké.'

'Ewan! Wil je mijn T-shirt tekenen?' vraagt een meisje. Ze trekt aan zijn arm en kijkt hem dweperig aan. 'Ik vind jou de leukste van allemaal!'

'Ik ben zo terug,' zegt hij tegen haar. Naar mij rolt hij met zijn ogen voordat hij zich omdraait om me mee te nemen. Ik kijk nog snel over mijn schouder naar Taylor. Haar opgetrokken wenkbrauwen lijken net twee zwarte strepen. Ze brengt een hand naar haar mond en lebbert sexy aan haar handpalm als verwijzing naar wat ze over mij en Callum weet.

Je wordt bedankt, denk ik zuur. Daar zat ik nou net op te wachten, Taylor.

Ewan neemt me in sneltreinvaart mee, door de deuren van het auditorium, over het middenpad en het podium op. Ik moet zo ongeveer hollen om hem bij te houden, en ook nog over kabels en wit tape op de podiumvloer heen springen en de versterkers ontwijken, zodat ik geen tijd heb om te bedenken hoe het zal zijn om Callum weer te zien. Als we ergens in de coulissen een trapje zijn afgedaald en hij een deur opendoet, ben ik compleet buiten adem. En nog steeds onvoorbereid.

Net als Ewan heeft Callum zich nog niet omgekleed; hij draagt het zwarte T-shirt van Mac Attack en een kilt – ik neem aan dat het de tartan van de familie McAndrew is. De wollen sportkousen bedekken zijn kuiten, dus kan ik zijn knieën en een deel van zijn gespierde dijen zien als hij zich beweegt.

Dat helpt niet.

Hij is bezig zijn viool in een kist te leggen, wikkelt het instrument in een witte doek alsof hij een baby inbakert.

'Missie voltooid,' kondigt Ewan aan. 'Eh, ik ga maar eens terug. Die meiden hierboven willen nog steeds handtekeningen op hun T-shirts. We zijn hot, man!'

Hij knikt naar me en draaft weer weg. Callum sluit de

vioolkist en knipt de sluitingen dicht, met meer omhaal dan nodig is.

Dat kan ik heel goed begrijpen. Als ik iets met mijn handen kon doen, zou ik er minstens net zo lang mee bezig zijn.

'Hé, Scarlett,' zegt hij uiteindelijk, en dan pas kijkt hij me aan.

'Hé,' zeg ik terug. Ik wip van mijn ene voet op de andere, en wens in stilte dat ik leukere kleren aanhad dan een spijkerbroek en een slobberige sweater. 'Je bent echt heel erg goed. Jullie allemaal.'

'Vind je?' Schaapachtig strijkt hij met een hand over zijn korte haar. 'Het ging wel, vond ik zelf.'

'Je zou meer moeten zingen,' voeg ik eraan toe. 'We zeiden het allemaal.'

'O, man.' Callum kijkt alsof hij het liefst door de grond zou willen zakken. 'Ik voel me zo'n sukkel als ik zing. Maar ik geloof dat het publiek het wel leuk vond.'

Callum heeft niet de ideale persoonlijkheid voor een bandleider – hij is niet iemand die graag in de spotlights staat. In tegenstelling tot zijn tweelingbroer Dan; die was de geboren charmeur en aandachtjunk. Dan zou het aan elkaar praten van de verschillende nummers veel beter hebben gedaan dan Callum, hij zou met grapjes en plagerijen hebben gestrooid, zoals een goede bandleider dat nu eenmaal doet. Callum mompelde alleen voor elk nummer de naam van het liedje, en dan bracht hij gracieus de strijkstok omhoog, als iemand die veel liever speelt dan praat.

Het kwam dan ook als een verrassing dat Callum, terug op het podium voor een toegift, verlegen aankondigde dat ze een traditionele song zouden doen, 'The Blooming Bright

Star of Belle Isle', zijn keel schraapte en met een lichte, melodieuze tenor begon te zingen:

One evening for pleasure I rambled
To view the fair fields all alone
Down by the banks of Loch Erin,
Where beauty and pleasure were known.

Het was een mooi, romantisch lied, en Callum vertolkte het prachtig, harmonieus begeleid door Ewan. En uiteraard gingen alle meisjes in de zaal compleet uit hun dak.

'Ik moest echt moed verzamelen om het te kunnen doen,' geeft Callum nu toe. 'Ewan zei dat hij zou beginnen, en als ik niet meezong, zou hij in zijn hemd staan, omdat hij de melodie niet zingt. Ik moest dus wel. Mán.' Hij grijnst. 'Ik ben blij dat het achter de rug is.'

'De tweede keer gaat het vast makkelijker,' zeg ik.

'Dat zei Ewan nou ook! In de coulissen gaf hij me een klap op mijn rug en zei dat ik was ontmaagd.' Callum bloost. 'Sorry,' mompelt hij.

Ik gebaar losjes met mijn hand; het moet eruitzien alsof ik dagelijks over dit soort dingen praat, maar ik ben bang dat ik overkom als een gekkin die naar niet-bestaande vliegen wappert.

'Wilde je...'

'Het leek me gewoon...'

We praten door elkaar heen, breken allebei onze zin af en beginnen dan te lachen, zodat een deel van de spanning oplost.

'Het leek me gewoon fijn om even rustig hallo te zeggen.'

Deze keer maakt Callum zijn zin wel af. 'Hierboven is het een gekkenhuis, dat heb je zelf gezien. We hadden dit niet echt verwacht. En ik zag een paar meisjes waar Dan vroeger mee omging. Plum. En Nadia.' Hij trekt een gezicht. 'Ik weet hoe ze zijn.'

Nee, denk ik, dat weet je helemaal niet. Jongens weten niet hoe dat soort meiden zich kunnen gedragen, want ze hangen alleen de bitch uit als er geen jongens in de buurt zijn.

'Ja,' beaam ik. 'Wat een nachtmerrie.'

'Zoals Lucy,' zegt Callum, doelend op zijn ex-vriendin. 'Later kreeg ik pas in de gaten hoe ze echt was. Jíj weet het.'

Ik knik grimmig. Ik weet het maar al te goed.

'Leuk om je weer te zien, Scarlett,' vervolgt hij. 'Ik... Toen je bij ons was op Castle Airlie, was het allemaal nogal hectisch. Het is leuk om je ergens te zien waar eh... nou, niet daar.'

Hij grijnst nog een keer, en het lijkt net alsof er een baan zonlicht door een glas-in-loodraam schijnt; de hele ruimte licht op. Ik was vergeten hoe knap Callum is als hij glimlacht. Waarschijnlijk doordat ik het hem zelden heb zien doen.

'Ik zeg het niet goed,' hakkelt hij, 'maar je weet wat ik bedoel.'

'Ik vind het ook leuk om jou te zien,' zeg ik, en ik meen het.

We staan daar even te staan, allebei glimlachend. Het is de eerste keer dat Callum en ik ons in elkaars gezelschap op ons gemak voelen. Zelfs toen we elkaar kusten, was het pijnlijk, schrijnend, omdat we donders goed wisten dat het onze eerste en ook laatste kus zou zijn, een afscheidskus.

Maar nu voelt het goed. We hoeven zelfs niets te zeggen; het is alsof het verleden vervaagt en we opnieuw kunnen beginnen.

Dit had ik niet verwacht. En ik vind het erg leuk.

'Callum, *darling*! Waarom heb je je hier verstopt? Je hoort in de bar te zitten met je fans!' Plum trippelt met uitgestoken armen de ruimte binnen. Ze sleept een wolk van zoet parfum achter zich aan, Rock 'n Rose van Valentino; kennelijk heeft ze net nog wat opgespoten. Het is de laatste tijd haar favoriete luchtje, maar ik vind dat het totaal niet bij haar past – Plum is niet zoet, en ze lijkt al helemaal niet op een roos.

Ze sleept ook haar huppeltjes achter zich aan, Susan en Lizzie. Totdat Plum naar Wakefield Hall kwam, was Susan een ruwe diamant, een lange, slanke blondine, met fijne gelaatstrekken die niet tot hun recht kwamen doordat ze zulke lichte wimpers en wenkbrauwen heeft, en ze verstopte haar beeldige figuurtje onder slobbertruien en wijde spijkerbroeken. Nu ziet Susan eruit als een supermodel in haar vrije tijd, met benen tot aan haar oksels en haar tot op haar slanke taille, en een gezicht dat met mascara en wenkbrauwpotlood tot leven is gewekt. Je zou een hekel aan haar hebben als ze niet zo lief was.

Terwijl Lizzie, de schat, een soort pluizige golden retriever is, een meisje dat waanzinnig haar best doet om te bewijzen dat ze bij de *smart set* hoort door altijd met de hipste designertas te pronken. Taylor en ik zijn al met al erg op Lizzie gesteld, maar ze doet zo haar best om aardig gevonden te worden dat ze in ruil voor een aai van iemand tegen wie ze opkijkt tot zo ongeveer alles in staat is. In feite is ze net een flipperbal, je hoeft alleen maar op de knoppen te drukken.

Susan en Lizzie houden bescheiden afstand – ze kennen hun plaats – als Plum naar Callum walst en snort: 'Je was gewoon gewéldig!' Ze geeft Callum theatraal een kus op zijn beide wangen. 'Vooral toen je zong! We kregen er allemaal kippenvel van!' Ze draait zich half om en wijst naar Susan en Lizzie. 'Ja toch?'

Ze knikken als hondjes met zo'n wiebelkop op de hoedenplank van een auto.

'Ja, eh, bedankt.' Callum lijkt net een kat in het nauw. 'Ik moet hier echt eens weg. Dat zei je al.'

'Natuurlijk! Laten we teruggaan!' Plum pakt zijn arm beet en draait zich om naar de deur.

Daardoor ziet ze mij. Nu pas.

'Scarlett?' roept ze uit, en ze kijkt van mij naar Callum. 'Wat doe jíj hier?'

'We praten bij,' zegt Callum snel.

'Ik wist niet eens dat jullie elkaar kénden!' zegt Plum terwijl ze Callum meesleept naar buiten. 'Wat ben je toch achterbáks, Scarlett!'

Ik weet niet hoe ze het voor elkaar krijgt zonder een woord te zeggen, maar tegen de tijd dat ze Callum over het podium en door het auditorium heeft gesleurd, moet ze Lizzie een seintje hebben gegeven om alvast voor hen uit te dribbelen en de deur open te houden, zodat Plum en Callum een dramatische entree in de foyer kunnen maken. En ja hoor, hoofden worden omgedraaid en ogen beginnen te glinsteren als de meisjes Callum zien. Plum houdt zijn arm vast alsof haar leven ervan afhangt, alsof hij een menselijke trofee is die ze net heeft gewonnen.

Taylor komt naar me toe en trekt een gezicht. 'Ik zag al dat ze richting kleedkamers ging,' zegt ze, 'maar ik had een stengun nodig gehad om haar tegen te houden.'

'Misschien moeten we maar eens zo'n ding scoren,' zeg ik. 'Voor noodgevallen.'

'Callum! Hoi!' roept Nadia luid. Ze is er duidelijk op uit zoveel mogelijk aandacht te trekken. Dan loopt ze naar hem toe als een model op een catwalk, met haar smalle heupen wiegend, benen hoog opgetrokken, haar golvend om haar schouders. 'Je was echt sénsationeel goed!'

'Ja, bedankt, Nadia,' snauwt Plum. 'Dat had ik al gezegd.'

'Hé, Plum,' zegt Sophia von und zu Weet-ik-het opgewekt, en ze komt achter Nadia aan. Sophia is een Oostenrijkste gravin. Vette adellijke titel, vet rijk, en vet dom. Ik denk echt dat ze zonder de eerste twee factoren nooit op St. Tabby zou zijn toegelaten; op St. Tabby zijn ze echt véél snobistischer dan op Wakefield Hall. Mijn grootmoeder, de directrice van Wakefield, zou er niet over hebben gepeinsd om Sophia aan te nemen, want de gravin heeft de verstandelijke vermogens van een goudvis.

Nu Plum afgeleid is door Nadia, lukt het Callum om zijn arm uit haar greep te bevrijden en zich naar mij om te draaien.

'Callum, je kent Taylor nog wel,' zeg ik.

Hij knikt. 'Hé,' zegt hij. 'Leuk je te zien.'

'Vind ik ook,' zegt ze glimlachend, en ik besef direct dat ze het meent, dat het niet alleen beleefdheid is.

Oef, denk ik, Taylor vindt Callum aardig. Om de een of andere reden is dat heel belangrijk voor me.

'Mijn hemel, Scarlett, had je aan één broertje McAndrew

niet genoeg?' hoont Plum als ze ons hoort praten. 'Leg je soms een verzameling aan?'

Dit is zo ontzettend vals dat mijn mond openvalt, en kennelijk is Callum net zo verbaasd, want hij kan ook geen woord uitbrengen.

Maar Taylor wel. 'Hé!' blaft ze. 'Káppen!'

'O, Callum, ken je Scarletts bodyguard al?' vraagt Plum terwijl ze met kattenogen naar Taylor kijkt. 'Pas maar op: voor je het weet heb je een kaakslag te pakken. Ze is een échte macho.'

Dit pik ik niet. 'Je bent gewoon jaloers omdat Taylor zo fotogeniek is,' kaats ik terug. 'Je kunt het niet hebben dat zij leuker op foto's staat dan jij.'

Het komt aan als een mokerslag; ik kan zien dat Plum moet slikken. Ze heeft Taylor altijd genadeloos gepest, in het volste vertrouwen dat haar slachtoffer niks terug kon zeggen omdat zij iets pikants van Taylor weet dat geheim moet blijven. Maar Plum is even vergeten dat ik iets pikants van háár heb dat zíj koste wat kost geheim wil houden. We staan dus quitte.

'Ha!' weet ze niet erg overtuigend uit te brengen, en ze schudt haar haren voor haar ogen zodat ze me niet hoeft aan te kijken. 'Je kletst maar wat.'

Waarop Nadia's glanzende blauwzwarte hoofd zich van mij naar Plum draait. Haar donkere ogen hebben een alerte glinstering gekregen. Nadia heeft bewezen dat ze kan manipuleren als de beste; in het verleden heeft ze Taylor en mij voor haar karretje gespannen, ons even virtuoos bespeeld als Callum zijn viool. Nu heeft ze de onderhuidse spanning tussen mij en Plum opgepikt, en ik ken Nadia goed genoeg om te weten dat ze niet zal rusten voordat ze precies weet wat erachter zit.

En dat wil ik helemaal niet.

Misschien had ik Plum niet uit moeten dagen waar Nadia bij is. Het probleem is dat ik niet kattig ben, zoals andere meisjes; Plum en Nadia en consorten hebben het voeren van een guerrilla tot een kunst verheven, maar ik kan dat nou eenmaal niet. Ik ben dom geweest, ik heb niet nagedacht voordat ik mijn mond opentrok.

En dan ontspan ik me weer. Het is per slot van rekening puur toeval dat we elkaar hier ontmoeten. Normaal gesproken wonen wij en de meisjes van St. Tabby zo ongeveer op twee verschillende planeten. Het is me trouwens een raadsel wat ze hier doen; Schotse folkmuziek is veel te serieus voor het supersnelle imago van St. Tabby.

'Hallo, daar!' zegt een stem met een raar accent, en als we ons omdraaien om te zien wie het is, sta ik oog in oog met de magere borstkas van Puistenkop, de ster van Hürti Slärt-bärten. Hij heeft die rode glimblouse godzijdank uitgedaan, maar het vale, grijswitte T-shirt met het logo van The Rolling Stones dat ervoor in de plaats is gekomen is nou niet echt een verbetering. Vooral omdat we volgens mij allemaal kunnen ruiken dat hij tijdens zijn optreden behoorlijk heeft gezweet; er hangt echt een walm om hem heen.

Gelukkig heeft hij het niet tegen mij. Hij kijkt naar Nadia.

'Wat ben jij een mooi meisje!' zegt hij.

Alsof Nadia dat niet allang weet.

'Ik zou je willen vragen of je met mij iets gaat drinken,' gaat hij verder, terwijl we hem allemaal ongelovig aangapen.

'Jezus, híj durft!' fluistert Taylor in mijn oren.

Het is waar. Deze sukkel met te veel gel in zijn haar, puisten als vulkaankraters en een zweetlucht waar je misselijk van wordt, heeft de moed om een van de prinsessen van de Londense society mee uit te vragen. En dat niet alleen, hij schijnt het ook nog eens vanzelfsprekend te vinden dat ze ja zal zeggen.

'Jullie herkennen me misschien van ons optreden,' voegt hij er met een neerbuigend knikje naar ons hele groepje aan toe. 'Ik ben héél beroemd in Noorwegen. Oké!' Hij glimlacht naar Nadia. 'Ga je mee?'

Nadia kijkt nerveus om zich heen, haar ogen flikkeren, en ik weet precies waarom: ik weet inmiddels hoe zulke meisjes denken, ook al ben ik geen expert in de spelletjes die ze spelen. Ze vermoedt dat iemand die een bloedhekel aan haar heeft haar erin luist, een camera in de aanslag heeft om een foto te maken van haar en Mr. Hürti Slärtbärten – een foto die dan op Facebook kan worden gepost, met als onderschrift: NADIA EN HAAR NIEUWE VURIGE VLAM!

'Geen zorgen!' zegt hij joviaal tegen ons in het algemeen. 'Ik breng haar heus weer terug.'

Jammer genoeg krijgt Lizzie het te kwaad en ze begint te giechelen, waarbij ze haar zorgvuldig gestylede haar rond haar schouders laat dansen. Typisch Lizzie.

'Meisjes!' Ms. Burton-Rice, de geschiedenislerares van St. Tabby, komt gehaast naar ons toe. 'Het is de hoogste tijd om naar huis te gaan, dames. We hebben morgen weer een drukke dag.'

Volgens mij is Nadia nog nooit van haar leven zo blij geweest om een docent te zien.

3

GOEDE VRIENDEN ZEGGEN WAAR HET OP STAAT

'Dat alleen al was het hele kattengejammer waard,' merkt Taylor op als we ons achter in de bus nestelen.

'Ik heb Nadia nog nooit met haar mond vol tanden zien staan,' zeg ik waarderend.

'In de normale wereld zou een jongen die er zo uitziet nooit bij haar in de buurt durven komen,' zegt Taylor peinzend. 'Ze is het waarschijnlijk gewend dat prinsen naar haar hand dingen, en zoons van oliesjeiks. Dat soort types.'

'Sophia von und zu Je-weet-wel is van adel, en haar oudere broer dus ook,' vertel ik. 'Ze hebben zo'n titel uit de tijd van de kruisvaarders, of zoiets. Nou, die broer van haar schijnt altijd achter Nadia aan te zitten.'

'Dat bedoel ik. Dus toen die stinkende puistenkop haar mee uit vroeg, vielen de oren van haar hoofd,' concludeert Taylor tevreden.

'Het wás ook niet te geloven. Stel je voor dat tante Gwen zou flirten met Johnny Depp, dat is net zoiets,' zeg ik, en Taylor proest het uit.

Dan leun ik opzij naar het middenpad. Tante Gwen zit helemaal voorin; ze kan me echt niet hebben gehoord. Maar ja, met haar moet je altijd het zekere voor het onzekere nemen.

'Scarlett?' zegt Taylor, nu op een meer serieuze toon.

'Ja?' Ik trek mijn benen op, plant mijn voeten tegen de rugleuning van de stoel voor me en zak onderuit.

'De foto van Plum die je hebt,' gaat Taylor op gedempte toon verder. De meeste meisjes zijn nog helemaal opgewonden van het concert en kwetteren als een kolonie vogels, en de bus heeft dertig zitplaatsen, veel meer dan we nodig hebben, dus zitten we ver uit elkaar. Toch begrijp ik heel goed waarom ze zo voorzichtig is, want ze heeft het over zeer explosief materiaal. 'Die heb je toch wel heel goed opgeborgen, hè?'

Ik knik. Vorig jaar, toen ik probeerde te achterhalen hoe Dan McAndrew om het leven was gekomen, vond ik stom toevallig een stapel polaroids van meisjes in eh... sexy houdingen. Geen (bloos-bloos) weerzinwekkende hardcore porno, maar beslist geen kiekjes die je aan iedereen wilt laten zien. Laat staan gescand en verspreid via Facebook.

Er zaten foto's van Nadia bij. Van Lucy, Callums ex-vriendin. Van Sophia von und zu Dinges.

En dus ook van Plum.

Ik verbrandde bijna alle foto's, maar ik had een voorgevoel dat ik die van Plum moest bewaren. Gewoon voor de zekerheid. Plum was zo gemeen tegen me geweest na Dans dood; ze jaagde me zo ongeveer weg van St. Tabby. Het gaf me een rotgevoel om de foto te bewaren, want ik wist dat geen van die meisjes zou willen dat iemand ze zou zien, afgezien van degene die ze had genomen, maar het leek me destijds een prima voorzorgsmaatregel om me in te dekken tegen Plum.

En dat had ik dus goed gezien. Eerlijk gezegd was ik tijdelijk vergeten dat ik die foto had, want na mijn vondst gebeurde er te veel om op te noemen. Ik had hem razendsnel in de achterzak van mijn spijkerbroek geschoven, en vond hem pas terug toen ik mijn zakken leeghaalde voordat ik mijn kleren in de wasmachine propte. Het is nog een geluk dat er geen wasprogramma overheen is gegaan, want dan was er niets meer van over geweest. Ik legde de polaroid in een la van mijn bureau, verstopt onder een stapel schriften, zodat tante Gwen hem niet zou vinden.

Ik heb de foto nog maar een paar weken geleden aan Taylor laten zien. Plum had namelijk iets ontdekt over Taylors broer, en dat gebruikte ze om Taylor ongestraft te kunnen pesten. Taylors ouders, én haar broer, blijken voor een Amerikaanse geheime dienst te werken. Ik zou ze spionnen noemen, maar Taylor zou me levend roosteren als ik dat woord gebruikte, dus dat doe ik niet. Haar broer Seth was in de kerstvakantie op een of andere missie in Venetië, zogenaamd als een stinkend rijke patser met meer geld dan hersens, toen Plum hem ergens tegen het lijf liep en helaas – het schijnt dat hij en Taylor als twee druppels water op elkaar lijken – direct wist dat hij niet de persoon was voor wie hij zich uitgaf.

Vanaf dat moment gebruikte ze deze potentieel schadelijke kennis om Taylor het leven zuur te maken. En Plum bond pas in toen ik haar de foto liet zien en tegen haar zei dat ik het via internet zou verspreiden als zij Taylor niet met rust liet.

(Ik heb misschien ook nog gezegd dat haar buik wel erg dik leek op die foto. En dat er duidelijk cellulitis zichtbaar was op haar dijen. Dat is allebei niet waar, maar als je wilt dat een meisje je dreigement serieus neemt, bestaan er geen betere wapens dan vetrollen en een sinaasappelhuid. Ik heb misschien niet heel veel kaas gegeten van de valse spelletjes die meisjes met elkaar spelen, maar ik begin het aardig te leren.)

'Hij ligt in de juwelenkluis,' zeg ik voldaan. 'In het kistje met mijn ketting.'

Ik heb een heel erg waardevolle ketting van mijn moeder geërfd – via via, zeg maar. En toen ik eenmaal had ontdekt hóé waardevol die ketting is, heb ik besloten hem in de juwelenkluis op Wakefield op te bergen, een kluis die wordt bewaakt door de secretaresse van mijn grootmoeder, Penny.

'Goed zo,' zegt Taylor goedkeurend, en ze kletst haar hand in de lucht tegen de mijne. 'Zelfs als Plum zou weten waar de foto ligt, komt ze nóóit in die kluis.'

'Ik weet het,' zeg ik met nog meer voldoening.

'Meisjes!' zegt Miss Carter voor in de bus door de microfoon, en we schrikken ons allemaal wild. 'We rijden nu door Princes Street. Rechts zien jullie Edinburgh Castle – dat bezoeken we over een paar dagen – en het National Museum of Scotland...'

Het kasteel ligt hoog op een heuvel, boven een diep ravijn, donker en dreigend. Het wordt van onderen verlicht door oranje spots, zodat het er tegelijkertijd indrukwekkend en spookachtig uitziet. Je moet er gewoon wel van onder de indruk zijn.

'Ooo!' kraait Lizzie, maar zij kijkt juist naar links, waar de grootste winkelstraat van Edinburgh schijnt te zijn. 'Topshop! En H&M! En Accessorize! Al die winkels zitten hier ook!'

Ik rol met mijn ogen. 'Duh,' zeg ik. 'We zijn nog steeds in het Verenigd Koninkrijk.'

'Blij te horen dat je de juiste prioriteiten stelt, Lizzie,' zegt Miss Carter nogal sarcastisch. 'Vergeet de eeuwenlange geschiedenis van Edinburgh Castle! Robert de Bruce; Mary, Queen of Scots, die het leven schenkt aan James I; Oliver Cromwell die Schotland binnenvalt en het kasteel verovert... Maar nee, hou jij je maar bezig met de winkels die in Edinburgh te vinden zijn, goed plan.'

De bus gaat naar links, door een steile straat omlaag. Edinburgh is echt heel erg mooi; alle gebouwen zijn hoog en opgetrokken uit grijze steen, en staan nu afgetekend tegen de donkere avondlucht. Het is geen gezellige of uitnodigende stad, eerder streng, maar wel ongelofelijk mooi: brede straten, donkere kerken, indrukwekkende grijze gebouwen.

En afgezien van de schoonheid van deze stad, ben ik enorm opgelucht omdat ik ergens ben waar ik het niet ken. Wakefield Hall barst van de verwarde herinneringen; elke plek waar Jase en ik elkaar hebben gekust, alles wat zo bijzonder voor me was, gaat nu schuil onder een sluier van verdriet en angst.

Ik ben bang dat Jase en ik nooit meer op die manier samen kunnen zijn.

Taylor en ik staren naar buiten als de bus om een grote rotonde rijdt en van een heuvel omlaag dendert. Links en rechts zien we winkels met luiken voor de etalages, en erboven hoge ramen van appartementen; het gouden licht dat door de gesloten gordijnen filtert verzacht de strengheid van de architectuur.

'Ik had geen idee dat Edinburgh zo heuvelachtig is,' zegt Taylor, en we zetten ons schrap tegen de stoelen voor ons omdat de helling zo steil is. 'Het lijkt San Francisco wel.'

Onder aan de heuvel rijden we verder over een weg met aan weerszijden een stenen muur, en we zwenken een open grasveld op. Een andere bus rijdt vanuit tegenovergestelde richting op ons af en geeft een lichtsignaal, en wij rijden iets verder door om plaats te maken. Dan stoppen we voor het zoveelste indrukwekkende grijze gebouw.

'Dit is Fetters School,' kondigt Miss Carter aan als de deuren opengaan. 'Hier logeren we deze week. Het is een jongensschool,' voegt ze eraan toe, 'dus de inrichting is misschien minder luxueus dan jullie gewend zijn.'

Dit nieuws veroorzaakt haast tastbare opwinding – jongens! – waar tante Gwen meteen een eind aan maakt. Ze vindt het leuk om andermans dromen de nek om te draaien.

'Het is natuurlijk vakantie, dus alle jongens zijn weg,' deelt ze op haast triomfantelijke toon mede. 'Fetters is leeg, op een klein deel van het personeel na.'

'Volgens mij vindt ze het leuk om ons slecht nieuws te vertellen,' moppert Lizzie tegen Susan als we uit de bus stappen en onze bagage uit het ruim halen. Opeens gaat er een golf van vermoeidheid door me heen; het is een lange dag geweest. We waren vanochtend al voor zeven uur op, omdat we naar Londen moesten om op King's Cross de trein te nemen. Ik verlang ernaar om mijn kleren uit te trekken en in bed te kruipen.

Maar de laatste verrassing van die dag moet nog komen. Als we met onze koffers de trap naar de hoofdingang op lopen, blijven de meisjes voor ons opeens staan, zodat een domino-effect ontstaat: ik bots tegen Lizzie aan, die voor me loopt, en zij botst tegen Susan aan.

'Wat gebeurt er?' vraagt Taylor. Zij loopt achter mij; haar koffer stoot pijnlijk tegen mijn been.

'Geen idee,' zeg ik. 'Au!'

'Meisjes! Doe even normaal!' roept tante Gwen ongeduldig, en we duikelen de hal binnen, struikelend over elkaars koffers.

Je ziet meteen dat Fetters als een school is gebouwd, niet als het statige huis dat Wakefield Hall vroeger was, voordat mijn grootmoeder de financiële realiteit onder ogen moest zien en er een deftige meisjesgevangenis van maakte. De hal van Fetters is duidelijk die van een instelling, lichtblauw geschilderd, met prikborden aan de muren en tl-buizen die zulk fel licht geven dat het pijn doet aan je ogen. Aan de andere kant zie ik bij de receptiebalie een groepje meisjes staan.

Dus daarom bleven de meisjes van Wakefield Hall opeens stokstijf staan.

Plum, die vooroploopt met haar Vuitton-koffer, staart ze aan, en haar hele lichaam is gespannen. Het is namelijk de delegatie van St. Tabby: Nadia, Sophia, Alison, Luce, en de rest van de smart set. Ze staren net zo geschokt en ontzet naar ons als wij naar hen.

'Logeren jullie hier óók?' valt Plum kwaad uit.

'Jane! Clemency!' roept Ms. Burton-Race vanachter de balie, waar ze in pagina's op een klembord bladert. 'Hebben we dat niet snel geregeld? Wij zitten in Gang E, en jullie zitten in Gang B, pal beneden ons. Gezellig, hè?' Ze kijkt Miss

45

Carter en Jane stralend aan. 'Ik ben zo blij dat we hebben besloten om de handen ineen te slaan!' zegt ze vrolijk. 'Het wordt dolle pret om de stad allemaal samen te bekijken. En het is zoveel beter voor het milieu, doordat we samen in één bus kunnen gaan!'

Plum kijkt Nadia vernietigend aan. Alison en Luce staren minachtend naar mij. Ik probeer ze verontschuldigend aan te kijken, maar ze steken hun kin hoog in de lucht en draaien zich om zodra we oogcontact maken.

'O, o,' mompelt Taylor achter me.

Ik had het zelf niet beter kunnen zeggen. Hoezo, 'dolle pret'? De komende week wordt eerder een nachtmerrie.

'Eh... Scarlett?' zegt Taylor, en als het iemand anders was die het vroeg, zou ik haar toon beslist nerveus hebben genoemd. Taylor doet niet aan nerveus. En toch...

Ik draai mijn hoofd, dat even zwaar voelt als een gewicht van vijf kilo (wat het waarschijnlijk ook ís), en staar haar aan met ogen die tranen van vermoeidheid. Ze zit op de rand van haar bed in een rode pyjama met witte *Scottie dogs,* die ze in Amerika bij Victoria's Secret heeft gekocht. Taylor heeft een hele hoop pyjama's van Victoria's Secret, en op al die pyjama's ben ik stinkend jaloers.

'Scarlett?' zegt ze nog een keer. Ze buigt zich naar voren om goed naar mijn gezicht te kunnen kijken, want de ene helft is tegen het kussen gedrukt.

Ik ben zo slap als een vaatdoek. Het heeft me mijn laatste beetje energie gekost om mijn hoofd opzij te draaien.

'Het is echt niet te geloven,' zeg ik met een klein piepstemmetje – ik klink als een suïcidale robot. 'Het voelt alsof ik met mijn hele verleden word geconfronteerd, allemaal in één dag tijd.'

Taylor knikt. 'Callum, plus Alison en Luce,' concludeert ze nuchter.

'Ja. Ik voel me er zo rot over. Over Alison en Luce, bedoel ik.'

'Morgen moet je met ze gaan praten,' adviseert Taylor.

'Eigenlijk zou ik nu naar ze op zoek moeten gaan,' zeg ik. 'Zij hebben natuurlijk ook samen een kamer. Maar ik kan me niet bewegen.' Ik doe een vergeefse poging om met mijn tenen te wriemelen.

'Als we een paar uurtjes vrij zijn, ga je naar ze toe en zeg je dat je met ze wilt praten,' zegt Taylor. 'En dan moet je héél diep door het stof.'

'Ik weet het,' beaam ik.

'Jij zat fout, weet je. Je moet alle schuld op je nemen en hopen dat de tijd hun wonden heeft geheeld, zodat ze je kunnen vergeven.'

'Ja,' zeg ik, maar veel zachter.

'Maar ja, als je het gevoel hebt dat een vriendin of een vriend je heeft verraden,' vervolgt Taylor, die inmiddels lekker op dreef is, 'is dat natuurlijk heel moeilijk. Om zo iemand te vergeven, bedoel ik. Het vertrouwen is weg. Reken maar dat ze allemaal nare dingen tegen je gaan zeggen, en jij moet ze gewoon in alles gelijk geven.'

'Daar heb ik nu niets aan,' mompel ik, maar ze is niet te stuiten.

'Je moet bij wijze van spreken op handen en voeten over glasscherven kruipen,' gaat ze verder. 'En zelfs dan heb je nog geen garantie...'

'Hou op!' snauw ik. 'Dit helpt echt niet!' Met veel moeite ga ik zitten, en ik zie de glinstering in Taylors ogen. 'Dat deed je expres,' zeg ik beschuldigend.

Ze grijnst. 'Je moet je wassen en je pyjama aantrekken,' zegt ze. 'Je lag daar voor lijk op je bed in die stinkende kleren. Ik moest iets doen.'

'Je had toch gewoon kunnen zeggen dat ik niet zo lekker ruik.' Ik laat me van mijn bed glijden en loop naar de wastafel in de hoek.

De kamers op Fetters zijn nogal spartaans in vergelijking met die op Wakefield: twee bedden met matrassen die volgens mij met paardenhaar zijn gevuld; twee gammele oude kastjes die eerlijk gezegd ruiken naar gympen en ondergoed; en slechts één bureau, waar de jongens die deze kamer delen ongetwijfeld voortdurend om vechten.

Ik trek mijn sweater, T-shirt en beha uit en draai de kraan open; ik ben te moe en te verslagen voor een douche. Als je gedeprimeerd bent, kan het gewoon te veel zijn om poedelnaakt onder stromend water te staan. Maar misschien ligt dat aan mij.

'Raar dat elke kamer een wastafel heeft,' zeg ik, terwijl ik me met een washandje en zeep snel opfris.

'Waarschijnlijk doen ze dienst als pissoir,' merkt Taylor cynisch op. 'Beter dan uit het raam.'

'Getver!' Ik kijk naar de wastafel, op zoek naar gele vlekken. 'Wat wálgelijk!'

'Als je opgroeit met een oudere broer, kom je er vanzelf achter hoe ongelofelijk smerig jongens kunnen zijn,' zegt ze terwijl ze in bed kruipt. 'Eerlijk waar, ik knapte er zo op af dat ik jarenlang niets met jongens te maken wilde hebben.'

'Het verbaast me niks.' Ik gebruik het washandje om de kraan dicht te draaien, en bedenk dan dat ik mijn tanden nog moet poetsen. 'Kunnen jij en Seth het eigenlijk goed met elkaar vinden? Je hebt het bijna nooit over hem.'

'Dat komt door de hele situatie,' zegt ze gapend. 'Het is makkelijker om niet over hem of mijn ouders te praten. Maar Seth is cool, hoor. Vroeger probeerde hij de baas over me te spelen, maar dat heeft hij moeten bezuren.' Zelfs met de gonzende elektrische tandenborstel in mijn mond kan ik de grijns in haar stem horen. 'Dat doet hij nu nooit meer. We zijn niet superclose, of zo, maar we zijn er wel voor elkaar.'

'Klinkt leuk,' zeg ik een beetje triest. Ik spoel mijn mond en trek mijn eigen pyjama aan (een flanellen van H&M, niet half zo grappig en zacht als die van Taylor). 'Zal ik het licht uitdoen?'

'Doe maar. Ik ben echt eh... compleet uitgeteld,' zegt ze met een vet Engels accent.

Ik giechel. 'Je kunt het wel,' zeg ik, ook gapend. Ik doe het licht uit en kruip in bed. 'Hm... Lakens en dekens in plaats van een dekbed. Dat voelt heel raar.'

'Ik weet het,' beaamt Taylor. 'Heel erg ouderwets.'

'Wel grappig,' voeg ik eraan toe.

'Zeg, Scarlett?' vraagt ze, nu een stuk slaperiger. 'Dat met Callum. Hoe zit dat nou?'

Ik voel dat ik mijn wenkbrauwen frons. 'Er is niets met Callum,' zeg ik. 'Ik was echt in shock toen ik hem zag, maar hij reageerde heel aardig. Ik vond het ontzettend aardig van hem dat hij me naar de artiestenfoyer liet komen om in alle rust hallo te kunnen zeggen.'

'Zeker,' zegt Taylor droog. 'Erg aardig van hem.

Ik ben niet gek. Ik weet wat ze duidelijk probeert te maken. Dat ik het woord 'aardig' blijf gebruiken, terwijl ik eigenlijk iets anders bedoel.

'Hij is heel knap,' zeg ik in alle eerlijkheid, 'en ook erg cool. Ik zou blind zijn als ik niet zag hoe knap hij is.'

'En hij is inmiddels stokdoof,' voegt ze eraan toe. 'Na elk nummer begon die hele kluit meisjes te gillen.'

'Vreselijk.' Ik grijns, denkend aan alle oververhitte tieners met hun hoge stemmetjes. 'Toch is er echt niets met Callum. Toen we zoenden...'

Ik bloos in het donker als ik eraan terugdenk; op een dag ben ik misschien zo ervaren dat ik er losjes over kan praten als ik een leuke jongen heb gezoend, maar zover is het nog lang niet. Ik schraap mijn keel.

'Eh... nou ja, toen dat gebeurde,' mompel ik, 'dacht ik dat ik hem nooit meer zou zien. Je snapt wel waarom. En toen gingen we terug naar Wakefield, en kregen Jase en ik iets met elkaar, en nu...' Ik zucht. 'Nu ben ik verliefd op Jase.'

Het zou me dolgelukkig moeten maken om dit te zeggen. Want Jase houdt ook van mij, dat heeft hij me zelf verteld. Ik zou waanzinnig blij moeten zijn dat ik verliefd ben op een geweldige, knappe en lieve jongen die ook verliefd is op mij.

Maar er is een probleem: Jase zei tegen me dat hij van me hield, en het volgende moment stapte hij op zijn motor en reed hij weg. Dat was maanden geleden. Sindsdien heb ik hem niet meer gezien.

Ik weet nog dat ik het rode achterlicht zag verdwijnen in het donker. Zo klinkt het enorm romantisch, ja toch? Maar wat ik begin te leren, is dat dingen die in boeken of films romantisch klinken in het echte leven vaak vreselijk pijnlijk zijn. En mooi of roze zijn ze ook al niet.

Kijk mij nou, verliefd op een jongen die ik misschien nooit meer terugzie.

Goed gespeeld, Scarlett.

'Maar je weet niet waar Jase is,' stelt Taylor. 'Of wat hij doet. Of wanneer je hem weer ziet.'

Ik slik moeizaam.

'Sorry,' zegt ze op berouwvolle toon. 'Ik denk gewoon...'

'Nee, je hebt gelijk,' zeg ik treurig. 'Goede vrienden zeggen waar het op staat, niet alleen wat jij graag wilt horen.'

'Ik kan proberen om een slechte vriendin te zijn,' oppert Taylor.

Ik grinnik ondanks alles.

'Ik ben verliefd op Jase,' zeg ik met een klein stemmetje. 'Dat gevoel kan ik niet uitschakelen alsof ik een kraan dicht-draai.'

'Natuurlijk niet,' zegt Taylor mild. 'Ik vroeg het alleen maar.'

'We praten nooit over wie jíj leuk vindt, Taylor,' zeg ik, en niet alleen omdat ik het enorme brok in mijn keel probeer te vergeten. 'Het gaat altijd allemaal over mijn bizarre lief-desleven.'

'Het jouwe is een stuk dramatischer dan het mijne,' merkt ze op.

'Ja, maar het is niet oké dat het altijd over mij gaat.' Ik gaap als een oester. 'Morgen vertel je me wie jij... jij leuk vindt... als er iemand is... O, nee, ik begin over jou... en nu val ik in slaap... Het spijt me...'

Maar Taylor ligt al te ronken. O, nee! denk ik. Daar ga ik de hele nacht van wakker...

Verder kom ik niet, want ik val in slaap alsof iemand me met een baksteen op mijn hoofd heeft geslagen.

Mijn hart bonst van opwinding, want ik heb met Jase afgesproken. Ik ren over Lime Walk, de brede, met hoge linden omzoomde laan die langs het grote gazon van Wakefield Hall loopt en uitkomt bij de stenen terrassen die naar het oude huis voeren. Waar Jase op me wacht.

Mijn voeten raken verstrikt in een woud van kruipplanten en ik schop om mezelf te bevrijden. De veters van mijn gympen zijn losgeraakt, maar ik blijf rennen. Ik steek over naar het gazon om de stengels te mijden, maar het gras is verrassend hoog. Waarom heeft Jase het niet gemaaid? Het komt tot aan mijn enkels, en het groeit zo snel dat ik steeds hogere sprongen moet maken om erdoorheen te komen. Het staat nu bijna tot aan mijn knieën, ik kom nog maar heel langzaam vooruit, het is alsof ik door water moet waden. En de bel van school gaat om de volgende les aan te kondigen, dus heb ik geen tijd meer om met Jase samen te zijn.

Maar misschien haal ik school niet eens. Misschien zie ik Jase helemaal niet. Want het gras komt steeds hoger, tot aan mijn borst, mijn nek – ik maai wanhopig met mijn armen om het weg te duwen, om te voorkomen dat ik stik. En de bel rinkelt steeds luider. Nee... Ik krijg gelazer als ik een les mis...

Ik draai mijn hoofd wild heen en weer. Snakkend naar lucht word ik wakker, en de deken en het laken zijn strak om me heen gedraaid, alsof iemand me in mijn slaap heeft geprobeerd te wurgen. En dat was niet het enige uit mijn droom dat echt gebeurt; de hele kamer trilt door de weergalm van de bel, die een langgerekte noodkreet slaakt...

Alarmbel. Noodsituatie.

'Taylor!' gil ik, en ik ruk het beddengoed van me af.

Ze beweegt, kreunt in haar slaap. In twee passen ben ik bij haar, ik pak haar schouders beet en trek haar overeind.

'Brandalarm!' schreeuw ik. 'Brand!'

Nu hoor ik stemmen op de gang, rennende voetstappen. Ik weet dat je een deur soms juist niet open moet doen als er brand is, maar volgens mij is dat wanneer die warm aanvoelt. Ik druk mijn handen plat tegen het hout. Dat voelt oké en de deurknop ook. Ik trek de deur open, en als ik omkijk, zie ik dat Taylor slaapdronken uit bed komt.

'Schiet op!' zeg ik, en dan doe ik iets krankzinnigs – ik had nooit gedacht dat ik er op een dag roekeloos of wanhopig genoeg voor zou zijn – ik geef Taylor een klap in haar gezicht, zo hard dat mijn handpalm ervan tintelt.

'Au!' Nu spert ze haar ogen wijd open en ze schudt haar hoofd als een bokser die zich van een rechtse herstelt.

Ik ben zo verstandig om snel achter haar te gaan staan zodat ze me niet terug kan slaan, en duw haar de kamer uit. De gang staat vol rook; als we uit onze kamer komen, drijft er een dikke, verblindende wolk onze kant op. Ik hoest. Links van ons hoor ik mensen roepen, en we lopen hun kant op.

Iemand gilt, volgens mij Miss Carter: 'Meisjes! *Meisjes!* Hierheen!'

Op de tast lopen we door de gang. We proberen niet te struikelen en niet in paniek te raken. Het is niet te geloven hoe dik de rookwolken zijn; ze dalen als een grijze deken op ons neer.

En dan hoor ik het.

'Scarlett!' roept een zwak stemmetje achter me. 'Scarlett! Help!'

Ik blijf staan en draai me om, knipper als een waanzinnige met mijn ogen in een poging om iets te zien, wat dan ook. Maar ik zie niets.

Weer die stem. 'Scarlett! Hélp!'

Na de onze zijn er nog een paar kamers in de gang, zeker nog vier of vijf tot de trap aan de achterkant. Misschien is er nog iemand in een van die kamers, iemand die een enkel heeft verstuikt toen ze in paniek uit bed sprong. En, herinner ik me, de meisjes van St. Tabby slapen op de verdieping boven ons. Een van hen is misschien de trap af gerend naar de voordeur, gestruikeld en gevallen.

'Taylor?' roep ik, maar ze is kennelijk doorgelopen zonder te beseffen dat ik haar niet ben gevolgd.

Ik ben alleen in een gang vol rook.

Bliksemsnel neem ik een beslissing. En ik ben de enige die weet dat er een meisje is achtergebleven, en ik kan haar niet achterlaten.

Ik draai me om en ren terug door de gang. 'Wie is daar?' gil ik. 'Ik ben het, Scarlett!'

'Scarlett!' De stem klinkt nu een stuk zwakker, alsof ze last heeft van de rook. 'Op de trap...'

Alison? Luce? Ik sprint naar de branddeur, trek hem open, en een nieuwe rookwolk beneemt me de adem. Ik sla dubbel van het hoesten, met lange, rochelende uithalen. Een natte handdoek, bedenk ik veel te laat. Je moet iets nats tegen je mond houden... Ik had een handdoek moeten pakken en die onder de kraan van de wastafel op onze kamer moeten houden. Waarom vergeet je toch altijd wat je moet doen in noodgevallen, zelfs al heb je het honderden keren in films gezien?

Als ik weer ga staan en inadem om het meisje dat me om hulp heeft gevraagd nog een keer te roepen, voel ik twee handen op het onderste deel van mijn rug, en het volgende moment geven die handen me een keiharde zet.

Het gebeurt zo onverwachts dat ik mijn evenwicht verlies en als een katapult naar voren schiet, struikelend over mijn eigen voeten. Dan krijg ik weer een enorme opdonder, deze keer van voren, een schokkend pijnlijke klap tegen mijn heupbeenderen. Weer sla ik dubbel, maar ik heb nog zoveel vaart van de zet tegen mijn rug dat ik verder naar voren vlieg.

De trap! denk ik in paniek. Ik besef pas veel te laat wat er gebeurt. Ik ben met mijn heupen tegen de leuning geknald, en toen ik dubbelsloeg, ben ik eroverheen gevlogen!

Ik zal nooit weten of degene wiens handen ik heb gevoeld me ook een laatste zetje over de leuning heeft gegeven. Volgens mij wel. Ondanks de vaart die ik had, kan ik onmogelijk zo hard tegen de leuning zijn geknald dat ik er met een salto overheen ben gegaan.

Zo is het gegaan. Het ene moment wankel ik naar voren, hevig geschokt dat ik ben geduwd, en het volgende vlieg ik met mijn hoofd omlaag door een trappenhuis van twee verdiepingen hoog, met zoveel rook in mijn longen dat ik niet eens kan gillen.

4

ER IS ALTIJD EEN PLAN B

Ik suis door de lucht, zo versuft en geschokt door wat er net is gebeurd dat ik geen tijd heb om kwaad te zijn. Ik ben op mijn heupen over de leuning gedraaid alsof ik de ongelijke leggers deed tijdens een turnwedstrijd, maar met mijn hoofd omlaag; daar had ik geen controle over. Goddank is het trappenhuis zo breed dat ik niet met mijn benen tegen de andere kant knal en iets breek, maar ik ben compleet gedesoriënteerd doordat ik nergens houvast aan heb. Ik val zoals Alice in het konijnenhol viel.

Mijn rug is gekromd, mijn armen zijn gestrekt en mijn benen zwaaien. Als een felle bliksemschicht komt er doodsangst opzetten, vuurwerk dat ontploft in mijn hoofd. Als ik niet snel – héél snel – iets doe, stort ik neer op de vloer. En dan mag ik van geluk spreken als ik alleen een been breek.

Ik kan mijn rug breken.

Ik kan doodgaan.

Ik schaar alsof ik een zwaai tussen twee leggers maak. Dat geeft me iets meer vaart, iets meer controle, want mijn rug is nu heel lang geworden en mijn armen zijn zo ver gestrekt dat ze bijna uit de kom schieten. Het voelt alsof Ricky, mijn vroegere turncoach, zijn voeten tegen mijn dijen heeft geplant en naar achteren leunt met mijn polsen in zijn handen, waarmee hij mijn rug zo ver oprekt dat ik het bijna uitgil van pijn.

Mijn vingers graaien wild naar iets om zich aan vast te pakken, terwijl ik in een lelijke scheve zweefduik door het trapgat suis. Dit is mijn enige kans, maaien en graaien als een krankzinnige, en als ik niets te pakken krijg, kunnen de gevolgen dodelijk zijn...

Ja! Mijn vingers raken iets en grijpen zich er onmiddellijk, in een panische reflex, aan vast alsof ik een drenkeling ben die vat krijgt op een reddingsboei. De rand van de trap. Kan niet anders. Het is een hoek van negentig graden – mijn vingers liggen plat op het oppervlak, mijn palmen zijn tegen de verticale muur eronder gedrukt. Mijn handen klemmen zich uit alle macht vast, voorbereid op het gewicht van mijn hele lichaam, dat een fractie van een seconde later tegen de muur ploft.

O, nee! Mijn neus... Ik zet mijn armen schrap en doe mijn uiterste best om te voorkomen dat mijn gezicht in volle vaart tegen de muur knalt. Het puntje van mijn neus schampt de muur, maar het lukt me om mijn kin omhoog te steken en mijn armen strak te houden, zodat ik een centimeter speling houd. Veel is het niet, en ik stoot mijn neus toch, maar gelukkig niet zo hard dat hij breekt. Ik heb vaak genoeg meisjes gezien die tijdens het turnen hun neus breken als ze een snoekduik van de evenwichtsbalk maken, dus ik weet hoe erg dat is. Ik zou me nooit aan een traptrede vast kunnen houden als ik zoveel pijn had en het bloed uit mijn neus gutste.

Ik trap wild met mijn benen, maar er is niets beneden me,

de muur houdt ongeveer halverwege mijn dijen op, de rand snijdt in mijn vlees. Ik zou mijn onderlichaam als een slinger heen en weer kunnen bewegen totdat mijn voeten hoog genoeg komen om me op de trap te zwaaien, maar dat is zo riskant dat de gedachte alleen al me doodsbang maakt; als ik het niet haal, beland ik met mijn rug of – erger nog – mijn nek op de leuning. En zelfs als ik het haal, kan ik van de trap rollen en mijn enkel verstuiken of mijn been breken.

Dat gaan we dus niet doen.

Mijn vingers beginnen weg te glijden.

Oké. Rustig blijven. Bedenk een plan B. Er is altijd een plan B.

Taylor en ik hebben de laatste tijd veel oefeningen gedaan om de schuine buikspieren steviger te maken en zo een slankere taille te krijgen. Van nature hebben we allebei geen echte taille, dus daar werken we hard aan: we hangen in de gymzaal op school aan de brug, trekken onze knieën hoog op en draaien dan zo ver mogelijk heen en weer.

Normaal gesproken haal ik van tevoren heel diep adem, maar dat gaat natuurlijk niet als er dikke grijze rook hangt. Ik steek mijn rechterheup zo ver mogelijk omhoog, span mijn buikspieren tot het uiterste om mijn heup nog verder op te tillen, zodat ik kan proberen mijn rechterbeen aan een traptrede vast te haken.

Mijn blote voet raakt twee spijlen. De trapleuning, denk ik triomfantelijk, maar dan stoot ik keihard mijn teen. Au!

Ik kan er niet aan toegeven, want de trapleuning moet mijn leven redden, dus ik verbijt de pijn en steek mijn voet tussen twee spijlen, druk mijn voetzool plat tegen de tree eronder, zodat ik genoeg houvast heb om mijn ene hand van de traptrede naar de onderkant van de leuning te verplaatsen. Nét op tijd, want dan begint mijn andere hand, die nat is van het zweet, te glibberen en verlies ik mijn greep.

Maar ik ben gered. Mijn ene hand omklemt de leuning en mijn ene voet is tussen twee spijlen gehaakt; een ex-turnster vindt dat normaal, verre van gevaarlijk. Mijn linkervoet komt omhoog en raakt de muur, hupt dan verticaal verder totdat mijn tenen zich om de rand van een trede kunnen krullen. Vervolgens grijpt mijn rechterhand dezelfde spijl beet als de linker, en klim ik als een aap tegen de spijlen op, totdat ik me over de leuning kan zwaaien. Met een plof beland ik op de betonnen trap.

Koud! denk ik direct. Het is alsof er iets ontploft in mijn hoofd, zo groot is de opluchting. Als de brand echt gevaarlijk was, zou het beton inmiddels warm aanvoelen. Maar dat is niet zo, dus kan ik naar beneden gaan.

Ik stuif de trappen af, nog steeds in een dichte rook, met mijn ene hand op de leuning om me te kunnen oriënteren. Ik ben me er pijnlijk van bewust dat iemand me net een duw heeft gegeven, iemand die me naar het trappenhuis heeft gelokt met de bedoeling om me te vermoorden, of me toch in elk geval zwaar te verwonden. Die persoon heeft volgens mij niet kunnen zien hoe ik mezelf in veiligheid heb gebracht, want daarvoor staat er te veel rook in het trappenhuis. Het zou wel kunnen dat ze ergens op de trap in een hinderlaag ligt.

Maar ze kan me in elk geval niet horen: blote voeten maken geen geluid op beton. En ik moet nog zien dat ze me te pakken kan krijgen. In dertig seconden ben ik twee verdiepingen lager; op mijn tenen vlieg ik over de treden, en bij elke bocht is mijn hand op de leuning de spil waar ik zwierig als een danseres langs wervel.

Normaal gesproken heb ik een pesthekel aan branddeuren: ze zitten overal, ze zijn loodzwaar en je kunt ze niet vastzetten. Maar nu snap ik voor het eerst van mijn leven waar ze goed voor zijn, want beneden aan de trap kom ik bij een branddeur, en als ik die opentrek en door de opening stuif, is de rook vrijwel meteen verdwenen.

O mijn god! Ik kan ademhalen! Bijna onmiddellijk begin ik te hoesten van opluchting, zodat de rook die mijn longblaasjes verstopt er nu in een reeks stuiptrekkingen weer uit komt. Ik blijf even staan om op adem te komen en kijk om me heen.

Voor me zie ik nog een deur, met een felrood bordje erboven. De nooduitgang! Ik duik eropaf, pak de horizontale metalen stang beet en duw die uit alle macht omlaag. Er gaat een alarm af als ik de deur openduw, en de kakofonie is oorverdovend, want de sirene van het brandalarm loeit nog steeds op volle kracht.

Frisse lucht. Kil wit maanlicht dat door de bomen schijnt. IJskoude stenen onder mijn voeten. Op het gras bij de hoofdingang van het schoolgebouw, een eindje bij me vandaan, staan groepjes gillende meisjes, zowel van St. Tabby als van Wakefield Hall.

In de verte loeien nog meer sirenes. Nog steeds hoestend, snakkend naar adem, loop ik naar de meisjes toe. Het vochtige gras voelt heel wat prettiger onder mijn voeten dan de koude stenen. Als ik dichterbij kom, zie ik dat er in het gewoel een worsteling is ontstaan, waar Taylor het middelpunt van blijkt te zijn. Ze wordt in bedwang gehouden door

Miss Carter, die haar ene arm vasthoudt, en Jane, Miss Carters vriendin, die de andere beet heeft gepakt, en ze probeert zich uit hun greep te bevrijden. Taylor draagt haar rode pyjama. Miss Carter is ook in pyjama, een witte met blauwe streepjes, en Jane heeft een soort nachtjapon aan, grijs met witte kantjes. Het is echt heel raar om leraren in hun nachtkleding te zien. Alsof de wereld op zijn kop staat.

'Je gaat níét terug naar binnen!' schreeuwt tante Gwen.

'Scarlett is nog binnen!' gilt Taylor. 'Ik dacht dat ze achter me aan liep, maar onderweg ben ik haar kwijtgeraakt. Ik moet haar halen!'

'Taylor,' zegt Miss Carter op angstige toon, 'we kunnen niet toestaan dat iemand het gebouw weer in gaat...'

'Ik weet waar ze was! Ik moet terug om haar te zoeken!' Taylors haar valt voor haar gezicht terwijl ze wild spartelt om los te komen.

Zwaailichten, rode en blauwe, duiken op als er brandweerwagens langs de hoge stenen muur rond het terrein van de school rijden en de oprijlaan op draaien. Het geloei van de sirenes zwelt aan, en iedereen moet schreeuwen om zich verstaanbaar te maken.

'Kijk, de brandweer is er!' roept Miss Carter naar Taylor. 'Zij gaan naar binnen om haar te zoeken. Dat is hun werk.'

'Nee, ik moet gaan! Ik moet het doen! Ze is mijn vriendin en ik heb haar achtergelaten.'

Ik probeer naar Taylor te roepen dat ik er ben, dat ik niets mankeer, maar mijn keel doet nog steeds pijn en ik kan alleen maar kraken. Tante Gwen, zie ik als ik dichterbij kom, heeft haar armen om Lizzie en Sophia heen geslagen. Ze zijn compleet hysterisch. Als ik tijd had om erbij stil te staan zou ik verbaasd zijn, want ik heb nog nooit meegemaakt dat tante Gwen vrijwillig iemand aanraakt. Kennelijk komen er in een noodsituatie onvermoede eigenschappen van mensen naar boven.

Op dat moment tilt Taylor haar armen op en maakt een fel hakkend gebaar waarmee ze de handen van Miss Carter en Jane afschudt. Ze wankelen achteruit en botsen op Alison en Luce, die vlak achter hen staan, samen met de andere meisjes van St. Tabby. Zodra Taylor is bevrijd rent ze weg, recht op de voordeur af. Schreeuwen gaat niet, maar ik ben voldoende op adem gekomen, en ik spurt meteen weg, van plan om haar de pas af te snijden.

Ik kan haar niet naar binnen laten gaan.

Taylor heeft een betere conditie dan ik en ze is sterker. Maar turners zijn sprinters. Wij moeten vanuit stilstand een rotvaart kunnen opbouwen. Verder zijn we gewend om héél erg grote stappen te zetten om ons lichaam zo lang mogelijk te maken.

Ze heeft geen schijn van kans. Tegen de tijd dat ik haar inhaal, ben ik zo ongeveer opgestegen. Ik zet met mijn rechtervoet af en lanceer mezelf – Ricky noemde me Supergirl als ik dit deed – bijna horizontaal in de lucht, mijn armen en benen zo aerodynamisch mogelijk gestrekt. Dit is de aanzet voor een handstand-overslag, met de bedoeling dat je handen als eerste de grond raken. Als je vloerwerk doet, moet je exact weten waar je handen en voeten zullen neerkomen, want als je ook maar een halve centimeter buiten de strepen komt, trekt de jury meteen massa's punten af. Het is maanden geleden dat ik voor het laatst heb geturnd, maar mijn coördinatie is nog goed.

Mijn handen zijn niet op de grond gericht, maar op Taylors taille. Een seconde later duik ik op haar, sla ik mijn armen om haar heen. Mijn lichaam rolt naar rechts en we zeggen allebei een paar keer heel luid 'Oef!' als de lucht uit onze longen wordt gestoten en we tegen de grond gaan.

Gelukkig heb ik haar te pakken gekregen toen ze nog over gras liep, anders zou de landing een stuk pijnlijker zijn geweest. Beschenen door rode en blauwe zwaailichten rollen we over het gras. We prikken elkaar met onze ellebogen, en Taylor plant haar knie per ongeluk in mijn maag. Ik kreun.

'Ik ben het, Scarlett!' zeg ik hijgend.

'Scarlett?'

We zijn nu tot stilstand gekomen en liggen als een kluwen op het vochtige gras. Taylor trekt haar ene arm onder me vandaan en richt zich een eindje op om mijn gezicht te kunnen zien.

'Ik dacht dat je nog binnen was!' roept ze kwaad. 'Waar wás je nou?'

Brandweerlieden springen uit hun wagens, klerenkasten van kerels in donkere uniformen, en beginnen dikke slangen uit te rollen. De reflecterende gele strepen op hun jassen en broeken vangen het licht en weerkaatsen het. Ze roepen dingen naar elkaar. Ik zie twee mannen naar de groep meisjes en leraren lopen.

'Iemand heeft me erin geluisd!' zeg ik, nog steeds hijgend. Ik wriemel me los uit de kluwen en rol me op handen en knieën; zo haal ik makkelijker adem dan plat op mijn rug. 'Een meisje riep mijn naam, en toen ik ging kijken, duwde ze me van de trap aan de achterkant...'

'Wát?'

Ik kan de uitdrukking op Taylors gezicht niet zien; in het rode en blauwe schijnsel van de zwaailichten doet haar gezicht me aan een videoclip denken. Ik ga in elkaar gezakt op mijn knieën zitten; het begin tot me door te dringen dat er daarnet iets heel ergs is gebeurd, en opeens voel ik me totaal uitgeput.

'Het is waar,' protesteer ik, en ik hoor zelf hoe moe mijn stem klink. Ik weet dat het krankzinnig klinkt, alsof ik aan achtervolgingswaan lijd. 'Ze gaf me een duw en ik viel over de leuning.'

'Maar wíé dan?'

'Ik weet het niet. Ik dacht dat het een meisje was, maar er stond heel erg dichte rook.'

'Is alles in orde met jullie?' Een brandweerman buigt zich over ons heen.

We kijken naar hem omhoog, en vanuit die hoek gezien lijkt hij wel een reus. Zijn stem wordt vervormd door de helm. Het is haast onvoorstelbaar dat er in dat omhulsel een mens zit.

'Ja,' zeg ik.

'Zij is langer binnen geweest dan alle anderen,' voegt Taylor eraan toe. 'Al die rook...'

'Ik mankeer niets,' houd ik vol, maar de brandweerman schuift een enorme, geelgehandschoende hand onder mijn oksel en trekt me overeind.

'Laten we dan maar eens even naar je kijken, *lassie*,' zegt hij, en hij zet zijn helm af.

Achter hem brult een stem op autoritaire toon: 'Stoppen, jongens! Stoppen!'

De sirenes zijn uitgezet, maar de zwaailichten draaien nog

rond alsof ze op hol zijn geslagen. De mannen die bezig waren de slangen uit te rollen, zijn ermee opgehouden. De reus neemt me mee naar de trap aan de voorkant, trekt een van zijn twee handschoenen uit en voelt mijn pols.

Twee andere brandweermannen lopen dreunend de trap op en gaan door de deur naar binnen. 'Ik zweer het je, Stewart,' zegt de een tegen de ander, 'soms is er wel rook maar geen vuur.'

De reus naast me trekt een enorme gele zaklantaarn van zijn riem en schijnt ermee in mijn gezicht. Ik slaak een kreun en houd een hand voor mijn ogen.

Een andere brandweerman komt naar ons toe. 'Gaat het?' vraagt hij.

'Geen brandwonden in haar gezicht, geen verschroeide neusharen,' rapporteert de man terwijl hij met de lamp in mijn neus schijnt.

'Hé!' zeg ik verontwaardigd, en ik leg snel een hand voor mijn neus.

'Hoest je geen zwart slijm op, *lassie*?' vraagt de tweede.

Ik schud mijn hoofd. 'Ik hoest al niet meer.'

'Je hoest niet, je geeft niet over. Ben je duizelig? In de war?' vraagt de eerste.

Daar denk ik over na. 'Ik ben een beetje in de war,' beken ik, 'maar dat is normaal. We zijn allemaal erg geschrokken.'

Over een understatement gesproken, denk ik bij mezelf.

'Mooi, dan is er niks aan de hand. Dit is je vriendin, hè?' Hij knikt naar Taylor, die achter ons aan is gekomen en nu naast hem staat. 'Hou haar het komende uur nog effe in de gaten, *lassie*. Ian, haal eens een fles water voor me, wil je?'

'Wie heeft hier de leiding?' buldert een van de brandweermannen die het gebouw binnen is gegaan als hij weer naar buiten komt. Hij klost zo in die grote laarzen van hem dat het net lijkt alsof hij door een rivier waadt.

'Ik!' roepen Miss Carter, tante Gwen en Ms. Burton-Race in koor.

'Dames,' zegt hij, en hij waggelt naar ze toe. 'Ik heb goed nieuws en slecht nieuws. Het goede nieuws is dat er nooit brand heeft gewoed. Er was alleen rook. Het slechte nieuws is dat er meiden bij zijn die het leuk vinden om geintjes uit te halen. Iemand heeft aanmaakblokjes in de metalen afvalbakken gedaan en aangestoken.'

Hij rolt zo zwaar met de r dat het woord 'brand' opeens drie keer zo lang is.

'Niet alleen aanmaakblokjes, Stew,' zegt de ander, die net naar buiten is gekomen met een paar lange slangen in zijn gehandschoende handen. 'Een of andere grapjas is met rookbommetjes in de weer geweest.'

'Wát!' roepen tante Gwen en Miss Carter hevig geschokt uit.

'Róókbommetjes?' herhaalt Ms. Burton-Race.

'Het zijn eigenlijk rookstokjes,' legt de tweede brandweerman uit. 'Als je er een paar tegelijk aansteekt, staat de hele kamer vol rook. En met alle ramen dicht – en het is kil en vochtig, dus alle ramen zaten potdicht – blijft de rook heel lang hangen.'

'Dat kan toch niet wáár zijn!' briest Ms. Burton-Race verontwaardigd.

Een brandweerman springt uit de cabine van een van de wagens en komt naar me toe met een fles water. Ik drink gulzig; ik had niet gemerkt hoe dorstig ik was.

'Iedereen kan weer naar binnen,' zegt Stew, die met een gele reuzenhand naar de voordeur gebaart. 'En als ik u was, dames, zou ik als de gesmeerde bliksem een onderzoek instellen om erachter te komen wie van deze jongedames dit heeft gedaan.' Hij slaat zijn armen over elkaar. 'Spelen met vuurrr is erg, erg dom, *lassies*. Rookvergiftiging is niet niks. Geloof het of niet, maar vijftig tot tachtig procent van de slachtoffers van een brand komt om door het inademen van rook. Wisten jullie dat?'

We schudden allemaal braaf ons hoofd, en kijken met grote ogen naar Stewart; zijn bulderende stem klinkt zo ernstig dat we allemaal onder de indruk zijn, zelfs Plum en Nadia. En dat zegt veel.

'En bedenk ook dat iemand een doodsmak had kunnen maken. Met al die rook kun je geen hand voor ogen zien,' vervolgt hij. 'Stel je voor dat een van jullie van de trap was gevallen en haar nek had gebroken! Hoe zouden jullie je voelen als je zo'n rotgeintje uithaalt en een van je vriendinnen verlamd raakt? Of erger nog, een meisje dat je goed kent gaat dood? Ik zal jullie maar niet vertellen hoe vaak wij lijken uit brandende gebouwen naar buiten moeten dragen! Wat was er gebeurd als er zo'n afvalbak was omgevallen? Dan had de hele boel echt in de fik kunnen gaan!'

Ondanks zijn grappige Schotse accent is er niemand die lacht. Er wordt zelfs niet gegrinnikt. Stewart is bloedserieus, en wij worden vanzelf net zo serieus. Hij torent boven ons uit in zijn donkere uniform, heeft schouders zo breed als een huis, en de reflecterende strepen glinsteren. De man is minstens even indrukwekkend als het schoolgebouw.

Het licht in de hal gaat aan, en opeens vallen er lange,

bleke banen fel neonlicht op de trappen van Fetters, alsof de lichtman in een theater zijn kunsten vertoont. Hier en daar klinkt zelfs een onderdrukt 'ooo' van verbazing.

'Alles is in orde,' kondigt een brandweerman die naar buiten komt aan. 'Iedereen kan veilig weer naar binnen.'

'Wat u net zei, meneer,' verzekert Miss Carter brandweerman Stewart, 'nemen we zéér serieus, neem dat van me aan. Als we weten wie dit heeft gedaan, zal dat meisje zwaar worden gestraft.'

'Blij het te horen, dame,' zegt hij, en hij gaat opzij als de docenten iedereen weer naar binnen loodsen.

Taylor helpt me overeind; ik kan nauwelijks op mijn benen staan en dat verbaast me.

'Shock,' zegt de vriendelijke reus die zich over me heeft ontfermd laconiek. 'Rustig aan, *lassie*. Ga maar lekker slapen.'

'Bedankt,' zeg ik, en ik geef hem zijn waterfles terug.

Binnen is het licht zo fel dat ik opnieuw een hand boven mijn ogen houd. Ik heb nog steeds keelpijn, ondanks het water dat ik heb gedronken. Taylor houdt voor de zekerheid mijn elleboog vast als we weer naar binnen gaan, achter de andere meisjes aan.

'Ooo, kijk toch eens naar Scarlett en Taylor!' kraait Plum. 'Arm in arm, wat gezellig...'

'Káppen, Plum,' zegt ieder meisje binnen gehoorsafstand tegelijkertijd.

Ik glimlach. Kleine dingen kunnen zoveel betekenen.

'Naar jullie kamers, en snel een beetje,' beveelt tante Gwen grimmig. 'Morgenochtend gaan we dit bespreken. En als iemand ook maar een kík durft te geven...' Ze hoeft de zin niet af te maken.

'Ik ben zó moe,' zeg ik als ik de deur van onze kamer openmaak. 'Ik denk dat ik wel een wéék kan slapen.'

Er ligt een velletje papier op de vloer; kennelijk is het gevallen, van het bureau gewaaid toen Taylor en ik halsoverkop, met tranende ogen, op de vlucht sloegen. Ik buk me om het op te rapen.

'Wat is het?' vraagt Taylor als ze mij ernaar ziet staren; ze ziet natuurlijk wel dat ik mijn ogen niet kan geloven.

Zwijgend geef ik het aan haar. Het velletje is uit een blocnote gescheurd, wit papier met lichtgrijze ruitjes, en op de een of andere manier komt het me heel bekend voor, maar ik kan de herinnering niet opdiepen. Als gehypnotiseerd staar ik naar de handgeschreven tekst op het velletje.

Nee, besef ik, het is niet handgeschreven, maar gesjabloneerd met zo'n liniaal. Slim. Dan kan niemand het handschrift herkennen.

De tekst is niet mis: JE KUNT NIET VLUCHTEN VOOR HET VERLEDEN, SCARLETT.

5

IN OOSTENRIJK HEB JE VEEL PRINSESSEN

De volgende ochtend zitten we allemaal als makke schapen in de bus – ja, duh. We ontbeten later, zodat we slaap konden inhalen, maar we kregen pap, met naar keuze rozijnen, *golden syrup*, jam of gestoofde pruimen. Heel erg traditioneel en Schots, en Miss Carter legde ons omstandig uit dat er geen betere manier is om de dag te beginnen, maar we zijn het gewoon niet gewend, zo'n zwaar ontbijt (sommige meisjes eten op een hele dag niet zoveel calorieën), en nu zitten we allemaal in een havermoutcoma op onze geruite stoelen.

En dat was natuurlijk niet de enige preek die vanochtend over ons werd uitgestort. Tante Gwen, zo koud als een ijsberg en veel griezeliger, onderwierp ons aan de bekende tirade, doorspekt met afgezaagde sleutelwoorden: 'Als de schuldige zich nu vrijwillig meldt kan ze op coulance rekenen. Zo niet, dan zal de hele groep zwaar worden gestraft...'

Blablabla, zo'n preek die nooit tot gevolg heeft dat een van de meisjes dapper opstaat, een hand op haar hart legt en zegt: 'Ik was het, Miss Wakefield! Ik wil niet dat mijn medeleerlingen moeten boeten voor een misdrijf dat ik heb gepleegd! Alstublieft, u mag me zo zwaar straffen als u wilt, maar spaar mijn lieve, onschuldige zusters!'

Je gaat natuurlijk niet bekennen dat je met rookbommen hebt gespeeld. Er werd dus boe noch bah gezegd. We hadden dus allemaal het gevoel dat we de bijl van de scherprechter al in onze nek konden voelen, en dat is nou niet echt lekker.

Maar zo komen we vanzelf bij Mary, Queen of Scots, die maar een jaar of vijf over Schotland regeerde voordat ze naar Engeland moest vluchten omdat een stelletje seksistische Schotse edellieden het niet kon hebben dat er een vrouw op de troon zat en in opstand kwam. Vervolgens werd ze door Elizabeth I gevangengezet en van het ene kasteel naar het andere gesleept – twintig jaar lang, stel je voor! Mary zat natuurlijk al die tijd plannen te beramen om te ontsnappen, terwijl Elizabeth niet kon bedenken of het de moeite waard was om haar in leven te houden. Tot het jaar 1587, want toen liet Elizabeth Mary's hoofd afhakken. Met een zwaard, om precies te zijn. Niet met een bijl.

(We doen nu de Tudors met geschiedenis. En we zijn onderweg naar Holyroodhouse, het koninklijk paleis, waar arme Mary verbleef tijdens het grootste deel van de tijd dat ze koningin van Schotland was.)

'Ik moet zeggen,' zeg ik tegen Taylor, die uiteraard naast me zit, 'dat het lang niet zo leuk is om een prinses te zijn als iedereen altijd beweert.'

Taylor trekt een wenkbrauw op. 'Wie is "iedereen"?'

'O, toen ik klein was dróómde ik ervan om een prinses te zijn!' Ik denk aan mijn obsessie met de Kleine Zeemeermin en (niet lachen) Doornroosje. 'Daar dromen alle meisjes toch van? Maar denk dan eens aan prinses Diana. En aan Mary, Queen of Scots. En aan Elizabeth I: dat was een geweldig goeie koningin, maar ze kon niet eens trouwen, uit angst dat haar man haar van de troon zou stoten.

'Ik heb nooit een prinses willen zijn,' zegt Taylor met een uitgestreken gezicht. 'Ik wilde SpongeBob SquarePants zijn.' Ze denkt even na. 'Of Pippi Langkous, die vond ik cool.'

'Ik ben blij dat er ook nog een meisje was met wie je je kon identificeren,' zeg ik. Ik weet niet helemaal of Taylor een grapje maakt over SpongeBob; voor een Amerikaanse heeft ze een erg droog gevoel voor humor.

'Ze was zo sterk als een paard! En ze was een zeerover!' zegt Taylor. 'Vind je het gek dat ik haar leuk vond?'

'Maar ze hadden zulke práchtige jurken!' Lizzies hoofd komt omhoog boven de rugleuning van de stoel voor ons. Zoals gewoonlijk heeft ze een heel flesje eyeliner leeg gesmeerd op haar ogen. Het staat haar voor geen meter, maar het is hip, en dat is het enige wat telt. Voor haar dan.

'SpongeBob SquarePants?' vraag ik verbluft. 'Pippi Langkous?'

'Prinses Diana! Mary, Queen of Scots!' kweelt Lizzie met glinsterende ogen. 'En ze hadden massa's minnaars en ze waren beeld- en beeldschoon!'

'Ze hebben een rotleven gehad en ze zijn jong gestorven,' merkt Taylor toonloos op.

Lizzie trekt een pruillip. 'Je verpest ook altijd alles, Taylor,' klaagt ze.

'In Oostenrijk,' meldt Sophia Von und Zu Et cetera, en haar hoofd duikt op naast dat van Lizzie, 'heb je heel veel prinsessen, en die hebben soms een hartstikke leuk leven.'

Zoals altijd als Sophia iets zegt, heb ik geen idee hoe ik moet reageren. Dat meisje kan een gesprek van een kilometer afstand de nek omdraaien.

Zelfs Lizzie, Miss Babbelkous, staat even met haar mond vol tanden. 'Ken jij prinsessen?' vraagt ze na een hele tijd.

'Natúúrlijk ken ik prinsessen.' Sophia knippert met haar blauwe poppenogen. Ze ziet er in alle opzichten uit als een peperdure porseleinen pop: gouden krullen, een rond gezicht, een gave blanke huid, hersenen van gehard keramiek. 'Ze zijn vaak te gast op het *schloss* van mijn ouders,' voegt ze eraan toe.

'Het wát van je ouders?' vraagt Taylor ongelovig.

'Ons *schloss*! Dat is Duits voor "slot",' legt Sophia uit, en ik smoor een lach.

Ik weet dat het ontzettend kinderachtig van me is om te lachen om woorden in een vreemde taal, maar *schloss* klink echt bespottelijk in Engelse oren.

'Wauw,' zegt Taylor. 'Wat is het meervoud?'

'*Schlösser*, natuurlijk,' zegt ze in alle ernst.

Ik slik een paar keer, pers mijn lippen uit alle macht op elkaar en staar naar buiten. De bus is een van de steile heuvels van Edinburgh op getuft en duikt nu aan de andere kant omlaag. We volgen een wijde bocht, met aan rechterkant, in de vorm van een halvemaan, statige huizen, en aan de linkerkant een adembenemend uitzicht: een vallei met golvende heuvels erachter, groen en grazig. De hoogste heeft een piek als van een berg, grijs en rotsachtig.

Het gesprekje over prinsessen en *schlösser* heeft me in elk geval tijdelijk afgeleid van het drama van vannacht. Het briefje bevestigde mijn vermoeden dat het hele gedoe in scène is gezet om mij naar het trappenhuis te lokken en iemand de kans te geven om mij over de leuning te duwen, zodat het zou lijken alsof ik gewond zou raken bij mijn vlucht uit een 'brandend' gebouw.

Ik zeg 'gewond raken', maar in feite bedoel ik gewoon 'doodvallen'. Ik weet natuurlijk niet wat mijn belaagster van plan was – of het haar bedoeling was om mij te vermoorden – maar de kans om die val te overleven was zó klein dat ik huiver als ik eraan terugdenk. Ik heb blauwe plekken op mijn armen doordat ik een paar keer tegen muren ben gestoten, en die herinneren me pijnlijk aan mijn val – alsof ik die ooit zal kunnen vergeten.

Er is al eens eerder iemand geweest die heeft geprobeerd me te vermoorden. Toen werd er een geweer op mijn gezicht gericht. Maar hoe raar het ook klinkt, dat was niet persoonlijk bedoeld. Ik was niet de persoon die eraan moest, ik stond gewoon in de weg.

Maar deze aanval was wél persoonlijk, geen twijfel mogelijk. Dat meisje riep mijn naam. Ze wist precies wie ze hebben moest. En ze wilde me laten weten dat ze wrok tegen me koestert vanwege het verleden, want ze heeft een briefje in mijn kamer gelegd.

Ik huiver opnieuw.

Alison? Luce? Alleen is dit gebeurd op de allereerste avond dat we allemaal samen op Fetters logeerden. Ik weiger te geloven dat iemand het hele afgelopen jaar met aanmaakblokjes en rookbommetjes heeft rondgelopen, voor het geval ze mij toevallig ergens tegen zou komen. Aan de andere kant is het niet onmogelijk dat iemand Ms. Burton-Race op St. Tabby tegen een andere docent heeft horen zeggen dat ze met Miss Carter had afgesproken om allemaal samen op dezelfde school te gaan logeren...

Plum? Ik zie het echt niet voor me dat Plum, met haar zachte, gemanicuurde handen, zorgvuldig metalen afvalemmers verzamelt, er aanmaakblokjes in legt en die aansteekt. Of dat ze haar stem genoeg kan verdraaien om mij om de tuin te leiden. Plum is altijd helemaal zichzelf, ik kan me niet voorstellen dat ze zo doortrapt is om zich voor iemand anders uit te geven. Maar ze zou best in staat kunnen zijn om iemand te chanteren of met bedreigingen te dwingen het voor haar te doen.

Dan neem ik Nadia onder de loep. Ze heeft bewezen dat ze heel wat geniepiger is dan Taylor en ik dachten. Alleen kan ik niet bedenken wat ze voor motief zou hebben om mij iets aan te doen, laat staan dat ze me zwaargewond zou willen zien. Of dood.

En zo snort het spinnewiel van mijn gedachten weer terug naar het begin: gisteravond had iemand het op me gemunt.

Wat kan ik nou in het verleden hebben gedaan dat zó erg is dat iemand me wil vermoorden? Ik kan het echt niet bedenken.

'"Het is een huis van vele herinneringen... Er zijn oorlogen beraamd, er is tot diep in de nacht gedanst, binnen de muren zijn moorden gepleegd,"' zegt Ms. Burton-Rice voor in de bus in de microfoon, en we schrikken ons allemaal rot. 'Deze woorden schreef Robert Louis Stevenson in 1878 over Holyrood in zijn *Edinburgh: Picturesque Notes*. Laten we nu zelf maar eens gaan kijken naar het huis waar een moord is gepleegd! En naar het bed waar Mary, Queen of Scots, ooit in heeft geslapen. Denk ook aan het beroemde Darnley-medaillon.'

De bus stopt voor de goudkleurige stenen muur van wat Holyroodhouse moet zijn. En Ms. Burton-Race verdient lof – ik heb haar nooit gehad voor geschiedenis toen ik nog op St. Tabby zat, maar ze weet heel goed hoe ze je nieuwsgierig moet maken. Het havermoutcoma is vergeten; de meisjes stappen al bijna voordat de bus tot stilstand is gekomen uit, nieuwsgierig naar het huis waar een moord werd gepleegd; het huis waar de legendarische Mary woonde. En dan zijn er ook nog juwelen. Beroemde juwelen. We staan te trappelen.

Ms. Burton-Rice weet echt wat meisjes van zestien en zeventien boeit.

'Het is nogal klein voor een paleis,' zegt Plum smalend als we door de hoge stenen poort naar de binnenplaats van Holyroodhouse lopen. De binnenplaats is groot en vierkant, begroeid met gras, met hoge, symmetrische ramen in de grijsgouden muren. Mooi, absoluut, maar je zou je er altijd bekeken voelen. 'Ik heb zelf in paleizen gelogeerd die veel groter waren.'

Een paar vrouwen in uniform die er werken lopen langs, en ze werpen Plum dodelijke blikken toe. Dat ontgaat haar natuurlijk volkomen; mensen die moeten werken voor de kost zijn lucht voor haar.

'Het is inderdaad erg klein,' beaamt Nadia. Ze legt haar hoofd in haar nek als Ms. Burton-Rice wijst op het wapen van het koningshuis dat in de muur van de koninklijke verblijven is uitgehouwen. 'Het is eerder een statig herenhuis.'

'Straks worden ze nog neergestoken,' sist Taylor in mijn oor.

Aan de andere kant van de binnenplaats staat een groep Schotse toeristen. Ze kijken naar Plum en Nadia en beginnen met elkaar te praten, schudden hun hoofd en tuiten afkeurend hun mond. Het is jammer dat ze allebei van die hoge, heldere bekakte stemmen hebben, want die weergalmen tussen de muren, zodat iedereen die zich op de binnenplaats bevindt kan horen hoe minachtend zij over Holyroodhouse praten.

'"Binnen de muren zijn moorden gepleegd,"' citeer ik opgewekt. 'En als iemand écht een mes in Plums rug steekt, ga ik dat niet onderzoeken.'

'Duh,' zegt Taylor. 'Zo iemand zou de mensheid een groot plezier doen.' Ze werpt een blik op Plum en Nadia, die elkaar met rollende ogen aankijken; ze kikkeren er helemaal van op dat er iets afgekraakt kan worden. 'Hé, wist jij dat ze weer met elkaar praten?' vraagt ze met gefronste wenkbrauwen. 'Sinds wanneer is dat?'

Ze heeft volkomen gelijk. 'Daar zeg je wat,' zeg ik peinzend.

Ms. Burton-Rice neemt ons mee naar binnen, en begint onmiddellijk enthousiast te vertellen over de vrijdragende balk van de trap, de fresco's en de indrukwekkende gebeeldhouwde plafonds; er loopt een gigantische eikenhouten trap, breed genoeg voor een paard met ruiter, langs de muren van drie verdiepingen omhoog tot aan het plafond, dat veel weg heeft van de slagroom die een gek geworden banketbakker op een bruidstaart heeft gespoten.

Ik schakel het commentaar van Ms. Burton-Rice uit als we de trap naar de koninklijke verblijven op lopen – daar zijn we natuurlijk voor gekomen – om na te kunnen denken over Taylors rake opmerking. Voor zover wij weten, zijn Plum en Nadia gezworen vijanden.

Waarom voeren ze dan beleefde gesprekjes? Je zou denken dat ze rondsluipen om ontharingscrème in elkaars shampoo te doen of, wat veel waarschijnlijker is, om drugs tussen elkaars spullen te stoppen, op een plek waar een docent het spul geheid zal vinden.

'Dit is vanzelfsprekend de troonzaal,' vertelt Ms. Burton-Rice, en ze gaat ons voor naar een grote kamer met een rood tapijt, houten lambriseringen en portretten en kandelaars aan de muren. We houden allemaal opgetogen onze adem in, maar dan lopen we teleurgesteld weer leeg. Ik ben nooit eerder in een troonzaal geweest, maar ik verwachtte een majestueus vertrek, met krullerige gouden zetels op een verhoging, een beetje zoals de tronen in de film *The Slipper and the Rose* (een musical over Assepoester, waar ik elke keer dat ik ernaar kijk weer intens van geniet. Taylor kan er niets mee).

Niks daarvan. Deze tronen zijn vrij kleine houten stoelen, bijna zoals klapstoelen, met een zitting van geborduurd rood fluweel met gouden kwastjes eraan en bijpassende voetenbankjes. Ze staan ook niet op een podium, maar in een kleine nis aan een kant van de ruimte, boven aan een paar treden met een rode loper.

'Schotse mensen,' merkt Taylor droog op, 'zijn geen uitslovers.'

'Dit is de officiële residentie van de koningin als ze in Schotland is,' zegt Ms. Burton-Rice luid, want kennelijk voelt ze onze teleurstelling. 'Elk jaar in juli geeft ze hier een tuinfeest. En prins Charles verblijft hier ook elk jaar een week.'

'Dus William en Harry hebben hier gelogeerd?' zegt Lizzie opgewonden. 'Omijngod! Harry is zó leuk!'

Dat méén je niet! Hij heeft péénhaar!' snuift Plum smalend, en ze werpt een veelzeggende blik op de roodharige Alison.

'Plum!' valt Ms. Burton-Rice nijdig uit. 'Dat is discriminerend!'

En opnieuw zien Taylor en ik dat Plum en Nadia elkaar met rollende ogen aankijken, tegelijkertijd hun haar naar achteren schudden en superieure glimlachjes uitwisselen.

'Ze hebben het echt goedgemaakt,' zeg ik tegen Taylor. 'Boeiend.'

'Het moet vannacht zijn gebeurd,' denkt Taylor hardop. 'Tijdens het concert vraten ze elkaar nog zowat op.'

'Klopt,' zeg ik. 'Zou Plum haar alleen maar proberen te paaien om haar uit haar tent te lokken en dan wraak te nemen?'

'Of ze denkt: *if you can't beat them, join them*,' oppert Taylor.

'Het probleem is, samen zijn ze niet te stuiten,' besluit ik.

We zijn inmiddels in de koninklijke slaapkamer, en om ons heen klinken ooo's en aaa's. Het staatsiebed heeft een hemel van rood damast, met een weelderige volant die is afgebiesd met goud, en ook het hoofdbord is rood met goud geschilderd. In tegenstelling tot de tronen ziet het bed er zeer koninklijk uit.

'Als ze het gisteravond na het concert hebben goedgemaakt,' voegt Taylor eraan toe, 'renden ze niet rond met aanmaakblokjes en rookbommen om jou van de trap te kunnen duwen.'

'Tenzij het hun manier was om te laten zien hoeveel ze van me houden,' grap ik.

Ik kijk nu naar Alison en Luce, die verdiept zijn in een gesprek. Alison speelt met haar lange haar, dat ze volgens mij lichter heeft laten kleuren; in mijn herinnering was het wortelkleurig. Nu is ze rossig blond, en ze heeft de kroezige krullen eruit gestreken met een stijltang. Het is echt een indrukwekkend mooie bos haar. Ze draagt het officieuze uniform van de St. Tabby-meisjes: een hip klein jasje, een T-shirt over een legging en van die suède slobberlaarzen. Voor Alison, die zo ongeveer woonde in haar trainingspak, is dit echt heel wat. Net als voor Lucy, die een variant van hetzelfde uniform draagt, maar dan met ballerina's, die beter passen bij haar kleine, pezige postuur. Als ze dezelfde laarzen zou dragen als alle anderen, zou ze eruitzien alsof ze de kaplaarzen van haar moeder had gepikt.

Ze lijken nu zo stylish, Luce en Alison, met hun make-up en trendy kapsel, en een sjaal die ze losjes om hun nek hebben gedrapeerd. Alsof ze net zo'n make-over hebben gehad als ik, die keer dat ik naar een hippe boetiek was gestapt om me aan de genade van een verrassend aardige verkoopster over te leveren.

Misschien, denk ik hoopvol, vinden ze mijn verraad niet langer belangrijk, nu ze van hoofd tot voeten in rasechte St.-Tabby-meisjes zijn veranderd.

En dan voelt Luce kennelijk dat ik naar haar kijk, want ze draait haar hoofd van het baldakijn boven het staatsiebed naar mij. We maken oogcontact.

De schok is enorm. Ik heb het gevoel dat ik een stomp tegen mijn borstbeen heb gekregen. Het is voor het eerst sinds onze vreselijk nare breuk dat Luce en ik elkaar echt aankijken. Heel even, niet langer dan een ademstokkende seconde, heb ik een sprankje hoop dat alles als bij toverslag weer oké zal zijn, dat ze zuinig naar me zal glimlachen, of zelfs een gebaar zal maken dat we moeten praten...

En dan knijpt ze haar ogen tot spleetjes, ze trekt haar neus op en steekt haar tong naar me uit; haar hele gezicht is vertrokken tot een masker van verachting. Ik heb Luce in het verleden zo'n gezicht naar mensen zien trekken: naar een meisje dat ons tijdens een turnwedstrijd probeerde op te fokken door ons uit te schelden, naar een controleur in de bus die een tirade afstak omdat we niet konden bewijzen dat we jonger waren dan zestien en dus recht hadden op gratis reizen (we zagen eruit als hooguit twáálf).

Maar ze heeft nog nooit naar míj zo'n gezicht getrokken.

Het is allemaal zo vertrouwd, en het doet zo'n pijn. Luce schaamt zich er duidelijk voor dat ze zoiets kinderachtigs heeft gedaan; ze wordt knalroze, draait zich met een ruk om en sleept Alison mee de kamer uit terwijl ze haar iets in het oor fluistert. Ik krijg tranen in mijn ogen als ik zie dat Luce en Alison zich bij me vandaan haasten.

'Ze zou op haar tellen moeten passen,' merkt Sophia achter me op. Haar toon is ernstig, maar haar toon is altijd ernstig – ze heeft geen waarneembaar gevoel voor humor – dus besteed ik weinig aandacht aan haar commentaar.

'Wat bedoel je?' vraagt Lizzie, als altijd het nieuwsgierige aagje.

'Lucy.' Sophia klakt afkeurend met haar tong. 'Ze moest vorig jaar in therapie om haar woede te leren beheersen. Ze zou niet zo kwaad moeten kijken waar docenten bij zijn.'

Het duurt even voordat ik door heb dat ze het over Luce heeft.

'Echt waar?' Lizzie hangt meteen aan haar lippen, en ik ook – ik schuif met mijn oren gespitst naar Sophia en Lizzie toe en sla de informatiefolder van Holyrood, die ik tot nu toe ongeïnteresseerd in mijn hand heb gehouden, open.

'Ja,' vertelt Sophia. 'Na Dans dood...' Ik voel dat Sophia en Lizzie van opzij naar me kijken, en doe alsof ik de plattegrond van Holyrood aandachtig bestudeer. 'Na Dans dood was Plum ontzettend gemeen tegen Alison en Lucy, gewoon omdat zij Scarletts vriendinnen waren. Niet meteen na dat feestje, het begon een paar dagen later, nadat Scarlett van school was gestuurd. Plum liet ze geen moment met rust. In de kranten werd Scarlett het meisje van de Kus des Doods genoemd, dus zorgde Plum ervoor dat iedereen kusgeluiden maakte als Alison en Lucy in de buurt waren.'

'Nou, dat is toch niet zo erg,' begint Lizzie, maar Sophia praat door.

'Dan is overleden aan een allergie, een vorm van vergiftiging, dus ging Plum doen alsof Alison en Lucy giftig waren. Niemand wilde naast hen zitten tijdens het eten, of in de klas. Het was echt heel rot voor ze. De jongere meisjes deden mee, die begonnen te gillen als ze Alison en Lucy aan zagen komen in de gangen. Alleen de docenten wisten niet wat er gebeurde, maar verder was iedereen op de hoogte.'

Ik ben diep verontwaardigd. Wat ontzettend oneerlijk; Alison en Luce hadden niets met Dans dood te maken! Ze waren er niet eens bij. En dan besef ik pas wat Sophia over de timing zei: het begon 'nadat Scarlett van school was gestuurd'. Dat was dus nadat ik terug was geweest op school

om mijn kluisje leeg te halen. Toen het oordeel van de onder-
zoeksrechter was bekendgemaakt (dood door ongeval), vroeg
de directrice van St. Tabby of ik naar een andere school
wilde gaan (technisch gezien ben ik dus níet van school gestuurd) omdat de pers een kamp had opgeslagen bij de ingang van de school. Plum begon me te treiteren, met haar
posse achter haar, en ik vernederde haar voor hun ogen
door haar tegen de kluisjes te duwen. Die dag las ik voor het
eerst angst in haar ogen.

Dat heeft ze dus op Alison en Luce afgereageerd, besef ik
nu. Haar vriendinnen hebben gezien dat ik Plum in haar
hemd zette, en daar had ze zo de pest over in dat ze mijn
beste vriendinnen ervoor heeft laten boeten. Ik ging weg en
was in elk geval tijdelijk van haar bevrijd. En zij koelde haar
woede op Alison en Luce, totdat Luce haar zelfbeheersing
verloor.

'Ze heeft Plum van een trap geduwd,' vertelt Sophia.
'Plum kwam op Mam'selle Bouvier terecht en verstuikte
haar enkel.'

Goed gedaan, Luce! denk ik, en ik verberg mijn brede
grijns achter het foldertje, zogenaamd zonder iets te horen.
Ik durf te wedden dat Plum je daarna met rust heeft gelaten!
Plum is als de dood voor fysiek contact, dat heb ik zelf gezien toen ik haar beetgreep bij de kluisjes. En Luce is weliswaar een klein ding, maar dankzij de conditietraining die iedere turnster doet, is ze veel sterker dan je zou denken.

En dan valt het muntje. Ze heeft Plum van een trap geduwd.

Mijn adem stokt. De angst slaat me om het hart.

'Nou, toen heeft de school Lucy's ouders gebeld om te

melden dat ze problemen had met haar zelfbeheersing en in therapie moest,' rondt Sophia af.

Lizzie snuift. 'Zo te horen heeft ze geen problemen met haar zelfbeheersing, maar met Plum!'

'Ha, dat is een goeie! Ja, ze heeft problemen met Plum,' zegt Sophia goedkeurend.

'Kom op, meisjes,' zegt Miss Carter, en ze drijft ons op alsof we een kudde vee zijn. 'Het beste moet nog komen. Willen jullie Mary's privévertrekken niet zien?'

Sophia en Lizzie gaan achter haar aan. Ik volg in hun kielzog, en Taylor komt naast me lopen.

'Heb je dat gehoord?' mompelt ze.

Ik knik alleen, kan nog geen woord uitbrengen.

'Ze heeft Plum van een trap geduwd!' sist Taylor. 'Dat is héél erg interessant.'

Ze heeft gelijk. Maar ik kan nog niet reageren; de woorden op het briefje dat we in onze kamer hebben gevonden spoken door mijn hoofd. Op dit moment voelt het inderdaad alsof het verleden aan me klit. Mijn eigen verleden; mijn schuldgevoelens over de manier waarop ik Alison en Luce heb behandeld. Ik heb ze niet alleen in de steek gelaten door naar een feestje te gaan, nu blijkt dat ze ook genadeloos zijn gepest door Plum toen ik er niet meer was. Ik kon het niet helpen dat ik weg moest van St. Tabby, maar het is vreselijk om te weten dat Alison en Lucy hebben moeten boeten voor dingen die ik heb gedaan. Ze waren al woedend op me omdat ik hen had gedumpt. Het moet zout in de wonde zijn geweest dat ze toen ook nog eens Plums pesterijen te verduren kregen.

En dan is er nog het verleden van mijn familie, de Wakefields, en die van de familie van Jase. Dingen die onze ouders jaren geleden hebben gedaan, vreselijke dingen waar Jase en ik nu de prijs voor betalen. Volgens tante Gwen heeft mijn moeder vermoedelijk een relatie gehad met de vader van Jase, en de grootmoeder van Jase beweert dat hij mijn ouders opzettelijk heeft doodgereden. Wat een drama, een vreselijk, in- en intriest familiedrama.

Het is niet eerlijk, maar het heeft geen zin om vast te stellen dat dingen niet eerlijk zijn. Jase en ik zitten ermee opgescheept, en we moeten proberen er een oplossing voor te vinden. Anders raken we eronder bedolven, dat voel ik nu sterker dan ooit.

Al is het nog zo spannend om de met wandtapijten behangen slaapkamer van Mary, Queen of Scots, te zien, om te beseffen dat ze over de vloer heeft gelopen waar ik nu sta, dat ze in dit bed heeft geslapen, mijn ellende wordt er niet door verdreven. Het helpt vreemd genoeg wel om de kleine torenkamer te zien waar een brute moord heeft plaatsgevonden.

'Op een avond gaf Mary in deze kamer een gezellig etentje voor haar hofdames en haar secretaris, David Rizzio,' vertelt Ms. Burton-Rice theatraal, 'toen haar man lord Darnley, met wie ze niets meer te maken wilde hebben, onverwacht binnen kwam stormen met zijn gevolg. Mary was zwanger van de baby die later James I zou worden, koning van Engeland en Schotland, maar daar liet haar man zich niet door weerhouden, en hij sleurde Rizzio van zijn stoel. Rizzio klampte zich vast aan Mary's rokken en smeekte om genade, maar Darnley was meedogenloos. Samen met de mannen in zijn gevolg stak hij zijn slachtoffer dood, met vijfenzestig messteken! Voor Mary's ogen bloedde hij dood.'

Dat wisten we al, maar alleen door erover te lezen in saaie geschiedenisboeken. Het doet natuurlijk veel meer met je als je op de plaats bent waar het is gebeurd. We reageren met gemompel en kreetjes van afschuw op het verhaal. Ik stel me Mary voor, die hulpeloos toekijkt, waarschijnlijk snikkend en gillend, als haar man en zijn kornuiten haar goede vriend wegsleuren en aan mootjes hakken.

Ik schaam me om het toe te geven, maar door dat beeld voel ik me opeens stukken beter. Je beseft meteen hoe betrekkelijk alles is. Je leest een gruwelijk verhaal, of je kijkt naar een horrorfilm – dat is net zoiets. De afschuwelijke dingen die andere mensen overkomen – in een boek, of in het verre verleden – zijn op een kromme manier geruststellend. Mijn docent oude talen zou het catharsis noemen. De oude Grieken wisten het al. Je kijkt naar een treurspel waarin de vreselijkste dingen gebeuren, je vereenzelvigt je met de acteurs, en je voelt je lichter als je na afloop het theater verlaat.

Ik haal heel diep adem en voel dat een deel van de last van mijn schouders glijdt. Nu kan ik geruststellend grijnzen naar Taylor. Ik moet zeggen dat die oude Grieken niet volledig achterlijk waren.

De souvenirwinkel van Holyrood is niet heel groot, maar de artikelen die ze verkopen spreken wel tot de verbeelding van de bezoekers. Een hele muur gaat schuil achter planken met schattige siervoorwerpen die aan alle kanten zijn bedrukt of geborduurd met het woord 'prinses': bekers, teddyberen, sierkussens, sieraden – ideale hebbedingetjes voor meisjes die dwepen met Mary, Queen of Scots, en zwijmelend naar het Darnley-medaillon hebben gekeken. Alle spullen zijn roze met goud, en zo snoezig dat de meeste meisjes ze van de planken halen en kraaiend aan elkaar laten zien.

'Mijn god, wat is dát?' zegt Nadia als we uit de winkel komen. De meeste meisjes hebben nu een tasje in hun hand, met daarin hun troetelsouvenirs. Ze beweren allemaal dat het een cadeautje is voor hun jongere zusje, en alleen Lizzie is dapper genoeg om openlijk toe te geven dat ze een beker heeft gekocht om warme chocolademelk uit te drinken. Ik moet zeggen dat ik haar erom bewonder.

Toch is Nadia's uitroep niet voor de souvenirs bestemd; haar blik is gericht op het grote gebouw aan de overkant van de straat.

'Dat,' zegt Ms. Burton-Rice een beetje gegeneerd, 'is het nieuwe Schotse parlementsgebouw.'

'Hemel,' zegt Plum, 'ik dacht dat het een recreatiecentrum was, met appartementen voor aanstormende yuppen erboven.'

Zij en Nadia, twee übersnobs, grinniken erom. Toch moet ik toegeven dat Plum de spijker op zijn kop slaat. Het Scottish Parliament is echt een heel raar gebouw. Het hangt van wonderlijke hoeken en rondingen aan elkaar, en van allerlei uitsteeksels vraag je je af waar ze in godsnaam toe dienen. De façade van glas en metaal steekt een eind naar voren, als een te groot uitgevallen bushalte, en het dak is bedekt met een soort enorme takken, alsof een reusachtige vogel er een nest aan het bouwen was, daar halverwege genoeg van kreeg, de hele handel heeft gedumpt en toen is weggevlogen. We staan er allemaal een tijdje naar te staren, en volgens mij vinden we dat Plum voor de verandering een rake opmerking heeft gemaakt. Je zou verwachten dat hier mensen in en uit lopen met sporttassen over hun schouder.

'Voor degenen die willen, is er de mogelijkheid van een rondleiding,' kondigt tante Gwen aan, en Lizzie, die naast me staat, kreunt van ontzetting. 'Máár,' vervolgt mijn tante, die Lizzie afkeurend aankijkt, 'deze rondleiding is facultatief. Facultatief betekent dat de rondleiding niet verplicht is.' Haar ogen puilen uit van voldoening; ze vindt het altijd geweldig om te laten zien hoeveel macht ze over ons heeft.

'Daar verderop is de Royal Mile,' zegt Ms. Burton-Rice, en ze wijst op de straat die naast het parlementsgebouw omhoog loopt. 'Er zijn allemaal leuke winkels, ook voor kasjmier,' voegt ze er opgewekt aan toe, en de St.Tabby-meisjes reageren enthousiast.

'Ik hoop dat ze Brora hebben,' zegt Nadia opgetogen tegen Plum. 'Ik krijg nooit genoeg van hun sjaals.'

'Jullie hebben twee uur de tijd, meisjes,' meldt tante Gwen. 'Om één uur moeten jullie terug zijn op het parkeerterrein van Holyrood. Dan gaan we terug naar Fetters voor de lunch.'

'Volgens mij kan ik een Starbucks zien,' sist Sophia tegen Lizzie. 'Laten we daar een lekker broodje nemen.'

'Er is zeker geen sushitent hier in de buurt?' vraagt Plum aan niemand in het bijzonder. 'Ik doe een moord voor misosoep.'

Alleen een paar zielige nerds van (hoe kan het ook anders) Wakefield Hall gaan met tante Gwen en Ms. Burton-Rice mee naar het mislukte vogelnest. Alle anderen splitsen zich onmiddellijk op in groepjes. Het laaste wat we willen is met z'n allen de Royal Mile bestormen. Luce en Alison, zie ik, zijn al overgestoken en lopen op de winkelstraat af. Taylor en ik blijven nog even rondhangen, zodat Plum, Nadia en

Susan alvast een voorsprong kunnen nemen; we kunnen hun gezelschap missen als kiespijn.

'Ik hoop dat Plum roept dat Edinburgh een rotstad is omdat er nergens sushi te krijgen is, en dat iemand haar dan een klap verkoopt,' zegt Taylor.

'Of een kopstoot,' opper ik. 'Dat noemen ze een *Glasgow kiss*, maar misschien doen ze het in Edinburgh ook wel.'

'Waar hebben jullie het over?' vraagt een lachende mannenstem naast ons. 'Wil jij iemand een *Glasgae kiss* geven?'

Ik draai me met een ruk om, en zie de onmiskenbare donkerrode krullen en sproeten van Ewan, de gitarist van Mac Attack. Ik bloos tot in mijn haarwortels, vooral als ik Callum achter hem zie staan, zijn wenkbrauwen vragend opgetrokken.

'Gaan jullie nu al amok maken?' zegt Ewan. 'Jullie zijn bloeddorstig geworden van Holyrood.'

'Hé, jullie dragen geen kilts,' merkt Taylor op, en nu trek ik mijn wenkbrauwen op; als iemand anders dit te berde had gebracht, zou ik hebben gezegd dat ze flirtte.

'Daar is het een beetje kil voor.' Ewan kijkt haar grijnzend aan.

'En veel te winderig,' voegt Callum eraan toe. 'Streaken is niet ons ding.'

Ewan mimet dat hij een rok tegen zijn dijen houdt en tuit zijn lippen, precies zoals de geschrokken Marilyn Monroe op die beroemde foto in haar witte jurk. Ik begin stompzinnig te giechelen, en Taylor trouwens ook.

We zijn net twee meisjes die flirten met twee jongens. Normale meisjes, meisjes die nooit iemands leven hebben gered, die nooit een lijk hebben gevonden, die nooit onderzoek hebben gedaan naar een moord. Meisjes die nooit hun vriendje weg hebben zien rijden op een motor, omdat hij zoiets vreselijks over zijn familie heeft ontdekt dat hij geen seconde langer kan blijven.

Ik weet nog dat ik vorige zomer champagne dronk met Dan, en hoe licht en bubbelig en gelukkig ik me toen voelde, alsof mijn hoofd een ballon was die me optilde en weg liet zweven. Dat gevoel heb ik nu ook. Ik ben gewoon duizelig, alsof helemaal niets op de wereld ertoe doet behalve dit moment, het hier en nu, ginnegappen en giechelen, waar nog eens bij komt dat ik me geweldig gevleid voel dat Ewan en Callum ons op de een of andere manier hebben opgespoord.

Het lijkt me hoogst onwaarschijnlijk dat ze op een koude, maartse dag zomaar wat rondhangen voor Holyrood Palace, in de hoop dat ze meisjes die met een blauw plastic tasje vol poezelige roze souvenirs naar buiten komen kunnen versieren...

'Wat grappig dat we jullie hier toevallig tegenkomen,' zegt Taylor. Zoals altijd zegt ze waar het op staat, recht voor zijn raap.

'Ach, we hoorden die docenten van jullie gisteravond zeggen dat jullie naar Holyrood zouden gaan,' zegt Ewan langs zijn neus weg. 'We wilden jullie redden van de rondleiding door het Scottish Parliament.'

'Stómvervelend,' zegt Callum in alle ernst. 'Het duurt uren, en tegen de tijd dat je eindelijk klaar bent, heb je het gevoel dat ze je hersenen door je neus naar buiten hebben gezogen.'

'Zoals bij de oude Egyptenaren,' zegt Taylor tegen hem. 'Dat deden ze met een soort haaknaald, voordat een lijk werd gebalsemd.'

'De meeste meisjes weten dat niet,' zegt Callum verrast.
Ewan lacht snuivend.

'Callum!' Plums stem snijdt door ons gesprek als een snerpende kettingzaag. 'En eh... je vriend van de band!' Ze walst langs Taylor en mij heen en omhelst Callum alsof ze hem jaren niet heeft gezien. 'Wat leuk om jullie hier tegen te komen! Zo!' Ze schudt haar dikke bos haar naar achteren en glimlacht stralend naar hem en Ewan. 'We hebben twee uur voor onszelf. Wat zullen we gaan doen?'

Callum kijkt naar Ewan, dan naar mij en Taylor. Er is een moediger man dan hij voor nodig om tegen Plum te zeggen dat hij niet voor haar hierheen kwam, en eigenlijk wil ik ook helemaal niet dat hij dat zegt. Het zou niet alleen een vreselijke scène uitlokken, het zou ook betekenen dat Plum mij en Taylor de rest van de tijd in Edinburgh op alle mogelijke manieren zou straffen voor haar afgang. Ik kan wel tegen Plum op, maar het is ontzettend vermoeiend; ik vlieg veel liever onder haar radar door. Kijk maar naar wat er met Alison en Luce is gebeurd.

Dus als Callum zich gewonnen geeft, naar een heuvel in de buurt wijst, en zegt dat we ergens een broodje kunnen halen om het daar op te eten, weten we dat iedereen is uitgenodigd. Ewan kijkt naar ons, rolt expressief met zijn ogen, en pakt zijn mobieltje terwijl hij samen met Callum in de richting van de heuvel begint te lopen. Plum, Nadia, Susan en Lizzie trippelen er als kakelende kippen achteraan.

'Zullen wij iets anders gaan doen?' zeg ik zachtjes tegen Taylor. 'Ik drink nog liever in een prinsessenjurk thee met mijn grootmoeder dan in Plums gezelschap te verkeren...'

'Ik heb wel zin om mee te gaan,' zegt Taylor, en hoewel ze

er haar schouders bij ophaalt, ken ik haar goed genoeg om de boodschap te begrijpen; ik weet dat ik naar haar woorden moet luisteren, niet naar haar gebaar.

Oké, denk ik, kijkend naar Ewan, die boven iedereen uitsteekt, zodat ik kan zien dat hij met vleiende belangstelling omkijkt naar Taylor en mij. Terwijl hij druk in zijn telefoon praat, trekt hij naar ons met zijn hoofd om aan te geven dat we mee moeten komen, waarop Taylor in beweging komt.

Taylor vindt Ewan leuk. Cool. Ewan lijkt me heel aardig en grappig. Ik heb er eigenlijk nooit bij stilgestaan wie bij Taylor zou passen, maar ik kan zien dat een komiek als hij, die graag gekke bekken trekt en mensen vermaakt, prima zou opwegen tegen de stugge, stoere Taylor.

En net op dat moment draait Callum zijn hoofd ook om, duidelijk om te zien of wij ons wel bij de groep hebben aangesloten, en als hij mij met zijn grijze ogen aankijkt, komt er opeens een herinnering boven. Ik denk aan onze kus op het vliegveld van Glasgow. Toen was ik totaal verrast dat het gebeurde, totaal verrast dat ik hem aantrekkelijk vond. En ook totaal verrast dat zo'n knorrige, norse jongen zo lief kon zoenen.

Hemel. Nu ben ik echt helemaal in de war. Misschien is het toch niet zo'n slecht idee dat Plum ons knusse kwartet heeft verstoord...

6

TEGENSPOED VERZACHT DOOR WIJSHEID

De richting waarin de jongens ons meenemen belooft weinig goeds. Ik begin te hopen dat Plum alsnog zal afhaken, vooral omdat ze ons niet willen vertellen waar we naartoe gaan. We lopen bij de Royal Mile en de winkels vandaan, bij alles waar iets te beleven valt, langs moderne rijtjeshuizen en onder een smerige oude spoorbrug met druipende steunbalken door. Nadia gilt van afschuw en houdt haar handen theatraal boven haar hoofd. We beklimmen een steile stenen trap die in een rotswand is uitgehouwen en komen in een klein parkje waar een paar mensen hun hond uitlaten.

'Is dít het?' roept Nadia smalend.

Zelf ben ik ook niet enthousiast, vooral niet als een grote herdershond met oranje ogen niet ver bij ons vandaan een grote drol draait.

'Goed zo, jongen!' zegt zijn baasje, een jonge man met een kaalgeschoren hoofd, die toesnelt met een plastic zakje om zijn hand.

'Getver,' zegt Plum, en ze draait zich walgend om.

We komen aan het eind van het parkje, waar we langs een steile wand een trapje afdalen.

En dan zie ik nog een parkje, althans daar lijkt het in eerste instantie op, groen en lommerrijk, dat schuin afloopt en een werkelijk adembenemend uitzicht biedt, tussen twee hoge stenen pilaren door. Op de rechterpilaar hangt een bordje met de tekst GEEN DOORGANG NAAR LOWER CALTON ROAD, maar iemand, ongetwijfeld een jongen, heeft er met een marker HET SPOOKT HIER overheen gekrast. Een enorm ijzeren hek tussen de pilaren staat half open, en het brede stenen pad erachter voert naar...

'Een begraafplaats!' roept Taylor uit. 'O, wauw!'

Plum en de andere meisjes zijn blijven staan om sigaretten op te steken, maar Taylor loopt langs ze heen en is al door het hek naar het pad gelopen. Ze kijkt vol ontzag om zich heen.

'Scarlett!' zegt ze. 'Kom eens kijken!'

'Zo te horen heeft ze iets met lijken,' zegt Ewan grijnzend, en we volgen Taylor naar binnen.

Ik grijns terug. Ewan is echt enorm innemend. Hij is knap om te zien, met die donkerrode krullen en dat aantrekkelijke magere gezicht, maar hij zou ook innemend zijn als hij niet knap was; het komt door zijn uitstraling, die energiek en onweerstaanbaar en geweldig positief is.

'Taylor is niet heel erg goth, of zo,' zeg ik. 'Ik denk dat het met geschiedenis te maken heeft. Je weet hoe Amerikanen zijn; ze gaan uit hun dak als iets een paar honderd jaar oud is.'

'Het zijn net huisjes!' Taylor staart met open mond naar de graven. Overal staan grafstenen van grijs graniet, groot en indrukwekkend, maar er zijn ook graven als kleine huisjes, met hoge muren en een deuropening waar je doorheen kunt lopen. De lucht is het dak, en de vloer van aarde.

'"De laatste rustplaats van Alexander Henderson, koopman, Edinburgh",' leest Taylor hardop voor. Ze gaat naar binnen en bestudeert de gedenksteen op een van de muren. 'En hier staan de namen van zijn familie. Waar zíjn die allemaal?'

Ewan wijst op de met een laagje kiezels bedekte grond. 'Hieronder,' zegt hij opgewekt.

'Begraven of gecremeerd?' wil Taylor weten.

'Geen idee,' zegt hij. 'Als we gaan graven, komen we er vanzelf achter.'

Daar moet ze om lachen. 'Sorry,' zegt ze. 'Ik stel altijd erg veel vragen.'

'Geeft niet,' zegt hij losjes. 'Zeg, houden jullie van klimmen?'

Taylor en ik wisselen een geamuseerde blik uit.

'Je hebt geen idéé aan wie je het vraagt,' zeg ik.

De begraafplaats loopt steil af langs de helling van een heuvel; volgens mij is Edinburgh op meer heuvels gebouwd dan Rome. Ewan gaat ons voor, en we vergapen ons aan het vergezicht op Holyrood, het parlementsgebouw en de bijna-berg erachter – het is net een ansichtkaart. We springen over grafstenen heen, onze voeten zakken weg in hoog, groen gras, we klauteren omhoog en omlaag over stenen trapjes die weer naar een hele verzameling nieuwe grafzerken leiden, als miniatuurhuisjes op terrassen...

'Het lijkt wel een kabouterstad,' zegt Taylor bewonderend.

Ik kijk al naar onze bestemming: een toren van drie verdiepingen hoog, in de verste hoek van de ommuurde begraafplaats, breed en plomp, met kantelen langs de bovenkant. Met mijn hoofd in mijn nek tuur ik tegen de zon in, en ik zie dat er om de bovenste verdieping een metalen trap loopt, maar die trap lijkt niet tot op de grond te komen.

'Je kunt op het graf ernaast klimmen en dan naar de toren springen,' vertelt Ewan. 'We hebben er iets op gevonden. Het is niet heel erg moeilijk. Ik laat het jullie wel... O.'

Hij staart met open mond naar Taylor, die al tegen de toren op klautert via steunpunten voor haar handen en voeten in de bakstenen muur.

'Jézus,' zegt hij vol ontzag.

'Ze doet aan bergbeklimmen met haar ouders,' zeg ik. 'In de vakanties.'

Ik kijk snel opzij om te zien of hij erop afknapt dat Taylor zo goed is; ik weet dat jongens het soms niet leuk vinden als meisjes stoere dingen doen. Jase was in alle staten toe hij hoorde dat ik op zijn motor had gereden, hoewel hij later zei dat hij me geweldig vond.

'Moet je haar zien,' zegt Ewan vol bewondering als Taylor haar been over de bovenkant van het graf naast de toren zwaait, zichzelf ophijst en op de metalen trap klimt.

Dit is een van de redenen waarom ik Taylor zo leuk vind. Het zou nooit, no way never nooit bij haar opkomen om te doen alsof ze iets niet kan, of om het een jongen te laten voordoen, alleen maar om hem te paaien. Dat zit gewoon niet in haar DNA.

'Ga je mee?' zegt hij tegen mij. Hij loopt naar de zijkant van het graf, met een uitstekende steen waar we op kunnen klimmen. 'Als je tenminste niet net als zij voor Spider-Man gaat spelen.'

Ik grijns naar hem. 'Nee, hoor. In deze dingen is zij veel beter dan ik,' geef ik toe.

Ik kijk om naar de ingang van de begraafplaats, waar de anderen nog steeds in een kluitje bij elkaar staan. Zo te zien zijn er meer jongens bij gekomen. Ik probeer te zien wat Callum doet, of hij weet dat we bij de toren zijn...

'Ik heb om versterking gevraagd,' legt Ewan uit. 'Callum was het ermee eens. We dachten dat we anders onder de voet zouden worden gelopen door jullie vriendinnen. Ze zijn ons een beetje te tuttig.'

'Het zijn geen vriendinnen van ons,' zeg ik snel. 'Ze zitten alleen bij ons in de klas.'

'Ik zie ze nog niet naar de toren klimmen,' zegt hij lachend. 'Stel je voor dat ze hun nagels breken!'

'Hé, slome duikelaars, komen jullie nog?' roept Taylor vanaf de toren. 'Het uitzicht is echt bizar mooi.'

'Ik kom al, schat!' zegt Ewan met een knipoog naar mij.

We klimmen met gemak op het graf en maken dan de sprong naar de metalen trap. De torendeur zit op slot, maar zoals Ewan al zei, het is geen probleem om je aan de trapleuning vast te grijpen en je dan op het dak van de toren te hijsen.

'Wauw,' zeg ik, en ik houd een hand boven mijn ogen.

Taylors donkere, halflange haar wappert in het briesje en valt in rechte lijnen voor haar gezicht; het ziet er echt heel mooi uit. Ewan is het kennelijk met me eens, want hij staat bewonderend naar haar te kijken.

'Zo,' zegt hij, 'jij bent een soort Action Woman, hè?'

'Wij van de marine blijven altijd bescheiden,' zegt ze met een uitgestreken gezicht.

Die twee kunnen het zo goed met elkaar vinden dat ze mij niet nodig hebben. Ik geniet dus van het uitzicht. Achter Holyrood zie ik zo ver het oog reikt golvende groene heuvels rondom de ruige berg die boven de hele stad uit torent.

De beboste hellingen zijn prachtig groen en vormen een prettig contrast met de grijze stenen van de huizen. Edinburgh is
beslist geen mooie stad, wel een sterke. Harde stenen, zonder verzachtende rondingen. Ik krijg nog meer medelijden
met de arme, verwende Mary, Queen of Scots, die in Franse
weelde is opgegroeid, die sliep tussen fluweel en zijde en
ganzendons en dacht dat ze haar hele leven in Frankrijk zou
blijven. Dan wordt ze wreed uit haar luxueuze nestje weggerukt en moet ze de loodgrijze zee oversteken naar dit win-
derige, harde land, waar haar knappe gezichtje en haar
charme alleen maar kwaad bloed zetten bij de grimmige,
verzuurde lords die haar koninkrijk bestieren.

Geen wonder dat Taylor zich in Edinburgh als een vis in
het water voelt. Als zij in Mary's schoenen had gestaan, zouden die Schotse lords het in hun broek hebben gedaan van
angst.

Ewan leunt nu naast Taylor op de kantelen, wijst beziens-
waardigheden aan, stel ik me zo voor, en beantwoordt de
vragen die zij op hem afvuurt. Ik ben echt het vijfde wiel aan
de wagen. De geluiden die ik maak als ik me weer over de
rand van de toren zwaai, met mijn voeten de trap zoek en
langs de sporten omlaag klauter, worden uitgewist door het
fluiten van de wind. Volgens mij merken ze niet eens dat ik
weg ben gegaan. Dertig seconden later beland ik met een
sprong op de grond. Ik klop het stof van me af en loop weg
uit de smalle doorgang tussen het graf en de toren, terug
naar de begraafplaats.

En dan slaak ik een kreet. Ik spring zelfs achteruit.

Rechts van me is een hoekgraf, net voorbij de toren. Een
trapje leidt naar de deuropening, met daarachter iets wat ik

niet kan zien. En er is net iemand van de trap omlaag gesprongen, iemand die als een deus ex machina uit de lucht is komen vallen. En die mij zowat een hartstilstand heeft bezorgd.

Het is Callum.

'Dacht je dat ik een geest was?' vraagt hij glimlachend.

'Ik weet niet wat ik dacht!' zeg ik nijdig. 'Je moet mensen niet zo aan het schrikken maken. Als ik was gevallen, had ik mijn enkel kunnen verstuiken!'

'Jij? Laat me niet lachen. Ik heb je net van dat ding omlaag zien klimmen.' Hij knikt naar de toren. 'Jij valt echt niet om als ik uit een graf spring.'

Ik knijp mijn ogen half dicht, maar hij heeft wel gelijk. 'Je hebt me écht laten schrikken,' houd ik koppig vol.

Waarom heb ik eigenlijk de pest in? vraag ik me af. Ik ben per slot van rekening blij hem te zien; daarnet heb ik nog naar hem uitgekeken. Maar ik kan het niet helpen, ik krijg opeens zo'n raar gevoel vanbinnen nu ik tegenover deze jongen sta.

Ik haal heel diep adem en zeg tegen mezelf dat het helemaal niet raar is dat ik me opgelaten voel nu ik met Callum alleen ben. Tegenstrijdige gevoelens stuiteren door me heen. Ik weet nog hoe vijandig hij tegen me was, de eerste keer dat we met elkaar te maken kregen. Ik ril als ik terugdenk aan die middag in de ruïne van een toren op het landgoed van zijn ouders, een middag die eindigde in de dood en mijn leven voorgoed heeft veranderd. En we hebben elkaar gekust, Callum en ik – een kus die bedoeld was als afscheid. Want we wisten allebei dat het nooit iets kon worden tussen ons, daarvoor hebben we te veel meegemaakt.

Callum strijkt met een hand over zijn korte, bijna geschoren haar, op een manier die ik me nog levendig kan herinneren van vorig jaar, maar hij zegt niets. Hij wacht af. Hij wacht totdat ik mijn verwarde gedachten op een rijtje heb gezet.

'Op Castle Airlie,' zeg ik, 'was je altijd nors tegen me. En nu ben ik nors tegen jou.'

Ik weet niet hoe hij het zal opvatten, maar er verschijnt onverwacht een prachtige glimlach op zijn gezicht.

'Ik wás een stuk chagrijn,' geeft hij toe, 'maar niet altijd. Dat is niet eerlijk.'

Zijn blik is nu op mijn mond gericht, en ik weet dat hij aan onze kus denkt.

'Zou jij je slechte humeur wat sneller overboord kunnen zetten dan ik vorig jaar?' vraagt hij, en hij doet alsof hij op een denkbeeldig horloge kijkt. 'Binnen een paar minuten, misschien?'

'Ik zal het proberen.'

'Hé!' Hij spreidt zijn armen. Hij draagt een van zijn te grote wollen truien – donkergrijs, net als zijn ogen, met rafels aan de mouwen – op een vale, gescheurde spijkerbroek. Callum is beslist geen dandy. 'De zon schijnt! In Schotland! Weet je wel hoe bijzónder dat is? En we zijn op een begraafplaats! Als een meisje daar niet om kan glimlachen, dan weet ik het niet meer.'

Ik moet inderdaad glimlachen. En op dat moment voert een windvlaag het geluid van Plums hoge, luide stem mee. We kunnen niet verstaan wat ze zegt, maar ik zie dat Callum een gezicht trekt.

'Ik krijg uitslag van dat wicht,' zegt hij. 'Kom op.'

Hij schiet weg achter een rij graven die hoog genoeg zijn om ons aan het zicht te onttrekken, mocht er iemand aankomen. Ik ga achter hem aan. De zon warmt mijn gezicht als we langs de heuvel omlaag rennen. Bij een hoge obelisk komen we tot stilstand. Voor ons is een stenen muur, met een werkelijk zeer opvallend tafereel.

In overeenstemming met de grimmige, kale stijl van de rest van de stad zijn de andere graven en grafzerken niet versierd; alleen de namen van degenen die er liggen zijn erin gegraveerd. Maar in deze muur is een stenen plaat aangebracht met daarop een prachtig tableau: een jonge man zit geknield voor een oudere man, die zijn hand vasthoudt. Ze dragen Griekse gewaden. Aan weerszijden zijn nog twee platen aangebracht, die iets vooruitspringen, elk met de afbeelding van een naakte figuur die vermoeid op een staf leunt. Eronder zijn Griekse urnen gegraveerd, en decoratieve krullen lopen langs de zijkanten omhoog.

Het is nog steeds behoorlijk streng in vergelijking met de huilende vrouwen en beschermengelen die je op veel normale grafstenen ziet. Maar juist omdat het niet sentimenteel is, heeft het iets heel ontroerends. Ik sta er een tijdje zwijgend naar te kijken, en voel me opeens een stuk rustiger, al weet ik niet waarom.

'Kijk,' zegt Callum uiteindelijk, en hij buigt zich naar voren om te wijzen op de woorden die onder de twee mannen op het centrale tableau zijn gegraveerd.

'"Tegenspoed verzacht door wijsheid",' lees ik.

'Dat vind ik nou zo mooi,' zegt hij zacht. 'Jij niet?'

Ik denk aan alles wat Callum en zijn ouders vorig jaar hebben doorgemaakt. Hun verliezen. De waarheid achter Dans dood, een geheim dat alleen Callum, Taylor en ik kennen. Ik voel de behoefte om hem te troosten en pak zijn hand. Dankbaar sluiten zijn vingers zich rond de mijne, warm en stevig. We kijken naar de gravure, en de sierlijke lijnen en rustgevende boodschap zijn als balsem voor onze ziel, precies zoals de oudere man de jongere troost. De tekst eronder luidt:

Ter nagedachtenis aan Andrew Skene
Geboren op 26 februari 1784
Overleden op 2 april 1835

'Hoe gaat het met je?' vraag ik Callum ten slotte.

Hij haalt zijn schouders op, trekt zijn hand weg uit de mijne. 'Ach, je weet wel. Het komt en het gaat,' zegt hij. 'Goeie dagen en slechte dagen. Tegenspoed verzacht door wijsheid.' Hij stoot een kort, humorloos lachje uit en steekt zijn handen in zijn zakken. 'De muziek helpt,' voegt hij eraan toe. 'Als ik speel, denk ik aan niets anders meer.'

Ik knik, want ik weet wat hij bedoelt. Zo voelt het voor mij als ik train.

'En jij?' vraagt hij. 'En Taylor?'

'Goeie dagen en slechte dagen,' beaam ik.

En we glimlachen naar elkaar. De gravure heeft zijn werk gedaan; Callum en ik rouwen allebei om zijn broer, en ook om dat andere sterfgeval, waar we waarschijnlijk nooit over zullen praten, omdat het te vreselijk was. De scherpe kantjes, het wederzijdse wantrouwen, de vijandigheid, zelfs de seksuele spanning, alles is helemaal weg. Het is alsof we een storm hebben doorstaan en nu in rustiger vaarwater zijn gekomen.

Dat maakt alles een stuk ingewikkelder. Want er is meer dan vriendschap tussen ons. Ik weet het, en Callum weet het, zonder dat er een woord is gezegd. Nu we samen deze nieuwe kalmte hebben gevonden, kan er van alles gebeuren.

Er zóú van alles kunnen gebeuren. Als ik niet verliefd was op Jase.

'Omijngod!' klinkt het opgewonden. 'Róze! Kijk dan, Sophia! Roze en glimmend! En al die tierelantijnen! Ik wil zó graag een roze grafsteen.'

Daar heb je Lizzie, en gezien de omstandigheden kan ik niet zeggen dat ik het vervelend vind om haar te zien. Als een golden retriever snelt ze op haar doel af. Ze wijst ernaar, wriemelend van enthousiasme, en dan stuift ze terug naar haar baasje omdat ze haar vondst zo vreselijk graag wil laten zien.

'Kijk dan!' kraait ze, haren golvend, armbanden rinkelend, als Sophia in beeld glijdt. Als Lizzie een retriever is, dan is Sophia een witte zwaan, de kalme, beheerste tegenpool van de kwispelende Lizzie. 'Róze!'

Sophia blijft staan voor de grafsteen van roze graniet die Lizzie aanwijst. Eigenlijk zijn het er drie aan elkaar, puntig toelopend in een gotische boog, met randen die zijn versierd met rozetten van hetzelfde roze graniet.

'Zijn ze niet een beetje eh... glímmend, Lizzie?' vraagt Sophia, telg van oude, Oostenrijkse adel. Het roze graniet glimt als een spiegel en weerkaatst het zonlicht.

'Néé!' kirt Lizzie, de dochter van een selfmade miljardair. 'Het is bééldig!'

Dit moet ik Taylor vertellen. Oud geld houdt van een beetje shabby en versleten, om te laten zien dat het al generatieslang in de familie is. Zelfs het zilver moet niet te erg glimmen. Maar nieuw geld valt in katzwijm voor blingbling en overdaad; aangezien nieuw geld niet stilletjes prat kan gaan op een eeuwenoude titel, schreeuwt het van de daken wat het allemaal kan kopen.

'Hé!' roept Taylor. Ze komt aanlopen over een grasveldje, samen met Ewan. 'Waar was jij nou ineens gebleven?'

Haar snelle, veelbetekenende blik van mij naar Callum beantwoordt haar eigen vraag, en ze grijnst naar me. Ik ben helemaal niet weggeglipt om op zoek te gaan naar Callum, maar ik weet dat ze dat denkt. Ik kan haar moeilijk vertellen dat ik haar en Ewan even met elkaar alleen wilde laten.

'Ik ben wég van jullie stad,' zegt ze met verrassend enthousiasme tegen Callum. 'Wat een cool uitzicht heb je daar vandaan.' Met een zwaai van haar arm gebaart ze naar de toren. 'Edinburgh is zo streng en mooi.'

'Blij het te horen.' Callum maakt een buiging. 'We houden zelf ook van onze stad.'

'Maar het is hier wel koud. En winderig,' zegt Sophia, prinses van de gemeenplaats, en ze trekt haar met bont gevoerde jasje dichter om zich heen. 'Ik vind dat we nu naar Starbucks moeten gaan.'

'Oké!' zegt Lizzie blij, en ze draait zich al om naar de ingang.

'Kijk ze nou,' zegt Taylor quasivertederd als de twee meisjes samen weglopen. 'Lizzie heeft een vriendin gevonden.'

'Ze wil iemand met een adellijke titel die haar vertelt wat ze moet doen,' merk ik op.

'Ik vind dat we nu naar Starbucks moeten gaan,' sist Ewan met een aangedikt Oostenrijks accent, zonder een spier te vertrekken. Sophia is gelukkig al te ver weg om het te kunnen horen en we moeten er allemaal om lachen.

'Plum! Dáár ben je!' Lizzie heeft een kijkje genomen in een graf dat volgens de tekst boven de deuropening toebehoort aan Andrew Fyfe, chirurg. Aan weerszijden van de opening zijn de namen van zijn dierbaren gegraveerd; het moet onder de grond behoorlijk vol zijn. 'We hebben je óveral gezocht,' klaagt Lizzie. 'Heb je me niet horen roepen?'

'Ik zou me ook voor haar verbergen,' mompelt Callum als Plum en Susan uit Andrew Fyfe's laatste rustplaats komen, betrapt door de retriever.

'We gaan naar Starbucks!' kondigt Lizzie aan.

'Spannend,' zegt Plum droog.

Lizzie voert haar en Susan mee naar het pad waar Nadia zich laat bewonderen. Drie jongens staan in een kringetje om haar heen, terwijl zij met haar blauwzwarte haar speelt en zwoel met haar bruine ogen knippert. Ik moet toegeven dat Nadia flirten tot een kunst heeft verheven; haar gouden sieraden glinsteren met elke beweging van haar hoofd als ze schalks van de een naar de ander kijkt – maar nooit te lang naar dezelfde jongen: ze moeten wedijveren om haar aandacht.

Plum brengt nieuwe lipgloss op; voor Starbucks wil ze er verzorgd uitzien. Susan, bleek en etherisch, trekt de aandacht van Nadia's bewonderaars; met haar lange, bijna kleurloze haar en haar haast doorschijnende blanke huid lijkt ze net een mooie geest. Opnieuw verbaas ik me erover dat Plum Susan als beste vriendin op Wakefield Hall heeft gekozen. Net als Lizzie lijkt Susan het prima te vinden om alles te doen wat iemand met een sterkere persoonlijkheid voorstelt. Maar ik heb Susan weleens gezien als ze snipverkouden was, en dan is ze ondanks een rode neus en dikke ogen nog steeds mooier dan alle anderen samen. Ik vind het niks voor Plum om voor die voortdurende concurrentie te kiezen.

Misschien, denk ik, is Plum zo zelfverzekerd dat ze aanneemt dat iedereen toch altijd naar haar kijkt. Het is een benijdenswaardige eigenschap.

Plum geeft de lipgloss door aan Susan, glimlacht naar de groep en spint: 'Een lekkere warme latte lijkt me echt héérlijk. Ik stérf van de kou.'

Taylor, die naast me staat, zegt iets tegen Callum. Ik kijk naar haar en bedenk dat ik bof met zo'n beste vriendin, een meisje dat een gebouw waarvan ze dacht dat het in brand stond binnen wilde stormen om mij te redden. Ik hoop dat ik voor haar net zo'n goede vriendin ben. Maar ik stel haar alleen bloot aan gevaren, drama en lijken.

Dan zie ik dat Ewan met openlijke bewondering naar haar kijkt.

Misschien maakt Taylor voor de verandering een keer iets positiefs mee door met mij bevriend te zijn, bedenk ik, een gedachte waar ik helemaal van opkikker. Misschien heeft ze dankzij mij wel een Schots vriendje gevonden!

7

'U HEBT ALTIJD EEN HEKEL AAN ME GEHAD'

'Zo, Scarlett! Ik ben benieuwd wat je te zeggen hebt.' Tante Gwen kijkt me streng aan.

Ze heeft me meegenomen naar het kamertje van een van de docenten, me op de harde houten stoel voor het bureau gepoot, en is toen, hóógst oneerlijk, zelf niet aan het bureau gaan zitten, zodat er tenminste afstand tussen ons zou zijn geweest. Maar nee, in plaats daarvan heeft ze haar brede, in tweed verpakte achterwerk tegen het bureau geplant, niet meer dan een halve meter bij mij vandaan, zodat ze niet alleen veel te dichtbij is maar ook nog eens boven me uit torent. Met haar uitpuilende ogen kijkt ze me afkeurend aan; het zijn net groene toverballen.

Dat laatste ben ik trouwens gewend. Tante Gwen kijkt me altijd afkeurend aan.

Ze schijnt iets van me te verwachten, maar ik heb geen idee wat. Ik ben nerveus en schuif rusteloos heen en weer op mijn stoel. Het voelt alsof ik er al uren zit. Na de lunch (sandwiches met hardgekookt ei en waterkers, klef in het midden met uitgedroogde randen; gelukkig hadden we panini en wraps gekocht op de Royal Mile) werden we naar de aula gedreven en onderworpen aan niet één, maar twee lezingen: Ms. Burton-Rice over Mary, Queen of Scots, en haar zoon James, die Elizabeth opvolgde als koning van Engeland en Schotland. Dat was eigenlijk reuze boeiend. Helaas was daarna mijn tante aan de beurt, die ons de oren van het hoofd zaagde met de geologie van Schotland. Dodelijk saai, dat zal duidelijk zijn. Er waren allemaal foto's van stenen die er precies hetzelfde uitzagen. Taylor en ik zouden een zelfmoordpact hebben gesloten als we een manier hadden kunnen verzinnen om elkaar simultaan om het leven te brengen.

Na afloop waren we allemaal gesloopt. Ik zou niet verbaasd zijn geweest als ons haar grijs was geworden en ons gezicht gerimpeld; het voelde alsof tante Gwens lezing veertig jaar had geduurd. Taylor en ik wilden net naar het sportveld achter de school gaan om stoom af te blazen – door stenen naar bomen te gooien, of gillend op en neer te springen, wat dan ook – toen mijn tante me zo ongeveer in mijn lurven greep en meesleurde naar dit kamertje. Het was vreselijk om te zien hoe medelijdend Taylor naar me keek. Alsof ik vrij zou komen uit de gevangenis, maar net te horen had gekregen dat ik toch geen gratie zou krijgen en nog eens tien jaar achter de tralies moest, met tante Gwen als mijn persoonlijke cipier.

Uiteindelijk kan ik er niet meer tegen. 'Zo, eh... wát?' zeg ik, brutaler dan de bedoeling was. Ik zie mijn tante zichtbaar verstijven, dus voeg ik er haastig aan toe: 'Ik weet niet wat u bedoelt, tante Gwen. Heeft het iets met uw lezing te maken?'

Ik hoop dat ze me niet gaat overhoren over de strata van Schots kalksteen, of waar haar verhaal dan ook over ging. Dat zou ontzettend oneerlijk zijn.

'Vannacht!' snauwt ze kwaad. 'Ik heb het over vannacht, wat dacht je dan? Jij bent als laatste uit het schoolgebouw gekomen. Dan moet je toch op zijn minst íéts weten over die rookbommen!'

Mijn mond valt open. Dit had ik niet aan zien komen.

Het komt geen moment bij me op om tante Gwen te vertellen wat er vannacht werkelijk is gebeurd. Ik weet donders goed dat ze me toch niet zal geloven; ze zal me nog eerder van grootheidswaan beschuldigen, omdat ik me verbeeld dat ik belangrijk genoeg ben voor zo'n ingenieus uitgedokterde wraakactie.

'Daar weet ik niets van, tante Gwen,' zeg ik zwakjes. 'Echt niet.'

Ze klakt ongeduldig met haar tong. 'Ik geloof je niet, Scarlett,' zegt ze, waarbij ze me hooghartig aankijkt. 'Ik weet dat je iets voor me achterhoudt. Heb je het soms samen met Taylor gedaan? Probeer je haar te beschermen?'

Ik schud zo heftig mijn hoofd dat het pijn doet. 'U hebt Taylor bijna een jaar lang bij u in de klas gehad, tante Gwen,' zeg ik. 'U moet haar inmiddels goed genoeg kennen om te weten dat zij veel te verantwoordelijk is om zoiets stoms te doen. Zij zou nooit rookbommen aansteken in een schoolgebouw.'

Dit is echt een heel erg goed argument, en het houdt haar een paar volle seconden bezig. Ze leunt naar achteren, en haar gerende rok knistert rond haar dikke kuiten.

'Dus zij wist wat je van plan was,' zegt ze als ze haar zware geschut opnieuw in stelling heeft gebracht. 'En ze wilde weer naar binnen gaan om je tegen te houden!'

'Waarom zou ik dat in gódsnaam doen?' vraag ik nijdig.

Bij tante Gwen is de aanval altijd de beste verdediging, dat had ik moeten weten. 'Ik ben heus niet achterlijk. En u weet hoe graag ik slaap. Ik ben wel de laatste om midden in de nacht uit een lekker warm bed te kruipen en stomme streken uit te halen!'

Dit is ook een behoorlijk sterk argument. Sinds de dood van mijn ouders, toen ik vier was, heb ik – tot mijn verdriet – bij mijn tante gewoond, in een kleine portierswoning op het terrein van Wakefield Hall. In dat kleine huisje zitten we op elkaars lip, wat we allebei vreselijk vinden, maar het betekent ook dat ze heel goed weet dat het waar is wat ik zeg. Als de Olympische Spelen een onderdeel Slapen als een Os zou hebben, zou ik deel uitmaken van het Britse team. Afgezien van de gebeurtenissen van het afgelopen jaar – vaak 's avonds laat uit het raam klimmen om Jase te kunnen zien, en ook een keer, hoe geweldig was dat, Jase die bij mij naar binnen klom – slaap ik zo vast dat je zo ongeveer een wekker voor mijn oor moet binden om me wakker te krijgen. Tante Gwen heeft vaker dan me lief is op mijn deur moeten bonzen.

Ze wéét dus dat ik geen nachtbraker ben die in de kleine uurtjes door de gangen van Fetters gaat rennen om iedereen wakker te maken en stomme spelletjes te spelen.

'Het is veel waarschijnlijker dat het iemand van St. Tabby is geweest,' vervolg ik om mijn voordeel uit te buiten. 'Niemand van Wakefield haalt dit soort grappen uit. Zoiets als dit is nooit eerder gebeurd.'

De meisjes van Wakefield Hall halen geen grappen en grollen uit, daarvoor is het regime veel te streng en het eten te slecht, om het nog maar niet over de sancties te hebben. Bovendien is Wakefield een heel erg serieuze school. De toelatingsexamens zijn berucht, de gesprekken een derdegraads-verhoor. Het was mijn grootmoeders bedoeling om een intellectuele kweekvijver voor superslimme meisjes te creëren, en dat is haar gelukt; ze zwaait de scepter over een van de beste meisjesscholen van het hele land. Maar dat betekent dat het veel waarschijnlijker is dat de leerlingen 's avonds zitten te blokken om hoge cijfers voor hun examens te halen, zodat ze toegelaten zullen worden op de universiteit van hun keuze (Oxford, Cambridge, of de LSE), dan dat ze de spullen in elkaars kamers in wc-papier wikkelen, of een boobytrap met bloem op elkaars deur leggen.

Niet dat de meisjes van St. Tabby dat soort dingen doen. Om te beginnen is het geen internaat, en bovendien zijn die meisjes veel te deftig om ordinaire grappen uit te halen. Ewan zei het eerder vandaag al in een andere context: ze zijn als de dood dat ze hun nagels zullen breken.

Inmiddels heeft tante Gwen haar wenkbrauwen diep gefronst. Ze houdt haar handen met haar vingertoppen tegen elkaar onder haar kin en wiegt op en neer. Ze ziet eruit als een psychopaat, en ik deins achteruit.

'Ik kan je niet vertrouwen, Scarlett,' zegt ze ten slotte. 'Je raakt altijd in de problemen. Sinds die arme jongen vorig jaar overleed...'

'Dat was niet mijn schuld!' bries ik woedend.

'... en je van St. Tabby werd gestuurd...'

'Ik ben niet van school gestuurd! Plum is weggestuurd! Mij is gevráágd om weg te gaan vanwege de paparazzi!'

'... ben je een nagel aan mijn doodkist geweest,' besluit ze kil. 'Stiekem afspraakjes maken met Jason Barnes, de zoon van een túínman, godbetert. Je hebt echt geen greintje gezond verstand. Die jongen is gearresteerd voor de moord op zijn eigen...'

'Hij heeft het niet gedaan! Dat wéét u! Ze hebben hem laten gaan!'

'Gelukkig is hij wel zo verstandig geweest om weg te gaan van Wakefield Hall,' zegt mijn tante, 'en dat is hoop ik het einde van al die smeerlapperij.'

Dat ze het woord 'smeerlapperij' gebruikt maakt me zo razend dat ik sprakeloos ben; voor het eerst besef ik wat het betekent om te stikken van woede.

'Je bent een magneet voor het aantrekken van rottigheid, en mensenkennis heb je niet, dus ik kan geen woord geloven van wat je zegt.' Ze slaakt een zucht. 'Van nu af aan hou ik je scherp in de gaten.'

'Hoe dúrft u!' Ik schuif mijn stoel naar achteren en ga staan, met mijn handen gebald. 'U hebt altijd een hekel aan me gehad! Ik heb er niet om gevraagd om bij u te komen wonen. Ik was veel liever ergens anders naartoe gegaan, wáár dan ook!'

'Je bent de enige niet,' snauwt ze.

'En die rookbommen waren bedoeld om mij in de val te lokken!' flap ik eruit. Ik ben nu zo kwaad dat ik mijn verstandige voornemen om er niets over te zeggen vergeet. 'Iemand riep me vanuit het trappenhuis, en die persoon heeft geprobeerd me van de trap te duwen!'

'Nee maar,' zegt ze met een stem die druipt van ongeloof. 'En wie was dat dan?'

'Dat weet ik niet! Ik kon niets zien door de rook.'

'Komt dat even goed uit. En waarom heb je me dit van-nacht niet verteld?'

'Omdat ik wist dat u me niet zou geloven. En ik had ge-lijk!'

Nu ben ik bang dat ik dingen zal zeggen waar ik later spijt van krijg. Of dat ik haar een klap geef om dat akelige onge-lovige lachje van haar gezicht te poetsen. Ik meen het. Ik draai me om en storm het kamertje uit, knal de deur zo hard mogelijk achter me dicht. Miss Carter komt net aanlopen door de gang. Ze kijkt me bezorgd aan en wil iets gaan zeg-gen, maar ik ben niet te stuiten; ik stuif langs haar heen naar de hoofdingang, en om het gebouw heen naar de achter-kant, op zoek naar Taylor. Ik weet dat ik haar buiten kan vinden, en dat ze iets sportiefs aan het doen is.

Ik tref haar aan op een van de tennisbanen, waar ze een voetbal tevergeefs probeert te laten stuiteren als een basket-bal.

'Stomme Engelse sporten,' zegt ze pissig als ze me aan ziet komen. 'Op Wakefield is er tenminste een korfbalveld waar ik kan oefenen. Jongens doen niet eens aan korfbal, en met deze stomme ballen kun je niet dribbelen.'

Dan pas ziet ze mijn gezicht, en ze richt zich op. 'O, o,' zegt ze. 'Hoe was het met je tante? Je kijkt alsof je haar net hebt vermoord.'

'Het scheelde niet veel,' zeg ik met opeengeklemde kaken. 'Ze beschuldigt mij ervan dat ik die rookbommen heb aan-gestoken. Omdat ik altijd in de problemen raak. En ze deed zó denigrerend over Jase, alleen maar omdat hij de zoon van de tuinman is. Dat vreselijke klassenverschil waar ze altijd maar op hamert.'

'O, wat een kúl,' zegt Taylor, die weet hoe kwaad het me maakt.

'Ze zegt dat ik altijd rottigheid aantrek en dat ze geen woord kan geloven van wat ik zeg.'

Taylors hele gezicht vertrekt tot een masker van afgrijzen.

'En,' besluit ik, 'ze schijnt te denken dat jij ook iets met die rookbommen te maken had.'

Tot mijn verbazing maakt dit Taylor minder kwaad dan ik had gedacht. Ze fronst alleen haar wenkbrauwen tot één rechte streep, wat gewoonlijk betekent dat ze diep nadenkt.

'Dat is gewoon stom,' mompelt ze.

'Ik weet het.'

'Ha.'

De voetbal ligt aan Taylors voeten. Ze schopt de bal in de lucht, vangt hem op, en laat hem zo hard vallen dat hij terug stuitert. 'Cool,' zegt ze afwezig.

'Taylor!' zeg ik pissig. 'Heb je gehoord wat ik net zei?'

'Heb je je tante verteld dat iemand je van de trap heeft geduwd?' vraagt ze.

'Ja,' beken ik. 'Ik was het niet van plan, maar ik was zo kwaad dat ik het eruit heb geflapt. Maar ik heb haar niet van het briefje verteld.'

'O, ja, dat briefje.' Taylor laat de bal nog een keer stuiteren door hem hard tegen de grond te slaan. 'Dat heb ik verstopt in de bibliotheek, in de *Encyclopedia Britannica*, van H tot J-K. Daar is het veilig, denk ik.'

'Oké.' Ik ben nog steeds pissig, en ook verbaasd omdat ze niet meer sympathie toont voor dat gedoe met mijn tante. 'Maar...'

'Laten we een balletje trappen,' stelt ze voor. Ze gooit de bal naar me toe, en ik wankel op mijn benen omdat het ding zo zwaar is. 'Ik sta op doel. Jij mag proberen punten te scoren.'

'Doelpunten, bedoel je,' corrigeer ik haar. 'En...'

'Zo kun je stoom afblazen,' zegt ze. 'Bovendien zal je niets overkomen als je achter een bal aan holt. En ik heb de gelegenheid om na te denken.'

'Nadenken? Je kunt straks alleen nog maar denken aan alle doelpunten die ik heb gescoord,' zeg ik kribbig.

'Goed zo, meisje,' zegt Taylor. 'Probeer mij maar kwaad te krijgen. Als jij je daar beter van gaat voelen, ga vooral je gang...'

Toch kan ik merken dat ze niet echt met mij bezig is. Zelfs terwijl we duelleren bij het doel – en ik scoor helemaal niet zoveel, want Taylor blijkt een fantastische keeper te zijn – zelfs terwijl ze indrukwekkende sprongen maakt om de bal tegen te houden, merk ik aan alles dat ze in gedachten heel ergens anders is.

Dat is des te ergerlijker omdat ze, zelfs zonder zich te concentreren, veel beter voetbalt dan ik. Soms vraag ik me af waarom ik in vredesnaam zo stom ben geweest om bevriend te raken met een geboren atlete.

8

ORAKELDIEREN

'Denk om het milieu!' zegt Miss Carter vanachter een lange tafel in de hoek van de eetzaal van Fetters. 'Kom een waterfles halen, meisjes!'

Jane staat naast haar, met een marker in haar hand. De meisjes van Wakefield Hall, die de procedure kennen van eerdere schoolreisjes, staan al in de rij om een flesje met hun naam erop aan te pakken, en het te vullen bij de kraan in een andere hoek van de eetzaal.

Althans, de meeste Wakefield-meisjes. Plum drinkt koffie met de club van St. Tabby, en Susan zit naast haar. Ze kijkt ontzet naar de activiteiten bij de schragentafel. 'Grote goden, wat ís dat...' begint ze.

'We zijn op Wakefield zeer milieubewust!' zegt Miss Carter gedecideerd. 'Geen flessenwater, en namen op de flesjes, zodat jullie allemaal verantwoordelijk zijn voor je eigen plastic.'

'Ha! Mijn creditcard is het enige ding van plastic waar ík om geef,' zegt Plum lijzig, 'en daar ga ik nou niet bepaald verantwoordelijk mee om.'

Susan giechelt waarderend, maar de opmerking maakt Miss Carter kwaad.

'Ziezo, jullie dragen de kratten met de waterflesjes naar de bus!' snauwt ze. 'En kom nu onmiddellijk hier om jullie flesjes te halen!'

Plum bijt op haar lip en schuift met grote tegenzin de bank weg bij de tafel zodat ze op kan staan; Susan gaat achter haar aan. De andere meisjes volgen Plums voorbeeld, zelfs die van St. Tabby. Miss Carter geeft gymnastiek, en dat betekent dat ze heel goed in staat is om Plum rondjes over het terrein te laten rennen of massa's push-ups te laten doen als ze zich niet gedraagt. Plum kan het zich niet permitteren om van Wakefield geschopt te worden; haar ouders zetten haar trust fund stop als ze in korte tijd van twéé scholen wordt gestuurd.

'Wat een goed idee,' zegt Ms. Burton-Rice goedkeurend tegen Miss Carter, 'om de flesjes te recyclen en kraanwater te gebruiken...'

'Lady Wakefield is een groot tegenstander van water in flessen. Ze noemt het verspilling,' zegt Miss Carter glimlachend. 'Waarschijnlijk zijn wij de meest milieuvriendelijke school van heel Engeland.'

Mijn grootmoeder is inderdaad ongelofelijk zuinig; dat heeft ze geleerd doordat ze in de oorlog is opgegroeid. Ze recyclet haarspeldjes waar het plastic puntje vanaf is gevallen; ze staat erop dat overgebleven brood aan de kippen wordt gevoerd; ze bewaart zelfs het laatste glibberige schijfje van haar Bronnley Royal Horticultural Society-zeep om het op een nieuw stuk te plakken, zodat ze niets hoeft weg te gooien. Tijdens de ochtendbijeenkomst drukt ze ons regelmatig op het hart om geen oude spullen of kleren weg te gooien, en soms haalt ze het in haar hoofd om door de slaapzalen te wandelen en in prullenbakken te kijken of er geen plastic flessen van toiletartikelen zijn weggegooid; daar hebben we namelijk speciale bakken voor. De angst voor mijn grootmoeders inspectierondes heeft van ons allemaal nerveuze, obsessieve recyclers gemaakt, en we halen het niet in ons hoofd om terug te komen uit het dorp met een flesje mineraalwater in de hand.

Miss Carter kijkt toe terwijl Plum en Susan de flesjes in het plastic krat zetten waar ze uit zijn gekomen. Plum is humeurig, Susan strijkt met een hand over haar haren om haar te kalmeren.

'Nu dragen jullie het krat naar de bus,' beveelt Miss Carter. 'Vraag Miss Wakefield maar om de sleutel.'

'Mijn nágels,' zegt Plum kreunend terwijl ze zich bukt om het krat beet te pakken; Susan heeft de andere kant al vast.

'Ik haal de sleutels wel,' biedt Lizzie aan, en ze draaft weg.

Taylor en ik leunen tegen de muur; het is een genot om Plum lichamelijke arbeid te zien verrichten.

'Gebruik je pols om het gewicht op te vangen,' zegt Taylor behulpzaam tegen Plum, die zo ongeveer tegen haar gromt als ze langsloopt.

'Meisjes, haal jullie jas!' zegt Miss Carter. 'En zorg ervoor dat jullie verstandige schoenen dragen.

'Ik weet zelfs niet hoe verstandige schoenen eruitzien.' Nadia schudt haar dikke haar naar achteren, en Miss Carter kijkt haar vuil aan.

'St. Tabby tegen Wakefield Hall,' merkt Taylor opgewekt op. 'Leuk. Het is net een kooigevecht.'

We hebben dan nog geen idee hoe extreem de verschillen zullen worden. Onze tocht – gisteravond door Miss Carter beschreven als een 'verkwikkende wandeling door de natuur' – blijkt te voeren naar de berg die we gisteren hebben gezien. Tante Gwen heeft ons gisteren verteld – onder andere, voeg ik eraan toe – dat Arthur's Seat een uitgedoofde vulkaan is. En hij is inderdaad erg hoog.

'Dat doe ik niet!' kermt Plum als we allemaal uit de bus stappen en het waterflesje met onze naam erop uit het krat halen. 'Ik klim níét tegen die berg op! U kunt me niet dwingen!'

'Klimmen en dalen is heel goed voor de hamstrings, de bilspieren en de dijspieren,' zegt Miss Carter met een kwaadaardige grijns. 'Als je minirokken wilt blijven dragen, Plum, moet je voor stevige benen zorgen.'

Voor ons liggen de groene, golvende heuvels die we vanaf de begraafplaats hebben gezien. Honden draven er los rond, met hun baasje er joggend naast, of ze rennen achter een bal aan. Hier en daar groeien witte madeliefjes tussen het gras. Een paar jongens op mountainbikes zoeven langs, met hun T-shirt aan hun bovenlichaam geplakt, en ze kijken gevaarlijk lang om naar ons groepje.

En dan kijken we omhoog naar de piek van Arthur's Seat, rotsig, steil en ongenaakbaar.

'Cool,' zegt Taylor blij.

'Nee!' smeekt Plum wanhopig. 'Mijn ástma!'

'O? Laat me je inhaler dan eens zien,' zegt Miss Carter doortrapt.

Plum kijkt haar vernietigend aan.

'Luister even goed, St. Tabby-meisjes,' zegt Ms. Burton-Rice. 'Iedereen die Arthur's Seat wil beklimmen, kan zich bij Miss Carter aansluiten. De anderen gaan met mij en Miss Wakefield mee om wilde bloemen te bekijken.'

'Álle meisjes van Wakefield gaan met mij en Jane mee,' kondigt Miss Carter aan.

'Het zal daarboven wel behoorlijk winderig zijn,' zegt Taylor als ons groepje op weg gaat richting Arthur's Seat. Ons haar wappert nu al in een stevig briesje.

Plum staart verlangend naar de andere meisjes, die al stil zijn blijven staan omdat Ms. Burton-Rice iets aanwijst in het gras. Tante Gwen buigt zich voorover om het beter te bekijken; ik neem aan dat het een bloem is en geen hondenpoep. Nadia kijkt naar ons moedige clubje en beweegt haar gemanicuurde vingers pesterig in Plums richting. Sophia mimet 'veel succes' naar Lizzie.

Ik weet wel wie van die twee ik als vriendin zou kiezen.

'O, en als ik iemand hoor klagen, helpt die persoon het keukenpersoneel vanavond met de afwas,' slingert Miss Carter over haar schouder.

Zij en Jane, weet ik, gaan elk jaar samen op een wandelvakantie. Hun uitrusting is dan ook modern en sportief: een legging onder een nauwsluitend grijs jack met reflecterende strepen, waterflessen die om hun middel zijn gegord. Miss Carters achterwerk, dat prominent in beeld is als ze voor ons uit tegen de heuvel op klimt, is een wonder van strakke spieren; het lilt totaal niet, zelfs niet als ze met flinke sprongen tegen de treden op loopt die in de helling zijn uitgehakt. Onze kleding is een mengelmoesje: de meisjes die graag sporten hebben zelf een geschikte outfit, terwijl de anderen de bruine trainingsbroek dragen die in de wintermaanden verplicht is voor de gymlessen.

Alison en Luce, de enige vrijwilligsters van St. Tabby, zijn duidelijk vastbesloten om te bewijzen dat de meisjes van hun school stoerder en sportiever zijn dan de hele afvaardiging van Wakefield Hall bij elkaar.

'Wie het eerst boven is?' zegt Luce tegen Alison, expres luid, zodat ze zeker weet dat ik het kan horen.

'Yes!' zegt Alison al even luid. 'Ik zie niemand die ons bij kan houden, jij wel?'

'Laat me niet lachen,' zegt Luce met een schril, aanstellerig lachje.

Ik kijk verontwaardigd naar Taylor, in de verwachting dat ze al klaarstaat om weg te spurten. Maar ze fronst haar wenkbrauwen en schudt haar hoofd.

'Laat ze toch,' mompelt ze, kijkend naar Alison en Luce, die langs Miss Carter en Jane de trap op rennen.

'Goed zo, meiden!' zegt Jane goedkeurend.

De trap is smal en steil, en we moeten vaak wachten om mensen die omlaag komen de ruimte te geven, of we klauteren over de rotsen om delen af te snijden. Als we moeten wachten, drinken we water of we rekken onze kuitspieren op. Beneden ons ploeteren Lizzie, Plum en Susan tegen de heuvel op. Waar ze maar kunnen hijsen ze zich op aan de leuning of uitstekende rotsblokken en ze kijken elkaar voortdurend getergd aan, maar ze durven niets te zeggen uit angst voor het afwascorvee.

In een bocht blijven ze staan, bijna pal beneden ons, zes meter lager. Taylor draait de dop van haar waterfles, buigt zich over de rand van een gammele houten leuning, en roept: 'Hé! Zal ik jullie een beetje opfrissen?' Ze giet een paar druppels uit de fles, zo goed gemikt dat ze op Lizzies hoofd vallen.

Lizzie gilt van schrik. 'Nee, Taylor! Mijn háár!' kermt ze,

en ze legt haar handen op haar hoofd. 'Alsjeblieft! Daar ben ik elke dag úren mee bezig!'

Plum en Susan kijken naar boven, en hun mond valt open van afschuw.

'Taylor, alsjeblieft, niet doen!' smeekt Susan. Haar bleke, beeldschone gezicht is omhoog gewend, en ze houdt haar handen tegen elkaar alsof ze bidt. Plum duikt natuurlijk achter haar weg, zodat ze haar als schild kan gebruiken.

'Ach, ik kan het niet.' Taylor draait de dop weer op de fles. 'Het voelt alsof ik puppy's stenig.'

Daar wil ik om lachen, maar ik ben er te duizelig voor. En dat is best wel raar. Misschien heb ik me te ver over de leuning gebogen, zodat het bloed naar mijn hoofd is gestroomd, maar dat lijkt me sterk. Ik ben het heus wel gewend om ondersteboven te hangen. Het is dus vreemd dat ik wankel op mijn benen als ik me weer opricht. Ik neem een lange teug water, in de hoop dat het helpt. De mensen op wie we moesten wachten zijn nu voorbij, dus Taylor en ik gaan verder. Ik moet me aan stenen en het mos op de helling vastgrijpen om mijn evenwicht te bewaren, maar Taylor gaat op kop, dus ze ziet het niet. Maar goed ook, anders zou ze me uitlachen.

Na nog eens tien minuten komen we op een vlak, met mos begroeid terrein. Ik ben krankzinnig opgelucht dat ik niet meer hoef te klimmen. Mijn spieren werken, mijn longen pompen zuurstof door mijn lichaam, allemaal zoals het hoort, maar het voelt alsof alles op afstand gebeurt; het lijkt wel alsof mijn hoofd een halve meter boven mijn lichaam zweeft.

Ik kijk een beetje versuft om me heen. Het uitzicht vanaf het plateau is adembenemend. Je overziet de hele stad, met erachter de donkerblauwe zee, die rimpelt in de wind. Het is Leith, de haven van Edinburgh, en ik kan de heuvels op de andere oever zien, maar niet één zo hoog als waar wij staan. Wolken scheren langs de lucht, en nu we niet meer beschermd zijn door de helling, snijdt de messcherpe wind dwars door mijn fleece en wollen trui heen. Het maakt me wakker, verdrijft de sufheid. Ik neem nog een paar grote slokken water. Oké, om de een of andere reden voel ik me niet lekker, maar de klim is me gelukt, en als ik omhoog kan klimmen, kan ik ook weer beneden komen. In de bus terug naar de school kan ik een dutje doen en dan gaat de duizeligheid vanzelf wel over.

'Kom op!' zegt Taylor ongeduldig trappelend. 'Waar wacht je nou op?'

'Wat?' Verward knipper ik met mijn ogen.

En dan zie ik dat ze naar links wijst, waar een volgende steile heuvel omhooggaat. Het is een weinig uitnodigende piek, die zo te zien bestaat uit op elkaar gestapelde rotsblokken.

'O, néé,' mompel ik, maar Taylor is al weg.

Met tegenzin ga ik haar achterna, en prompt verzwik in mijn enkel. Ik kijk omlaag, en zie dat er overal stenen liggen tussen het gras. Op mijn tenen loop ik verder, alsof ik op blote voeten over hete kolen ga, bang dat ik zal vallen, uit mijn evenwicht. Tegen de tijd dat ik bij Taylor ben, die aan de voet van de piek op me staat te wachten, giert ze van het lachen.

'Dat was een geniale imitatie van Lizzie!' zegt ze. 'Je zag er precies zo uit als zij wanneer Miss Carter haar rondjes laat rennen!'

Jeetje, dan ben ik er nog erger aan toe dan ik dacht. Ik bijt op mijn lip, hard, want ik heb de pijn nodig. Het liefst zou ik in mijn eigen gezicht willen slaan, maar dan denkt Taylor dat ik gek ben geworden. Ze heeft zich al naar de rotswand omgedraaid, en ik zie tot mijn opluchting dat er een spleet in zit. Een paar mensen zijn aan het klimmen.

Ik kan het heus wel, houd ik mezelf voor. En dan ga ik zitten en wacht ik tot mijn hoofd weer helder is. Misschien heeft Miss Carter wel een sportdrankje bij zich, iets met suiker erin. Dat zou helpen...

Het heeft geen zin om op dit moment te gaan bedenken wat er mis met me is. Ik moet de top van Arthur's Seat zien te bereiken en daar uitrusten. Lizzie en Plum en Susan zijn ongetwijfeld een heel eind achteropgeraakt, dus het duurt nog een hele tijd voordat de groep aan de afdaling begint. Ik kan zeker twintig minuten gaan zitten – of liggen – mijn ogen dichtdoen en weer op krachten komen.

En wat ik ook doe, ik moet niet in paniek raken. Geen paniek, geen paniek, geen paniek...

Alleen het vooruitzicht dat ik kan gaan liggen houdt me op de been. Mijn hoofd tolt als een ballon aan een touwtje. Steeds weer glijden mijn handen weg van de rotsen. Ik leun zo ver naar voren dat mijn lichaam de helling bijna raakt, zo bang ben ik om achterover te vallen. Mijn benen bewegen als die van een robot; ze dragen me tegen de helling op alsof iemand me duwt. Als ik mijn hoofd eindelijk boven de laatste rotsen uit kan steken, heb ik het gevoel dat ik in een pudding ben veranderd.

Met moeite zwaai ik mijn benen over de rand. Een eindje bij de bovenkant van de spleet vandaan ga ik zitten, met mijn armen om mijn benen en mijn hoofd op mijn knieën. Het is hierboven waanzinnig koud; de wind fluit als zweepslagen om de piek. Mijn tanden klapperen. Door mijn mond zuig ik de ijskoude wind tot diep in mijn longen, en er vormt zich een condenswolkje als ik weer uitadem.

Ik hoor het krassen van een kraai. De vogel zeilt langs op de wind, zijn zwarte vleugels wijd gespreid, en met één kraaloogje kijkt hij naar de mensen op de bergtop. Ik doe mijn ogen half dicht, en opeens zie ik een hele zwerm kraaien, dicht bij elkaar, met synchroon klapwiekende vleugels.

Er wordt beweerd dat koning Arthur na zijn dood in een kraai veranderde, dus is een kraai bij Arthur's Seat dan... Hé, nu geen gekke dingen gaan denken. Er zijn zoveel verhalen over kraaien. Orakeldieren werden ze vroeger genoemd. Goh, dat ik dat nog weet. Maar wat kondigden ze ook alweer aan?

Ik ril inmiddels van binnenuit, maar het is me duidelijk geworden waarom ik me zo raar voel: over een paar dagen word ik ongesteld. Ik heb er meestal weinig last van, alleen een beetje pijn, en dan neem ik een pijnstiller, maar soms voel ik me vlak ervoor een beetje suf. Dan prop me ik me twee dagen lang vol met koolhydraten en warme chocolademelk, en als het eindelijk zover is, barst ik opeens van de energie, ter compensatie, en eet ik alleen nog maar salades en fruit. Ik snak nog niet naar koolhydraten, maar misschien ben ik wel duizelig doordat ik gewoon trek heb...

Wat een geweldige theorie! Ik kikker er meteen enorm van op. Het ergste van deze duizeligheid is de paniek dat ik de beheersing over mijn lichaam verlies en niet weet waarom. Maar nu heb ik er een goede reden voor bedacht – een simpele, logische reden – en dat stelt me voldoende gerust om me overeind te hijsen en om me heen te kijken. Laat dat sportdrankje maar zitten; misschien heeft iemand wel iets te eten. Een broodje of zo, of een Snickers...

'Scarlett! Kom eens kijken!' roept Taylor.

Ik loop naar haar toe. Ze staat op het allerhoogste puntje van de top, met een hand boven haar ogen tegen de zon die net achter de wolken vandaan is gekomen. Naast haar zie ik een zonnewijzer – ik denk tenminste dat het een zonnewijzer is. Het is een grote, gladde metalen schijf, net een tafel, op een sokkel van ruwe steen. Vanuit het midden lopen allemaal rechte lijnen, met een tekst erbij.

'Hé, we zijn hier op een hoogte van tweehonderdvijftig meter,' leest Taylor van de schijf. 'Het zullen wel alle hoogste heuvels van het land zijn, of zoiets. Allermuir... Lammer Law... Carberry Hill... Traprain Law... North Berwick Law... Wauw, waarom zijn er zoveel Laws?'

'Het betekent "grafheuvel", *lassie*,' vertelt een aardige oudere dame in een dik donkerblauw jack met een wollen das. 'Daar hebben we er nogal veel van in Schotland.'

'Cool! Grafheuvels! Lekker mysterieus,' zegt Taylor, en ze buigt zich verder over de schijf heen.

'Je vriendin ziet een beetje pips,' zegt de dame met een knikje in mijn richting. 'Moet ze niet even gaan zitten?'

Verdorie. En ik dacht dat je er niks van kon zien. Allebei mijn handen liggen nu plat op de schijf om mezelf in evenwicht te houden, maar misschien wiebel ik een beetje. Ik heb het gevoel dat de grond onder mijn voeten niet honderd procent stevig is.

'Kul!' zegt Taylor, maar dan kijkt ze me eens goed aan.

'Eh... neem me niet kwalijk,' zegt ze beleefd tegen de dame. Snel loopt ze om de schijf heen naar de kant waar ik sta. 'Scarlett?' Ze houdt haar hoofd zo dicht bij het mijne dat ik haar adem kan voelen tegen mijn oor. 'Wat is er? Je kijkt zo raar.'

'Ik denk dat ik ongesteld moet worden,' zeg ik, maar het kost me moeite om mijn lippen te bewegen. 'Ik ben draaierig.'

'Je voelt je draaierig omdat je ongesteld moet worden?' zegt ze met gefronste wenkbrauwen. 'Dat is nieuw.'

'Ik moet misschien iets eten,' mompel ik.

Haar wenkbrauwen blijven gefronst, maar ze knikt. 'Blijf hier,' zegt ze. 'Ik ga vragen of iemand iets te eten heeft. Heb je pijn?'

'Nee, het duurt nog een paar dagen...'

'Ik snap er niks van,' moppert ze. 'Kom, ga zitten. Oké?'

Ze legt haar handen op mijn schouders en helpt me naar een platte steen, waar ik me dankbaar op laat zakken.

'Ooo,' hoor ik mezelf zeggen als Taylor wegloopt. Ik draai mijn hoofd en kijk uit over Edinburgh. De voet van Arthur's Seat loopt uit in een brede, fluwelig groene strook, en daarachter strekt de stad zich uit. De heuvels waar Edinburgh op is gebouwd zijn zo steil dat ik de straten niet kan zien, alleen de contouren van de grijze gebouwen. Het lijken net grillige blokkentorens die in allerlei rare hoeken aan de hellingen kleven. Ze doen me denken aan treinwagons na een botsing, in chaotische stapels kriskras over elkaar heen. Kinderspeelgoed dat van een grote hoogte is gevallen.

Ik draai de dop van mijn flesje en drink. Het water is ijskoud, en het voelt heerlijk als het door me heen stroomt, zo goed dat ik het flesje in een opwelling boven mijn hoofd houd om de laatste paar ijzige druppels langs mijn nek te laten lopen. Mijn adem stokt, maar ik ben wel weer klaarwakker. Ik ga staan. Wat ben ik toch een aanstelster. Ik geneer me dood dat ik zo'n toestand maak. Voorbij de schijf begin ik af te dalen naar het veld, waar nu bijna de hele groep van Wakefield Hall staat. Taylor heeft Miss Carter en Jane tactvol apart genomen om uit te leggen wat er met mij aan de hand is, en Jane grabbelt al in haar rugzak.

Het gaat prima. Ik kan de helling afdalen en naar ze toe lopen, misschien niet als iemand die zich zo gezond voelt als een vis, maar ik ben tenminste niet als een teer, breekbaar poppetje van mijn stokje gegaan, snakkend naar vlugzout...

En dan zeilt de kraai luid krassend rakelings langs me heen; ik kan zijn zwarte vleugel bijna aanraken. Ik schrik me een ongeluk, en mijn hart begint zo erg te bonzen dat mijn hele borstkas er pijn van doet.

'Jeetje, wat is er met Scarlett?' hoor ik Plum zeggen. 'Zo te zien heeft ze een paar cocktails te veel op. Is er soms een bár daarboven?'

Lizzie begint te giechelen, net als Luce. Mijn zicht is wazig, maar ik zou Luces hoge, meisjesachtige lach overal herkennen.

Ik wil iets terugzeggen, maar mijn lippen weigeren dienst. Het ijzige water in mijn nek voelt klam; opeens begin ik te zweten, en ik heb het tegelijkertijd warm en koud. De kraai komt, meegevoerd door de thermiek, opnieuw mijn kant op, en ik raak in paniek, denk dat hij me gaat aanvallen. Mijn zicht wordt nog waziger, en ik breng een hand omhoog om hem af te weren, waardoor ik struikel en van het pad af raak.

Mijn voet klapt dubbel, de rubberen hiel van mijn sport-schoen blijft haken aan een rots en glibbert opzij. Ik val, en de rand van de klif komt op me af. Deze keer gaat het niet zoals in het trapgat, toen mijn hersenen en mijn lichaam razendsnel in actie kwamen om mijn leven te redden. Toen was ik volkomen alert, nu ben ik zo duf als een konijn. Ik kan geen sprong maken, ik kan niet op mijn bliksemsnelle reflexen vertrouwen. De rotsen beneden me zijn net een mond met scherpe tanden, en als ik mijn handen uitsteek om mijn gezicht te beschermen, weet ik dat ik te pletter zal vallen.

Ik zou het uit moeten gillen van paniek, maar het besef dringt nauwelijks tot me door. Het lijkt wel alsof er watten in mijn hoofd zitten. En terwijl ik val, raak ik bewusteloos.

De kraai krast weer, een schelle, langgerekte kreet, en er flitst nog een laatste gedachte door mijn hoofd voordat alles zwart wordt.

Opeens weet ik het weer: de kraai is een voorbode van de dood.

9

DIT IS GEEN TOEVAL

Ik ril over al mijn leden. Er loopt water over mijn gezicht en ik kan mijn ogen niet openkrijgen. Ik probeer met een hand naar mijn gezicht te gaan om ze af te vegen, maar mijn arm is zo zwaar als een zandzak en ik krijg hem niet meer dan twee centimeter omhoog.

'Ze beweegt!' roept iemand luid. 'Kijk dan, Miss Carter, ze beweegt!'

Iemand veegt onhandig over mijn gezicht met een doek, zodat ik tijdelijk geen lucht krijg. Ik snak naar adem en draai mijn hoofd opzij, stoot me dan aan een scherpe steen.

'Au!' zeg ik, maar het komt eruit als een kreun.

'Ze zegt iets!' roept dezelfde stem.

Hè, wat een akelig schrille stem. Ik begin te wriemelen, probeer te gaan zitten.

O, ik lig. Dat had ik niet eens door, daar was ik te versuft voor...

Handen tegen mijn rug helpen me overeind, blijven me vasthouden als ik mijn ogen opendoe. Ik knipper, en zie Luce, die over me heen is gebogen en me gespannen aankijkt.

'Haar pupillen zien er normaal uit,' merkt ze ernstig op. Ze steekt een vinger overeind en beweegt die heen en weer. 'Kun je mijn vinger volgen, Scarlett?'

Gehoorzaam draai ik mijn oogballen heen en weer.

Luce kijkt nog steeds naar me en knikt. 'Geen hersenschudding, Miss Carter,' kondigt ze aan.

'Aangezien ze niet op haar hoofd is gevallen,' zegt Miss Carter op geamuseerde toon, 'was ik daar eerlijk gezegd ook niet zo bang voor. Maar evengoed bedankt eh... Lucy, ja toch? Dat deed je heel professioneel.'

'Ik weet het van turnen,' legt Luce uit. 'Het komt vaak voor dat meisjes hun hoofd stoten aan de leggers.'

Ik heb het gevoel dat ik kan zitten zonder vastgehouden te worden, en ik draai mijn hoofd naar achteren om dat tegen Taylor te zeggen. Ik kan mijn ogen niet geloven als ik zie dat niet Taylor geknield achter me zit en me vasthoudt, maar Alison. Daar schrik ik zo van dat ik naar voren schiet, weg uit haar handen, en ik besef dat ze dit gebaar verkeerd kan interpreteren. Het is alsof ik haar laat weten dat ze van me af moet blijven.

Alison wordt rood en springt overeind. Ik begin te mompelen om het uit te leggen, maar het is al te laat. Bovendien ben ik nog steeds slaperig; ik kan bijna geen woord uitbrengen.

'Ik heb je opgevangen!' snauwt ze. 'Als ik er niet was geweest, had je nu een schedelbasisfractuur gehad.'

Mijn wenkbrauwen schieten zo snel omhoog dat het pijn doet. Ik kijk zoekend om me heen, en zie dat Taylor naast Miss Carter en Jane staat, en heftig op hen inpraat.

'Alison had zelf wel gewond kunnen raken,' voegt Luce

er op kille toon aan toe. Ze schuift bij me weg en gaat ook staan. 'Ze heeft een reuzensprong gemaakt om je op te vangen voordat je met je hoofd op de rotsen knalde. Je zou haar dankbaar moeten zijn.'

'Bedankt,' hakkel ik, maar ik geloof niet dat iemand me hoort. Het is hier heel rumoerig met de wind die om ons heen fluit en de woorden uit onze mond grist. Kennelijk ben ik dus niet op mijn hoofd gevallen, maar ik ben nog steeds zo duizelig als wat. De knieën van alle anderen zijn voor mij op ooghoogte; ze staan allemaal om me heen, als een zwerm gieren die op het plateau is neergestreken. In een flits herinner ik me hoe het was om klein te zijn in een wereld van reuzen.

Ik zou me kwetsbaar moeten voelen, maar bizar genoeg is het eigenlijk heel geruststellend. Ze bespreken hoe ze voor me moeten zorgen; voor de verandering is het niet honderd procent mijn eigen verantwoordelijkheid om voor mezelf te zorgen. Ik doe mijn ogen dicht zodat ik niet hoef te zien hoe kwaad Alison en Luce naar me kijken en wacht een paar minuten af, mijn tanden klapperend van de kou.

Taylor laat zich naast me op haar knieën vallen. 'Oké, Scarlett. Jane en ik gaan je van de heuvel omlaag brengen, en dan rijden we met de bus terug naar de school. De verpleegster is er nog, en die kan je onderzoeken.'

Ze schuift een hand onder mijn oksel en hijst me overeind. Ik sta te zwaaien op mijn benen, maar Jane duikt aan mijn andere kant op en pakt mijn elleboog stevig beet.

'Ik zal Gwen bellen,' zegt Miss Carter, met haar telefoon al in de aanslag. 'Ze is per slot van rekening Scarletts tante. Ik neem aan dat ze Scarlett zelf terug wil brengen naar Fetters.'

Ik kijk smekend naar Taylor. 'Jij moet ook mee!' zeg ik.

Hoewel mijn mond nog steeds niet normaal wil bewegen, begrijpt ze precies wat ik bedoel. 'Geen háár op mijn hoofd die eraan denkt om jou alleen te laten met je tante als je ziek bent,' verzekert ze me.

Jane fronst haar wenkbrauwen, maar protesteert niet. Waarschijnlijk kent ze mijn tante lang genoeg om te weten dat ze de empathische vermogens heeft van Hannibal Lecter.

'Zijn er dingen waar ze allergisch voor is?' vraagt Jane aan Taylor als we naar de rand van het plateau lopen, waar we aan de eerste afdaling moeten beginnen.

'Nee,' zegt Taylor. 'Dit is echt heel raar. Ik heb haar nog nooit zo meegemaakt.'

Jane schraapt haar keel. 'Ik weet dat jonge mensen eh...' Ze aarzelt. 'Dat ze soms eh... met dingen experimenteren... zoals hoestdrankjes, of andere medicijnen... Kan het zijn dat ze vanochtend iets heeft geslikt? Ik zal discreet zijn, hoor,' voegt ze er snel aan toe. 'Ik vind alleen dat de verpleegster het moet weten als Scarlett iets heeft geslikt.'

'Zo stom zijn we echt niet,' zegt Taylor toonloos. 'Dat soort dingen doen we sowieso niet, en al helemáál niet voordat we een berg gaan beklimmen.'

Ik voel dat Jane knikt.

'Mooi,' zegt ze laconiek. 'Ik weet dat jullie enorm sportief zijn. Ik had eerlijk gezegd niet verwacht dat jullie dat soort domme dingen zouden doen.'

Zelfs in mijn verwarde staat ben ik verontwaardigd dat ik sportief word genoemd. Er komt meteen een beeld bij me boven van Sharon Persaud, de hockeyster bij ons op school, met haar grimmige kop en dijen als olifantspoten.

'Scarlett,' zegt Taylor tegen me, 'we gaan je nu van dit steile stukje omlaag helpen. Weet je het nog van de heenweg? Ik loop voor je uit, met mijn ene arm naar achteren zodat je je aan me vast kunt houden. We doen het heel langzaam, dan kan er niets gebeuren.'

De duizeligheid wordt alleen maar erger, en het kost me zoveel moeite om de ene voet voor de andere te zetten, plat op de grond zodat ik niet struikel, dat ik vergeet mijn hoofd op te tillen en om me heen te kijken. In een flits zie ik twee jongens, zo mager als windhonden, in glimmende, bezwete zwarte pakjes, die ons tegemoet komen en langs ons schieten; ze rennen tegen de steile helling op. Even denk ik dat ik hallucineer, gewoon omdat ze zo snel zijn, en ik grijp Taylors hand steviger beet.

'Het is ontzéttend slecht voor je knieën om tegen een heuvel op te rennen,' zegt Miss Carter.

Gelukkig. Ze waren echt. Ik kan me weer ontspannen.

Kennelijk heeft Miss Carter mijn tante gesproken, want ze staat aan de voet van de lange stenen trap op ons te wachten, met haar handen in haar zij en ogen die uitpuilen van woede.

'Dus ze heeft zich wéér in de nesten gewerkt,' zijn de eerste woorden die uit haar mond komen. 'Wat is er nu weer aan de hand?'

Ik deins achteruit en knal tegen Jane op.

'Ze is daarnet gevallen,' zegt Jane, zo langzaam alsof ze het tegen een kind heeft. 'Heeft Clemency het je niet verteld?'

Tante Gwen haalt haar schouders op. 'Er is altijd wat met Scarlett,' foetert ze. 'Het is gewoon niet bij te houden.'

Jane haalt heel diep adem. 'Weet je wat?' zegt ze overdreven opgewekt. 'Taylor en ik brengen Scarlett wel terug naar Fetters. Sorry dat we je lastig hebben gevallen, Gwen. Kom, Scarlett. Het is nu niet ver meer naar de bus.'

Mijn tante draait zich zonder verder nog een woord te zeggen om en banjert weg over het gras, vermoedelijk om zich weer bij de St. Tabby-groep aan te sluiten. Een fazant hupt over de grazige helling, een mannetje met een felrood met groene kop en een glanzend kastanjebruin lichaam. Hij werpt één blik op mijn tante, die stampend in zijn richting loopt, en stijgt met fladderende vleugels op om te maken dat hij wegkomt.

'Eh... Scarlett en haar tante kunnen het niet zo goed met elkaar vinden,' zegt Taylor.

'Ja, dat merk ik,' mompelt Jane, en ze haalt haar telefoon uit haar zak om te bellen. 'Clemency, met mij... Ik breng Scarlett zelf terug. Haar tante was eh... ja... já... Mijn god, ze is niet bepaald... Ja, we hebben het er later wel over. Laten we zeggen dat het me beter lijkt als ik zelf met Scarlett naar de verpleegster van Fetters ga. Taylor gaat mee. Lukt het je om alle meisjes weer veilig beneden te krijgen? Die twee – Alison en Lucy, als ik me niet vergis – weten volgens mij heel goed wat ze doen, en ze willen je vast wel helpen. Mooi... prima, schat, ik zie je straks op school. Mijn hémel, wat een ochtend!'

Ik ga op de achterbank van de bus liggen, die is lekker zacht, en word door het rommelen van de wielen in slaap gesust. Taylor moet me wakker maken als we bij Fetters zijn, en ik kom met tegenzin in beweging, want ik lag net zo lekker opgerold. Ik moet me aan de hoofdsteunen van de stoelen vasthouden als ik door het middenpad loop, erg gênant, en ik loop tollend op mijn benen het schoolgebouw binnen. Ik wil alleen maar slapen.

Jane en Taylor nemen me mee naar de spreekkamer van de verpleegster. Terwijl we wachten tot ze terug is van de hemel weet waar, ga ik op de smalle, met groen plastic beklede onderzoektafel tegen de muur liggen en ik val in katzwijm. Ik kan mijn ogen letterlijk geen moment langer openhouden, zelfs niet in het felle licht van de tl-buizen.

Dan hoor ik geluiden om me heen. Iemand trekt mijn ene ooglid omhoog en schijnt met een lampje in mijn oog, en ik kreun uit protest. Vingers sluiten zich rond mijn pols om mijn hartslag te meten. Mijn sweater wordt opengeritst, mijn T-shirt gaat omhoog, en het metalen rondje van een stethoscoop wordt tegen mijn blote borst gedrukt. Ik kerm, want dat ding is koud, maar het duurt niet lang. Mijn kleren worden gefatsoeneerd, en iemand schuift een kussen onder mijn hoofd en legt een deken over me heen. De stemmen sterven weg en het licht gaat uit. Ik nestel mijn hoofd in het kussen, en dan gaat ook bij mij het licht uit.

Ik weet niet hoe lang ik buiten bewustzijn ben geweest, maar als ik wakker word, ben ik helemaal verkrampt; al mijn spieren doen pijn. Dat komt, neem ik aan, doordat ik me in mijn slaap stijf tegen de muur heb gedrukt om te voorkomen dat ik van die hoge, smalle tafel zou vallen. De papieren hoes om het kussen is vochtig. Kennelijk heb ik met open mond liggen kwijlen.

Geweldig, Scarlett, heel charmant. Snel trek ik het papieren hoesje van het kussen, ik frommel het tot een bal en gooi het in de prullenbak. Ik gooi de deken van me af, laat me van de tafel glijden, en rek me met mijn armen zo hoog mogelijk in de lucht uit om de kramp in mijn spieren kwijt te raken. Dan rol ik mijn hoofd heen en weer. Ik ben weer mezelf. De laatste sporen van dufheid lossen op als mist in de zon, branden weg door de adrenaline die door me heen gaat als ik terugdenk aan de gebeurtenissen van die ochtend. Ik begin me, met een stijgend gevoel van afgrijzen, te realiseren dat me iets heel ernstigs is overkomen.

Wat er is gebeurd had niets met mijn menstruatie te maken. En ik zou het nog geen twee seconden hebben gedacht, als ik niet zo trippy was geweest dat ik mijn ene voet nauwelijks voor de andere kon zetten.

Ik heb me nooit eerder zo gevoeld als ik ongesteld moet worden. Sterker nog, níémand die ik ken reageert daar zo heftig op. Ik voelde me zo slap, ik ben zelfs flauwgevallen... Het was net iets uit een boek van Charlotte Brontë. We lezen *Villette* voor Engels, en de heldin denkt de hele tijd dat ze hallucineert, want ze ziet visioenen van een non die is vermoord omdat ze een verhouding had. Of ze zwerft compleet high door de stad nadat een gifmengster haar met opium heeft gedrogeerd.

Zelfs aan deze korte samenvatting kun je al zien dat het een briljant boek is. Een beetje geschift, maar totaal briljant. Boeken lees je omdat je dingen mee wilt maken waar je in het echte leven zo hard mogelijk voor weg zou rennen. Maar toen Lucy Snowe, de heldin uit *Villette*, tripte op laudanum (een mix van opium en sterkedrank – in de victoriaanse tijd dronken mensen het als slaapmiddel. Krankzinnig hè?) was ze op een kermis. Als je op een kermis van je stokje gaat, val je hooguit neer in het gras en kun je je roes uitslapen, maar ik bevond me op een bergtop, met overal rotsen om me heen. Mijn appelflauwte had akelige gevolgen kunnen hebben.

Ik moet de waarheid onder ogen zien: ik had dood kunnen zijn.

Twee keer in achtenveertig uur tijd had ik dood kunnen vallen. En allebei de keren zou iedereen hebben gedacht dat het een ongeluk was.

Ik krijg het opeens heel erg koud, en ga weer op de tafel zitten. Het koude zweet loopt langs mijn rug. Ik ril alsof iemand met een ijsklontje tussen mijn schouderbladen door gaat. Toegegeven, ik heb het afgelopen jaar een hele hoop vreselijke dingen meegemaakt, maar ik ben nooit zelf het doelwit geweest. Ik ben verstrikt geraakt in het drama van andere mensen, en dat werd allemaal heel vuil en gevaarlijk. Maar het is nooit de bedoeling geweest dat ík eraan zou gaan. Ik heb nooit het gevoel gehad dat iemand het op mij had gemunt.

Ik ben nog nooit van mijn leven zo bang geweest.

De deur van de kamer gaat open en ik val van schrik bijna van de tafel. Zelfs als ik zie dat Taylor er is, kan ik me niet volledig ontspannen. En dat is een nog grotere schok, want in die fractie van een seconde is het tot me doorgedrongen dat ik niemand volledig kan vertrouwen. Zelfs Taylor niet.

Taylor was er niet om me op te vangen toen ik vanochtend die gevaarlijke smak maakte. Ze ging weg om Miss Carter te zoeken. Zeker, ze zei tegen me dat ik moest blijven zitten, dat ik op haar moest wachten. Maar ze heeft me wel naar het steilste stukje van die berg geleid – bij de zonnewijzer – en me vervolgens alleen gelaten.

'Hoe voel je je?' Ze schudt het haar uit haar ogen en komt naast me zitten op de onderzoektafel.

'Beter,' antwoord ik. Hoewel...' Ik stel die uitspraak onmiddellijk bij. 'Ik ben niet meer duizelig. Maar nu raak ik compleet opgefokt over wat er met me is gebeurd.'

'Terecht,' zegt Taylor ernstig. Ze geeft me een beker thee aan. 'Ik heb er extra veel suiker in gedaan. De verpleegster vond dat ik je wakker moest maken en thee moest gaan brengen.'

'Ze komt toch niet terug?' vraag ik, en voorzichtig pak ik de dampende beker aan.

Taylor trekt een gezicht. 'Ik hoop het niet. Ik hoorde haar tegen Jane zeggen dat je je aanstelde om aandacht te trekken.'

'Wát?' Ik laat de beker bijna vallen, zo verontwaardigd ben ik.

'Ja, echt waar. Jane zei dat ze er zeker van was dat je je niet aanstelde, maar toen zei die verpleegster dat tienermeisjes hun menstruatie altijd uitbuiten en er één groot drama van maken. Jane en zij kregen er woorden over.'

'Nu begrijp ik waarom ze op een jongensschool werkt.' Ik blaas in mijn thee. 'Die verpleegster, bedoel ik.'

'Zeg dat wel. Maar ze zei ook dat de vitale levenstekenen in orde waren toen ze je onderzocht,' voegt Taylor er geruststellend aan toe. 'Je hartslag was blijkbaar iets versneld, maar dat was het.'

'Het had niets met mijn menstruatie te maken, Taylor.' Ik kijk haar recht in de ogen. 'Dat dacht ik alleen maar omdat...'

'Omdat al het andere veel erger zou zijn geweest, en je niet boven op een bergtop giga in paniek wilde raken,' besluit ze. 'Ik heb nooit gedacht dat het je ongesteldheid was. Je hebt toch niet nu al kramp?'

Ik schud mijn hoofd en neem een slok thee. Een lepeltje

zou er rechtop in blijven staan, zo sterk is dat spul, en zo zoet dat mijn tandglazuur ervan barst. Precies wat ik nodig heb. Al na een paar slokken voel ik me beter.

'Dit is geen toeval,' gaat Taylor verder. 'Niet na dat hele gedoe met die nepbrand en iemand die je een zet heeft gegeven. Plus dat briefje. Iemand heeft het op je leven gemunt, geen twijfel mogelijk.' Ze kijkt om zich heen, staat op om de deur dicht te doen, en schuift de stoel van de verpleegster naar de tafel zodat ze tegenover me kan gaan zitten. 'Wat het ook was, ik denk dat er iets in je water is gedaan,' vervolgt ze op gedempte toon. 'Ik heb er non-stop over nagedacht sinds we terug zijn gekomen. Op elk waterflesje staat een naam. Plum en Susan hebben het krat naar de bus gedragen, en Lizzie heeft de sleutels gehaald. Zij kunnen makkelijk met jouw water hebben gerotzooid. En hebben ze de sleutels wel teruggebracht naar je tante? Ze hebben ze waarschijnlijk in het slot laten zitten, en zijn toen weer naar binnen gegaan om hun make-up bij te werken. In de tussentijd kan weet ik veel wie in de bus naar jouw flesje op zoek zijn gegaan om er iets in te doen...'

'Zoals?' vraag ik terwijl ik thee slobber. Ik krijg een kick van de suiker, maar mijn hersenen willen nog steeds niet zo snel functioneren als anders. Ik vind het prima om in alle rust te luisteren naar de theorie die Taylor heeft uitgedokterd terwijl ik van de wereld was.

'Daar heb ik ook over nagedacht.' Taylor buigt zich naar voren. 'Heb jij weleens antihistamine geslikt? Je hebt geen allergieën, dus waarschijnlijk niet.'

Ik denk erover na en schud uiteindelijk mijn hoofd. 'Ik geloof het niet.'

'Nou, dat spul kan je vloeren,' vertelt ze. 'Mijn broer had een keer twee pillen van mijn moeders antihistaminicum genomen, en hij is urenlang compleet stoned geweest. Het was best grappig. Hij was net een zombie, hij kon zijn ogen nauwelijks openhouden. Seth vindt het vreselijk om de controle kwijt te raken; hij drinkt niet, niks, dus ik had hem nog nooit zo gezien. Ik zei dat ik zijn wenkbrauwen eraf zou scheren, en toen heeft hij zich opgesloten op zijn kamer omdat hij bang was dat hij bewusteloos zou raken en ik een geintje met hem zou uithalen.' Ze glimlacht bij de herinnering. 'Dat zou ik heus niet hebben gedaan, maar het was erg grappig om hém voor de verandering eens te laten zweten.'

'Dus jij denkt...'

'Ik denk dat iemand de inhoud van een paar antihistamine-capsules in jouw waterfles heeft gedaan,' zegt ze. 'Dat is makkelijker dan pillen fijnwrijven, en waarschijnlijk proef je het niet eens. Er zit poeder in die capsules, en dat kun je makkelijk oplossen in water als je met het flesje schudt. Had je water soms een rare smaak?'

Ik trek een gezicht. 'Volgens mij niet. Maar het kraanwater hier in Edinburgh smaakt anders dan het onze. We hebben het allemaal gezegd. Er zit meer fluor in, of zo.'

'Je hebt gelijk.' Taylor knikt langzaam. 'Hoe dan ook, het was een ideale gelegenheid. Antihistamine werkt heel snel. De persoon die het heeft gedaan hoopte dat je versuft zou raken, en als je dan viel, zou diegene niet eens bij je in de buurt zijn en dus nooit de schuld kunnen krijgen. Iemand die heel sloom de berg beklom, mijlenver achter op jou.' Ze wipt haar stoel naar achteren. 'Of iemand die in de St. Tabby-groep zat. Iemand die niet eens heeft geprobéérd Arthur's Seat te beklimmen.'

'Betekent dat dat Alison en Luce het niet hebben gedaan?' zeg ik, hardop denkend. 'Dat kan toch niet? Alison heeft me opgevangen toen ik dood dreigde te vallen...'

'Het kan Luce zijn geweest,' zegt ze weinig behulpzaam. 'Of misschien heeft Alison het spul in je water gedaan in de hoop dat je je vreselijk beroerd zou gaan voelen, en raakte ze in paniek toen ze zag dat je een doodsmak zou maken.'

'Als iemand bang was dat ik dood zou vallen, zou die persoon me niet van de trap hebben geduwd,' betoog ik.

'Helemaal waar,' beaamt ze. 'Scarlett, het spijt me echt heel erg dat ik er vanochtend niet bij was toen je viel, oké?' Taylor is niet van het aanraken en knuffelen, en toch buigt ze zich naar voren om onhandig een hand op mijn knie te leggen en te benadrukken dat ze het meent. 'Ik dacht dat je zou blijven zitten totdat ik terugkwam,' zegt ze met een diepe zucht. 'Hoe kon ik nou weten dat je zo stom en koppig zou zijn om zelf te gaan afdalen?'

'Eh, het is niet echt een verontschuldiging als je het slacht-offer vervolgens de schuld geeft,' zeg ik sarcastisch. 'Maar stel nou dat ik niet zo heftig op antihistamine zou reageren? Niet iedereen raakt bewusteloos van die pillen.'

Taylor haalt haar schouders op. 'Dan zou hij wel iets anders proberen,' concludeert ze grimmig.

Ik neem de laatste slokken thee, zet de beker op tafel en kijk haar aan. 'Zíj probeert dan iets anders,' corrigeer ik haar. 'Als we nou één ding zeker weten, dan is het dat het een meisje is. Of een vrouw.'

Taylor knikt instemmend.

Ik blijf roerloos zitten en probeer alles wat ze heeft gezegd tot me te laten doordringen.

'Ik ga naar onze kamer,' zeg ik langzaam. 'Ik wil even alleen zijn. Ga jij maar met Jane terug naar de anderen. Vanmiddag is de rondleiding door Edinburgh Castle. Ik weet dat je je daarop hebt verheugd.'

'Ik moet bij jou blijven,' zegt ze, maar niet helemaal van harte. Ze wil het kasteel echt heel graag zien. Er zijn daar veldslagen uitgevochten, en het is weet ik hoe vaak belegerd. Taylor is dol op belegeringen en veldslagen.

'De persoon die mij kwaad wil doen,' redeneer ik, 'zit in de groep. Dus als jij weggaat, kan mij niets overkomen. Alle verdachten zijn ergens anders en jij kunt ze in de gaten houden.'

'Oké. Als iemand ertusssenuit knijpt, ga ik erachteraan.' Ze staat op. 'Ik breng je naar onze kamer.'

'Dat hoeft niet, Taylor.' Ik kom ook overeind. 'Dat kan ik best alleen. Ga jij maar op zoek naar Jane. Als ze me nog wil spreken voordat jullie weggaan, weet je waar je me kunt vinden.'

Ik pak de beker van tafel en loop achter haar aan de kamer uit. Op de gang blijven we even staan, en we kijken elkaar aan. Taylors uitdrukking is heel vreemd, ondoorgrondelijk. Het is alsof ze haar gevoelens opzettelijk voor me verbergt.

'Blijf op onze kamer totdat we allemaal terug zijn,' zegt ze.

Ik knik. 'Ik ga gewoon lezen.'

Haar mond gaat open alsof ze nog iets wil zeggen. En dan schudt ze haar hoofd, ze fronst haar wenkbrauwen, draait zich om en loopt weg in de richting van de docentenkamer.

Er klopt iets niet. Ik ken Taylor goed genoeg om te weten dat ze iets achterhoudt.

Gelukkig is Taylor niet de enige in mijn leven bij wie ik kan aankloppen als ik steun nodig heb. Mijn vingers sluiten zich al rond de telefoon in mijn zak, alsof het een kleine reddingsboei is. Terwijl ik de trap naar de slaapzalen op klim, haal ik hem eruit.

Zijn nummer is opgeslagen onder sneltoets 2. Hij zou nummer 1 zijn geweest als die niet voor mijn voicemail was geweest. (En nee, Taylor weet niet dat zij niet nummer 2 is.)

Ik heb hem niet meer gebeld sinds hij is weggegaan; of, om precies te zijn, ik heb hem niet uit eigen beweging gebeld, alleen teruggebeld als hij een boodschap had ingesproken. Voor het eerst sinds Jase is weggereden van Wakefield Hall ga ik hem zelf bellen.

Als dit niet hét moment is om mijn vriendje te bellen, dan weet ik het niet meer.

Ik doe de deur achter me dicht, plof neer op mijn bed, druk de sneltoets in, en wacht met bonzend hart af of hij op zal nemen.

IO

ALICE IN WONDERLAND

Ik had me heilig voorgenomen om niet te gaan huilen. Huilen is sowieso niet mijn ding, maar ik vind het extra vreselijk om het te doen waar Jase bij is; dan voel ik me een aanstellerige tuttebel die uithuilt in de sterke, gespierde armen van haar vriendje. En dat is nou precies níét het beeld dat ik van mezelf heb. Ik vind mezelf stoer genoeg om niet alleen voor mezelf te kunnen zorgen, maar ook, als de nood aan de man komt, voor de mensen om me heen. Mijn eigen armen zijn sterk en gespierd genoeg om mezelf, als de nood aan de man komt, aan een touw of de bovenkant van een muur omhoog te hijsen.

Het is dan ook vét stom dat ik hysterisch begin te snikken zodra Jase opneemt en 'Scarlett!' zegt. De recente gebeurtenissen hebben me duidelijk veel meer aangegrepen dan ik had beseft. Het geluid van zijn stem, zo heerlijk vertrouwd en troostend, zet de sluizen open. Wel een volle minuut lang huil ik tranen met tuiten, en Jase' stem in mijn oor klinkt steeds bezorgder. Er staat geen doos met tissues in de kamer, maar er hangt wel een houder met goedkope papieren handdoeken boven de wastafel (helaas met verdachte gele strepen erin. Wat zijn jongens toch een viespeuken). Ik gris er een vuist vol van die dingen uit en begin mijn gezicht af te vegen. Het papier is zo droog en ruw dat het voelt alsof ik mijn gezicht scrub met schuurpapier.

'Wat is er aan de hand?' brult Jase intussen aan de andere kant van de lijn. 'Scarlett, hou op met huilen en vertel wat er is gebeurd. Hier kan ik niet tegen!'

Ik probeer iets te zeggen, maar mijn neus is zo erg verstopt dat ik geen lucht krijg. Snuiten is de enige oplossing, dus ik trompetter in het grijze papier alsof ik een snuitwedstrijd moet winnen en blaas zo ongeveer een liter snot uit mijn neus. Dan verfrommel ik het doorweekte handdoekje en haal ik heel diep adem.

'Leuk hoor,' zegt Jase lachend. 'Snuit jij maar lekker je neus in mijn oor.'

Ik besef dat ik nog geen woord tegen hem heb gezegd; ik heb hem alleen gebeld, ben in tranen uitgebarsten en heb mijn neus gesnoten. Erg charmant. Ik begin te giechelen, niet voluit, maar hard genoeg om er een beetje van op te knappen.

'Sorry,' zeg ik met een piepstemmetje. 'Ik heb een paar vreselijke dagen gehad.'

'Ja, dat was me wel duidelijk,' zegt hij. 'Wat is er gebeurd? Doet je tante weer vervelend?'

'Mijn tante is een verschrikking,' zeg ik, 'maar dat is het niet.'

Ik slaak een zucht en begin aan een beschrijving van alles wat er is gebeurd sinds we in Schotland zijn aangekomen. Ik probeer het zo objectief mogelijk te vertellen: alleen de feiten en weinig emoties, zodat het niet al te bizar klinkt.

Een van de rare dingen van mijn relatie met Jase is dat er altijd drama aan heeft gekleefd. Zijn vader was er woest over toen hij het in de gaten kreeg, net als mijn tante, die me verbood om hem te zien. We moesten elkaar altijd stiekem zien, achter hun rug om, en ik kan je verzekeren dat dat lang niet zo romantisch is als ze het je in boeken of films voorspiegelen. En toen gebeurde er iets verschrikkelijks: Jase ontdekte dat zijn vader de bestelwagen bestuurde die op mijn vierde een eind maakte aan het leven van mijn ouders. Hij heeft ze opzettelijk aangereden, hij is zelfs uitgestapt om mijn moeders ketting van haar hals te rukken.

Het is echt te erg voor woorden. Maar het betekent tenminste wel dat Jase geen hartverzakking krijgt omdat hij nog nooit van zijn leven zoiets schokkends heeft gehoord.

En het betekent ook dat hij weet dat ik niet het type meisje ben dat horrorverhalen uit haar duim zuigt omdat ze aandacht wil van haar vriendje.

'Scarlett,' zegt hij uiteindelijk hevig geschrokken. Hij is duidelijk heel erg bezorgd, maar elke keer dat hij mijn naam zegt, smelt ik een beetje van pure blijdschap. 'Ik weet niet wat ik moet zeggen. Wat vreselijk allemaal.'

Hij haalt heel diep adem. 'Ik vind het heel erg dat jou dit overkomt en ik er niet ben,' zegt hij hulpeloos. 'Ik voel me het slechtste vriendje ter wereld.'

'Ik wou dat je hier was,' zeg ik verdrietig. 'Ik wou dat ik mijn armen om je heen kon slaan.'

'O, schatje... Wat zou ik graag mijn armen om jóú heen kunnen slaan,' zegt hij met een klein, sip stemmetje.

'Waar ben je?' vraag ik, al voelt het alsof ik daarmee een taboe doorbreek, want Jase wil niet over zijn omzwervingen praten. Nu hij niet bij me is, voelt het alsof hij gewoon Weg is, met een hoofdletter W, vooral omdat hij niet wil vertellen waar dat Weg dan precies is.

Ik verbeeld het me niet; er valt een stilte voordat hij antwoord geeft. 'In Nottingham. Ik logeer bij een vriend. Ik ben een echte bankhanger geworden.' Hij lacht droog. 'Ik slaap op de bank of op de vloer. Eigenlijk ben ik te lang voor de bank, dus ik leg de kussens op de vloer en slaap daarop. Tegenwoordig kan ik echt overal slapen.'

'Weet je nog, die keer dat we de matras van mijn bed hebben gehaald en op de vloer hebben geslapen?'

'Natuurlijk weet ik dat nog,' zegt hij zacht. 'Het was de mooiste nacht van mijn leven.'

Ik slik. Ik heb een brok in mijn keel. Het doet zo'n pijn.

'Als het de mooiste nacht van je leven was,' zeg ik met een ijl stemmetje, 'waarom wil je me dan niet meer zien? Ik ben zo bang... Ik voel me heel erg alleen, ik weet niet wie ik kan vertrouwen...'

'Schatje...' Zijn stem kraakt nu. 'Je wéét dat dat niet waar is! Ik wil je zo ontzettend graag zien, ik wil niets liever! Ik kan alles wat er is gebeurd gewoon niet verwerken... Ik heb het gevoel dat ik door duivels word achtervolgd. Elke keer dat ik op mijn motor stap, is het net alsof ik ze probeer te ontvluchten...'

'Misschien kun je er niet voor vluchten!' zeg ik heftig. 'Misschien is dat de fout die je maakt! Je bent nu al maanden weg, Jase, en als je je nu nog niet beter voelt, dan is vluchten misschien niet de oplossing.' Ik doe zo mijn best om hem te overtuigen dat ik struikel over mijn woorden. 'En met "vluchten" bedoel ik niet dat je een lafaard bent,' voeg ik er snel aan toe.

'Dat weet ik,' zegt hij. 'Ik weet dat je het niet zo bedoelt. Ik heb het woord zelf gebruikt. Het is alleen... Het is zo moeilijk, Scarlett. Mijn vader... Wat hij heeft gedaan... En niet alleen mijn vader, kijk eens naar mijn grootmoeder! Het lijkt wel alsof mijn familie vervloekt is.'

'Dat is alleen de vaderskant van je familie,' betoog ik. 'Je moeder is wel aardig.'

'Ze is alleen zo...' Jase probeert iets positiefs te zeggen over arme Dawn, zijn moeder, die het goed bedoelt maar minder ruggengraat heeft dan een regenworm. 'Ze is alleen zo sentimentéél.'

Dawn is ontzettend sentimenteel, helemaal waar. Ik denk na over zijn situatie. Zijn vader en zijn oma zijn allebei regelrechte psychopaten, en zijn moeder kan nog geen boe zeggen tegen een gans zonder zich meteen te verontschuldigen.

'Het gaat niet om je familie,' zeg ik beslist. Als ik hem duidelijk wil maken dat hij het verleden achter zich moet laten, kan ik het beter over een andere boeg gooien. 'Het gaat om jou en mij. Het gaat erom dat wij samen iets nieuws proberen op te bouwen.'

'Was het maar zo makkelijk,' zegt hij triest.

'Jij máákt het niet makkelijk,' zeg ik, maar met minder overtuiging.

'Nee, ik maak het mezelf niet makkelijk,' beaamt hij, en hij klinkt alsof hij in de rouw is.

'Ik heb het er zo moeilijk mee,' zeg ik, liggend op mijn bed. 'Ik mis je. Het is heel erg oneerlijk.'

'Ja,' zegt hij heel zacht, 'het is oneerlijk.'

We zwijgen een tijdje, weten niet meer wat we zeggen moeten, en luisteren naar elkaars ademhaling.

'Zeg, nog even over dat gedoe van jou,' zegt Jase ten slotte. 'Ik maak me echt zorgen. Denk je dat het die Plum is?'

'Het zou kunnen,' zeg ik. 'Ze heeft een pesthekel aan me.'

Ik heb Jase niet verteld dat ik iets in mijn bezit heb waar Plum helemáál niet blij mee is, gewoon om ervoor te zorgen dat ze zich tegenover mij en Taylor een beetje blijft gedragen. Ik voel instinctief aan dat jongens het niet willen weten als hun vriendinnetje betrokken is bij een gecompliceerd ruilstelsel dat tot op zekere hoogte als chantage te beschrijven is, zelfs al doet ze het om haar beste vriendin te beschermen. Ik heb weinig ervaring met jongens, maar mijn gevoel is dat ze meisjes graag een beetje willen ophemelen, en ik ben niet van plan om die theorie te testen door Jase te vertellen dat ik een polaroidfoto van Plum heb waar ze bijna naakt, in een tamelijk pornografische houding, op poseert, en dat ik er voorlopig niet over peins om haar die foto terug te geven.

'Alleen kan ik me niet voorstellen dat zij midden in de nacht met rookbommen rondloopt,' zegt Jase. 'Dat is... gelúl,' voegt hij er met nadruk aan toe. 'Ik háát het dat iemand dit soort dingen met je doet.'

'Ik heb Taylor toch,' zeg ik dof. 'Ik red me wel.'

'Dit gebeurt allemaal terwijl Taylor bij jou op de kamer slaapt!' merkt hij op. 'Ik vind dat niet erg geruststellend.'

'Wat moet ik nou zeggen?' Opeens val ik uit, eindelijk. 'Jij bent niet hier! Je wil niet naar me toe komen, en ik mis je zo...' Ik ga zitten, word steeds kwader. 'Sorry dat ik je heb gebeld, sorry dat ik je bezorgd heb gemaakt, oké?' snauw ik. 'Ik had kunnen weten dat het geen zin had, stom van me. Ik ben heel erg van streek en ik ben bang en eenzaam en ik mis je zo erg, en je wilt tóch niet naar me toe komen!'

Met de telefoon in mijn zweterige hand wacht ik af wat hij zal zeggen. Terwijl ik mijn adem inhoud bid ik dat mijn smeekbede heeft gewerkt, en zo niet, dat mijn maar al te oprechte verontwaardiging in elk geval indruk op hem heeft gemaakt.

Hoe langer de stilte duurt, hoe meer hoop ik krijg. Hij denkt erover na. Mijn woorden dringen tot hem door. Hij gaat zeggen dat hij naar Edinburgh komt...

'Het kan niet,' zegt hij nauwelijks verstaanbaar.

'Dan kan ik niet met je samen zijn,' hoor ik mezelf zeggen, en ik klink verrassend helder en zelfverzekerd, terwijl dat het tegenovergestelde is van hoe ik me voel. 'Ik kan niet met een jongen samen zijn die er niet is als ik hem nodig heb.'

Ik geef hem een paar seconden om te protesteren. Eén, twee, drie, tel ik in stilte. En als hij na die drie seconden nog steeds niet heeft geprotesteerd dat hij van me houdt, dat hij niet zonder me kan, dat hij niet wil dat ik het uitmaak, dat hij naar me toe komt... druk ik de toets met het icoontje van de rode hoorn in en verbreek ik de verbinding.

Mijn telefoon gloeit helemaal. Ik blijf zo stil als een standbeeld zitten terwijl hij afkoelt. En nog steeds belt Jase me niet terug. Uiteindelijk druk ik met een trillende duim op het knopje om het ding uit te zetten. Ik kan er niet tegen om te blijven wachten of hij belt, mijn oren gespitst op een geluid dat niet komt.

Ik voel me nog lichter in mijn hoofd dan vanochtend, alsof ik boven mijn lichaam zweef, dat als een blok hout op de smalle matras ligt. Vreemd genoeg voel ik geen lichamelijke pijn; ik voel me bizar ver van alles vandaan.

Heb ik het wel goed gedaan? Ik wil zo graag met Jase samen zijn. Toen hij zei dat we vriendje en vriendinnetje waren, voelde ik me zo gelukkig. Het was misschien wel het mooiste moment van mijn leven. En ik heb nog maar een paar maanden geleden tegen hem gezegd dat ik van hem hou, en hij zei dat hij ook van mij hield...

En daarnet heb ik het uitgemaakt. Met een telefoontje.

Ik doe mijn ogen dicht. Ik ben compleet de draad kwijt. Het beeld dat voor mijn ogen danst is de draaiende, regenboogkleurige cirkel die op mijn computerscherm verschijnt als de processor overwerkt is, een teken dat zegt dat de computer het te druk heeft om te kunnen doen wat ik op dat moment wil. Dat is precies zoals mijn hoofd voelt – te druk, te veel stress – om antwoord te kunnen geven op die ene vraag die ik stel.

De cirkel blijft draaien, fuchsia-blauw-groen-geel-oranje en weer terug naar fuchsia, eindeloos, telkens rond. En ik plof terug op mijn bed en laat me erin vallen.

Ik ben Alice in Wonderland en ik val in het konijnenhol. Halsoverkop tuimel ik door een lange, donkere tunnel, verbaasd dat er geen eind aan komt, compleet gedesoriënteerd. Ik steek een hand uit en probeer de wand aan te raken, maar anders dan het konijnenhol van Alice heeft deze tunnel geen wanden, er is alleen koude, zwarte lucht. En dan voel ik iemand, onder me, wat onmogelijk zou moeten zijn.

Het is Callum. Hij kijkt naar me omhoog met de uitdrukking in zijn ogen die ik me maar al te goed herinner, wanhopig en smekend, tot in zijn ziel geschokt over wat hem net is overkomen. Maar toen ik hem die keer vasthield, was dat met de greep van een turner, mijn handen rond zijn onderarmen, de zijne rond de mijne. Het is alsof je elkaar vier keer vasthoudt, en het maakt de greep heel erg sterk. Deze keer zijn onze handen verstrengeld, en dat houdt niet. Mijn vingers zijn gevoelloos, alsof ik nog steeds gedrogeerd ben van vanochtend. Ik kan geen kracht zetten, ik kan hem niet zo stevig vasthouden als nodig is.

Zijn vingers glibberen weg, en ik kan er niets aan doen. Langzaam glijden ze uit mijn handen, en zijn gezicht begint te verdwijnen. Ik herinner me dat ik destijds groene en gouden vlekjes in zijn grijze ogen zag. We waren toen zo met elkaar verbonden; we dachten allebei dat het gezicht van de ander het laatste zou zijn wat we ooit zouden zien.

Nu voel ik alleen nog zijn vingertoppen vluchtig langs de mijne strijken als hij wegvalt in het donker. Draaiend, tollend, weg. En ik blijf door de tunnel suizen. Het is geen eindeloze, angstaanjagende val, meer een veertje dat langzaam naar de grond dwarrelt. Ik doe mijn ogen dicht, want ik ben duizelig van de draaiende beweging, en dan botst er iets tegen me op, groot en stevig. Ik denk dat ik ben geland, maar besef al snel dat het niet zo is; ik houd me vast aan Jase, en we vallen samen, met onze armen om elkaar heen, mijn hoofd rustend in de holte van zijn hals.

Hij draagt zijn leren motorjack. De rits snijdt in mijn huid, maar ik vind het niet erg. Ik kan het versleten oude leer ruiken, de appelaftershave waar hij dol op is, en hem, dwars door die andere geuren heen – zijn huid, warm met een vleugje muskus, en zo vertrouwd dat ik van pure blijdschap en opluchting tranen in mijn ogen krijg. Het lijkt wel alsof mijn hele lichaam oplost van gelukzaligheid nu ik Jase *weer tegen me aan voel, nu ik eindelijk mijn armen om hem heen kan slaan.*

Ik houd mijn hoofd naar achteren om hem aan te kunnen kijken; ik wil hem kussen, ik wil mijn eigen gelukzalige gevoel in zijn goudkleurige ogen weerspiegeld zien. En dan gaat het mis. Zodra ik hem aankijk, wordt hij bij me weggerukt alsof een reuzenhand hem heeft beetgegrepen. Hij wordt weggezogen in het donker alsof hij een speeltje is, alsof hij niets weegt. Terwijl hij verdwijnt, mimet hij wanhopig mijn naam. Ik zie zijn lichaam steeds kleiner worden, zijn armen en benen gespreid als een zeester, krimpen tot de afmetingen van mijn duim, en dan verdwijnen in de duisternis.

En dan weet ik dat de grond op me af komt, veel sneller dan ik dacht. Het is de val op Castle Airlie, of die van Arthur's Seat. Onder me zie ik rotsen, puntig en dreigend. Ik zet me zinloos schrap, want ik kan niets doen om te voorkomen dat ik te pletter val en alle botten in mijn lichaam breek...

Snakkend naar adem word ik wakker.

Je kunt niet doodgaan in een droom. Dat heb ik eens ergens gelezen. Je hersenen laten je zo'n trauma niet meemaken. Dus vlak voordat de moordenaar de deur intrapt, of de weerwolf je naar de keel vliegt, of je te pletter valt op de rotsen, word je wakker, drijfnat van het zweet, een verwilderde blik in je ogen.

Wie zegt dat je uitrust van slapen?

I I

DE KAT VAN SCHRÖDINGER

Op mijn veertiende ben ik gestopt met natuurkunde. Bof ik
even. Taylor heeft me verteld dat je in Amerika tot aan je
achttiende allerlei vakken moet blijven volgen: wiskunde,
scheikunde – zelfs álgebra, hoe verzinnen ze het. Het klinkt
vreselijk. In Engeland mag je acht vakken kiezen waar je op
je zestiende examen in doet (*O-levels*), en daarna speciali-
seer je je nog twee jaar in drie of vier vakken (*A-levels*). Het
betekent dat je de vakken waar je een hekel aan hebt (omdat
je er niks van bakt) veel eerder mag laten vallen. Ik heb wel
mijn O-level wiskunde moeten doen, omdat je het schijn-
baar voor zo ongeveer alles in het leven nodig hebt; als je
onze docenten mag geloven, kun je zonder een O-level wiskunde niet eens bij de dienst parkeerbeheer solliciteren.

Even zonder dollen, ik ben gewoon geen bèta-type. Ik heb
een bloedhekel aan natuurkunde, en ik heb sterk het gevoel
dat dat wederzijds is. Neem nou kwantummechanica – het
woord alleen al. Ik heb geprobeerd het te begrijpen, eerlijk
waar, maar voor mij voelde dat alsof ik een hele hoop scherpe
voorwerpen bij elkaar moest houden in van dat dunne huis-
houdfolie. Het was een enorme krachttoer waar ik dood-

moe van werd, en uiteindelijk deed het nog pijn ook, want al die scherpe dingen vielen door het folie heen, boven op mijn voet.

Het is dan ook buitengewoon vreemd dat ik mijn toevlucht moet nemen tot natuurkunde om te kunnen beschrijven hoe ik me op dit moment voel.

Mijn lichaam loopt naast Taylor door een smalle straat, met donkere kinderkopjes die een oranje glans krijgen als we onder een straatlantaarn door lopen; kennelijk heeft het geregend toen ik van de wereld was en droomde dat ik in een konijnenhol viel. Taylor moet ons door een warnet van kleine straatjes loodsen, en ze tuurt ingespannen naar het scherm van haar iPhone met de Google Maps app, dus we praten niet met elkaar. Ik vind het allang best, want ik probeer te bedenken hoe ik me voel over wat er vanmiddag tussen mij en Jase is gebeurd.

Er bestaat een beroemde natuurkundige hypothese – volgens mij is dat het juiste woord – die 'de kat van Schrödinger' wordt genoemd en ongeveer hierop neerkomt. Een wetenschapper die Schrödinger heette stelde zich voor dat hij een kat in een doos zou doen, met een of ander radioactief geval erbij. (Leuk hè? Duidelijk een dierenliefhebber.) De kat had vijftig procent kans om te overleven. Bij het openen van de doos kon het beest dood of levend zijn. Maar de vraag die Schrödinger stelde was: In welke toestand verkeert de kat voordat ik de doos openmaak? Is hij dood of levend? En het antwoord was, als ik het goed heb begrepen, dat de kat het allebei was.

In de natuurkunde kom je massa's van dat soort onduidelijke situaties tegen. Zoals met golven en deeltjes. Je kunt licht zien als een golf of als deeltjes, afhankelijk van hoe je ernaar kijkt. Het is tegelijkertijd twee dingen. Er bestaat niet één heldere waarheid; die wordt geheel bepaald door de manier waarop je ernaar kijkt.

Zo voel ik me over Jase en mij. De kat in de doos, het licht dat zowel golven als deeltjes kan zijn; zo is onze relatie. Ik weet niet of het aan of uit is, levend of dood. Het is allebei.

De levende kant is deze: ik houd van Jase, en hij houdt van mij. Door alleen al aan hem te denken, en helemaal als ik met hem samen ben, voel ik me fantastisch, compleet, en veilig – een mix die ik nooit eerder heb gevoeld.

Dan de dode kant: hij wil niet naar me toe komen als ik hem waanzinnig hard nodig heb. En ik heb hem een paar uur geleden verteld dat ik het uitmaak.

Ik voel aan mijn telefoon, een glad, slank voorwerp in de zak van mijn spijkerbroek. En ik besef waarom ik opeens aan de kat van Schrödinger moest denken: vanwege mijn telefoon, die ik na mijn ruzie met Jase niet meer heb aangezet. Als ik dat doe, is het net zoiets als het openmaken van die doos. Als Jase me heeft teruggebeld of een sms heeft gestuurd, dan leeft de kat nog. Maar als hij niets heeft laten horen – als hij tot de conclusie is gekomen dat hij het te pijnlijk vindt om met me samen te zijn, dat hij ergens ver bij Wakefield Hall en de nare herinneringen vandaan een nieuwe start wil maken – zijn er op mijn telefoon geen knipperende icoontjes te zien.

Dan is de kat dus dood.

Ik knijp mijn ogen dicht om te voorkomen dat ik ga huilen. Ik heb mijn ogen zwaar opgemaakt en ik wil er straks niet uitzien als een verknipte panda.

'Zijn we er bijna?' vraag ik aan Taylor, en bijna verzwik ik mijn enkel op zo'n glibberig kinderkopje. Ik draag mijn strakste spijkerbroek, waarvan ik de pijpen in slanke leren laarzen heb gestopt, een modeverschijnsel waar ik me altijd verre van heb gehouden (omdat Plum het doet, en ik wil er niet uitzien als een Plum-kloon). Maar toen ik het vanavond uitprobeerde, moest ik zelf toegeven dat het goed stond. Taylor en ik trainen veel, en mijn benen zijn slank door al het hardlopen.

Ik wilde er vanavond zo mooi mogelijk uitzien. Het is een soort uitdaging aan Jase – belachelijk natuurlijk, want hij kan me niet eens zien. Toch voel ik sterk de behoefte om te schitteren, om te bewijzen dat ik niet het soort meisje ben dat als een snotterend hoopje ellende in elkaar zakt, alleen maar omdat ze ruzie heeft gehad met haar vriendje.

'Ik denk het,' zegt ze, en ze houdt het scherm een beetje schuin. 'Als dit steegje uitkomt waar ik denk...'

En dan slaken we allebei een kreet, want het smalle straatje blijkt uit te komen bij een bocht in een riviertje, midden in het centrum van de stad. Het is net een gracht in Venetië. Daar lijkt het tenminste op in het donker. In Edinburgh zijn ze niet zo van de straatverlichting; als je verdwaalt, is dat jouw probleem. O, en als je in de rivier valt omdat wij het niet nodig vinden om er een hek langs te zetten, kom dan niet bij ons uithuilen. Edinburgh is geen stad voor watjes.

Als ik beter kijk, zie ik dat het water in de verte breder wordt. De hoge gebouwen aan weerszijden wijken uiteen om plaats te maken voor een bassin, met aan een kant een jachthaven, en aan het eind ervan is zo te zien een sluis, met daarachter...

'Dat is de Ierse Zee,' zegt Taylor, wijzend in het donker. 'Daar in de verte. Vandaag hebben ze ons in het kasteel verteld dat Leith de haven voor heel Edinburgh was. Dit hier heet de Waters of Leith. Er stonden allemaal pakhuizen langs de oevers om de scheepsladingen in op te slaan.'

We blijven een tijdje staan kijken naar de donkere, indrukwekkende gebouwen, terwijl het water van de rivier onder ons zachtjes klotst. Edinburgh is niet gezellig, dat is me eerder al opgevallen, en ik besef dat deze stad is gebouwd op koud weer, met dikke muren en kleine ramen om de kou buiten te houden. Daardoor lijkt het bijna alsof de gebouwen je de rug toekeren, je buitensluiten; de warmte is allemaal weggestopt, niet bedoeld voor het grote publiek. Op de rechteroever van de rivier zijn restaurants en cafés, en ook die zijn niet zo uitnodigend als in Londen; de glas-in-loodramen gloeien zacht, terwijl het in Londen helverlichte bakens zijn. Zelfs de Pizza Express, een keten die je overal tegenkomt, heeft een discreter bord erboven, met het logo in een subtielere schakering blauw dan verder naar het zuiden.

Links van ons is een brug, en die wil ik oversteken, of ik wil in elk geval in het midden gaan staan om naar het donkere water eronder te kijken, maar Taylor is al doorgelopen over de kade, en ik ga met tegenzin achter haar aan.

Ze kijkt om als ze me achter zich hoort. 'Je bent heel ver weg,' merkt ze op. 'Voel je je nog steeds suf van vanochtend?'

'Een beetje,' zeg ik. 'Ik heb raar gedroomd.'

Ik heb haar niet verteld dat ik Jase heb gesproken, of hoe desastreus ons gesprek is verlopen. Dat is niets voor mij; normaal gesproken zou ik haar zodra ze terugkwam om de hals zijn gevlogen om mijn hart uit te storten. Maar Taylor houdt iets voor me achter, dat weet ik zo zeker als twee keer twee vier is. En dat weerhoudt me ervan om haar in vertrouwen te nemen.

Het is al net zo vreemd dat Taylor de hapering in mijn stem niet hoort; onder normale omstandigheden zou ze onmiddellijk weten dat ik lieg. En dat is dus niet zo. Ze knikt alleen, en kijkt zoekend naar de restaurants en pubs aan de overkant van de straat.

'Dat verbaast me niks,' zegt ze. Ze gebaart dat we over moeten steken, en ontwijkt de zwarte meerpalen die vroeger moeten zijn gebruikt om schepen aan vast te leggen. Een auto komt aanrijden, maar stopt, en de bestuurder geeft met een lichtsignaal te kennen dat hij blijft wachten totdat we zijn overgestoken.

'Krijg nou wat,' mompel ik als we snel naar de overkant lopen. 'Dat zou in Londen echt nóóit gebeuren.'

De Shore, de bar die we moeten hebben, heeft een zware houten deur, en zelfs Taylor, met haar gespierde bovenlichaam, moet kracht zetten om hem open te duwen. De warmte, het licht en de muziek die ons tegemoetkomen zijn als manna voor mijn ziel. Tot op dit moment besefte ik niet hoe enorm ik hiernaar heb verlangd. Ik zou in een foetushouding in mijn bed zijn blijven liggen als Taylor me niet had meegesleept, met als argument dat we een vrije avond hebben en voor tienen terug moeten zijn, en dat we gek zouden zijn als we er geen gebruik van maakten.

Ik vang een glimp op van onszelf in een verweerde oude spiegel boven de houten lambrisering langs de muren van de pub. In eerste instantie herken ik ons niet eens, mezelf met mijn make-up en opgestoken haar, en Taylor die zelfs mascara op heeft en een nieuw leren jack draagt met veel ritsen en zilveren biesjes. Het staat haar fantastisch; ze ziet er een soort van androgyn uit en, eerlijk waar, heel erg sexy. Dat zeg ik natuurlijk niet tegen haar, ik kijk wel uit, want ze zou gaan kotsen als ik zei dat ze sexy is, maar door de mascara lijken haar groene ogen nog groener en haar wimpers eindeloos lang, en dat vleugje lipgloss (doorschijnende, maar toch een hele prestatie dat ik haar zover heb kunnen krijgen) is de finishing touch. Ze is een sensatie. Ik zie dat jongens naar haar kijken, en besef voor het eerst dat die haar zelfverzekerde manier van lopen, haar had-je-wat-blik, als een uitdaging opvatten. Twee jongens die aan een tafeltje zitten, kijken naar haar en beginnen dan samen te fluisteren.

Ik kan natuurlijk niet voor haar onderdoen. Terwijl zij om zich heen kijkt, wurm ik me een weg naar de bar. Mijn voet tikt op de maat van de Keltische muziek die uit de speakers komt, en ik wacht totdat ik word geholpen. Achter me rinkelt bestek, en ik zie dat er in een aangrenzende ruimte een restaurant is, met wit gedekte tafels en een open haard met een knappend vuur.

'Wat kan ik voor je doen?' vraagt de barman losjes, zonder enig wantrouwen over mijn leeftijd.

Cool. Er staan een jongen en een meisje achter de bar, en gelukkig heb ik hem. Volgens mij kan een meisje de leeftijd van een ander meisje veel beter inschatten.

'Twee halfjes cider, graag.' Ik hoop dat het klinkt alsof ik elke avond alcohol bestel, alsof het de gewoonste zaak van de wereld is.

Hij aarzelt even, bekijkt me om te controleren of ik boven de zestien ben. Zestien is de wettelijke leeftijd om cider te kunnen bestellen; dat weet ik, want ik heb samen met Jase weleens cider besteld.

'Voor wie is dat andere halfje?' informeert hij vriendelijk.

'Voor haar.' Met mijn hoofd gebaar ik naar Taylor, die op een barkruk tegen de muur is gaan zitten, handen in haar zakken, benen bungelend. Ik weet dat zij, net als ik, bravoure probeert uit te stralen, alsof ze een kroegtijger is; ze mikt op cool, maar het komt over als chagrijnig en verveeld, en dat is een schot in de roos. Na één blik op Taylors doorleefde houding houdt de barman zonder verder nog een woord te zeggen de glazen onder de tap.

Ik heb me zelden in mijn leven zo volwassen gevoeld als nu terwijl ik door die pub loop, mijn hakken tikkend op de oude houten vloer, een vol glas in elke hand, waarmee ik tussen de tafeltjes door laveer. Ik probeer niet te blozen als jongens hun benen intrekken om me erlangs te laten en me van hoofd tot voeten bekijken. Het is alsof deze hele avond een overgangsrite is: ik heb me mooi aangekleed, ik ben met mijn BFF naar de pub gegaan, en ik kan een drankje bestellen zonder dat ik me hoef te legitimeren.

Ik geef een van de glazen aan Taylor, die meteen dorstig een grote slok neemt. Ze reageert als een stripfiguur: haar ogen puilen uit van schrik, ze slaat een hand voor haar mond, en ze blaast haar wangen bol in een poging om de slok die ze net heeft genomen niet uit te spugen. Voor de zekerheid neem ik zelf een slok, misschien is de cider bedorven, maar nee, die smaakt zoals cider hoort te smaken: scherp, bubbelig, appelig. Ik zet het glas neer op de smalle houten plank tegen de muur, onder de vlekkerige spiegel; de belletjes komen omhoog in de lichtoranje vloeistof.

'Wat is er?' Ik pak het glas van Taylor aan om te voorkomen dat de cider over de rand gutst.

'Er zit alcohol in!' proest ze, en opeens ziet ze er jaren jonger uit dan daarnet.

'Ja, duh. Het is cider!' Ik neem een slok van haar glas. 'Het is niet heel sterk.'

'We zitten in een púb!' protesteert ze. 'Stel nou dat iemand om onze legitimatie vraagt en ons eruit schopt?'

'Je bent zestien, Taylor,' zeg ik. 'Bijna zeventien. Dan mag je hier drinken.'

Ik geloof dat het eigenlijk alleen mag als we met iemand van boven de achttien zijn, maar niemand gaat in deze tent moeilijk doen – tenzij Taylor de aandacht trekt door te blijven gillen. Ik maak een dempend gebaar met mijn hand.

'Je weet toch wel wat cider is?' sis ik.

'Appelsap!' zegt ze met grote ogen. 'Cider is appelsap! Ze verkopen het bij Starbucks!'

Ik begin te giechelen en schuif Taylors glas naast het mijne op de plank. 'Hier niet. Hier laten ze appelsap gisten.'

'O! Het is gefermentéérde cider.' Het muntje valt. 'Daar heb ik weleens van gehoord.' Ze pakt haar glas en neemt voorzichtig nog een slok. 'Wauw. Best lekker.'

Ik rol met mijn ogen. 'Ik dacht dat jij vanavond zo cool zou zijn.'

'Jij drinkt zeker al sinds je vijfde in pubs,' merkt ze sarcastisch op.

'Vanaf mijn veertiende gaf mijn grootmoeder me een beetje wijn bij het eten,' geef ik toe, vrouw-van-de-wereld. 'Verdund met water. Ze zegt dat het comazuipen voorkomt als je ouder bent.'

'Jezus,' zegt Taylor, 'daar zou je grootmoeder in de States voor veroordeeld kunnen worden.'

Maar ik luister niet meer, want de deur van de pub is opengegaan en ik herken de meisjes die net zijn binnengekomen. Alison heeft een grappige wollen baret schuin op haar hoofd, maar het lange, gestylde rossig blonde haar dat op haar rug valt is onmiskenbaar. De bevestiging wordt gevormd door Luces kleine gestalte, vlak achter haar. Ze draagt een dikke jas, maar ze is zo slank dat ze een riem over de jas heen kan dragen, terwijl ieder ander er dan uit zou zien als een dekbed met een touwtje erom.

'O néé.' Ik stoot Taylor aan, zodat ze bijna cider morst. Ze kijkt opzij, heeft aan één blik genoeg, en draait haar hoofd snel weer terug.

'Niet kijken,' zegt ze fel. 'Mensen voelen het als je naar ze kijkt...'

Maar helaas blijf ik naar ze staren, alleen dan in de spiegel. Het is heel erg moeilijk om niet te kijken naar de meisjes met wie ik jarenlang beste vriendinnen ben geweest, en die er nu zo chic uitzien. En Taylor heeft volkomen gelijk. Alison kijkt om zich heen, maakt haar jas open, maar Luce, altijd de snelste van de twee, heeft gevoeld dat ik naar haar kijk, draait zich om naar de spiegel en vangt mijn blik. Ze trekt aan Alisons mouw, zegt iets tegen haar, en Alison kijkt ook mijn kant op.

'Zijn ze ons gevolgd?' vraag ik aan Taylor.

Ze schudt haar hoofd. 'Nee. Ik zou het hebben gemerkt als we waren gevolgd,' zegt ze met rotsvaste stelligheid. 'En bovendien, waarom zouden ze dat doen? Als een van die twee rookbommen heeft aangestoken of iets in je water heeft gedaan, gaat ze heus niet achter je aan lopen. Voor dat briefje is een sjabloon gebruikt, zodat het handschrift onherkenbaar was.'

'Ik geloof niet...'

'Het was allemaal van tevoren beraamd,' verduidelijkt Taylor. Ze praat tegen me alsof ik zes ben, of een debiel. Of allebei. 'Dat is het tegenovergestelde van jou en mij volgen, want ze weet niet waar we naartoe gaan en ze weet niet of ze de kans zal krijgen om iets te doen, dus kan ze niets plannen. Zelfs als ze het met z'n tweeën hebben gedaan...'

'Of misschien Luce in haar eentje, want Alison heeft me vanmorgen gered,' val ik haar in de rede.

'Oké, of ze het nou met z'n tweeën hebben gedaan, of Luce in haar eentje, het lijkt me hoogst onwaarschijnlijk dat ze hier zijn vanwege ons. Dan zouden ze toch niet na ons binnenkomen, zodat wij ze kunnen zien? Kom nou. Ik durf te wedden dat ze op MySpace de aankondiging van het optreden hebben gezien.'

'O,' zeg ik opgelucht. 'Dus jij denkt...'

'Ja,' zegt ze als Alison en Luce aan een tafeltje bij het kleine podium gaan zitten, 'ze zijn fans.'

Ik neem nog een teug cider, en ik voel de warmte en de belletjes door mijn aderen gaan. *Dutch courage*, noemen ze dat, als je je moed indrinkt. Ik ga staan, laat een boertje, en zeg: 'Ik ben zo terug.' Dan loop ik naar hun tafeltje.

'Hé,' zeg ik. Ik kijk omlaag naar Alison, die haar baret af doet en haar lange haar bevallig over een schouder drapeert. 'Ik wilde je bedanken voor vanochtend. Dat je me hebt opgevangen.'

Ze haalt zonder me aan te kijken haar schouders op. 'Laat maar,' zegt ze onverschillig.

'Ze zou het voor iedereen hebben gedaan,' vult Luce aan. Ze kijkt me recht in de ogen; Luce is altijd beter geweest met confrontaties dan Alison. Haar korte haar accentueert haar hoge jukbeenderen en scherpe kaaklijn. Ze ziet eruit als een beeldig elfje.

De verleiding om terug te stormen naar Taylor is groot, maar ik houd me groot. Ik slik, en omdat ik niet boven ze uit wil torenen, ga ik op de rand van het houten podium zitten.

'Hoor eens,' zeg ik zo nuchter mogelijk, 'jullie hebben een goede reden om pissig op me te zijn. En ik heb er al heel vaak mijn excuses voor aangeboden. Ik heb jullie gemaild, ik heb sms'jes gestuurd, ik heb op allebei jullie telefoons berichten ingesproken. Ik weet werkelijk niet wat ik nog meer kan doen. Maar als jullie willen, kan ik nu nog een keer sorry zeggen.' Ik buig me naar voren, met mijn ellebogen op mijn knieën. 'Het spijt me heel erg dat ik jullie heb gedumpt om naar Plums feestje te kunnen gaan. En het spijt me nog veel meer dat Plum alles wat er is gebeurd daarna op jullie heeft afgereageerd. Sophia heeft me verteld dat ze een ontzettende bitch is geweest toen ik eenmaal weg was van St. Tabby.'

Luce vertrekt geen spier, toont geen enkele emotie. Maar Alison schuift heen en weer op haar stoel, en ik zie dat haar mondhoeken omlaag wijzen, dat ze een trieste blik in haar ogen heeft gekregen.

'Ik weet dat ze niets tegen jullie had,' ga ik verder. 'Jullie moesten het ontgelden... Plum was woedend op mij, maar ik was er niet, dus heeft ze jullie als pispaal gebruikt. Ik vind het echt heel erg. Ik had er geen idee van. Ik weet het pas sinds gisteren.'

Luce knikt, één keer maar, en heel kort. Maar in elk geval geeft ze te kennen dat ze hoort wat ik zeg.

'Het is weer oké op St. Tabby sinds ze weg is,' zegt Alison zacht.

'Ja,' beaamt Luce. 'Nu zit jij met haar opgescheept.'

'Opgesloten met Plum in de Wakefield Hall Extra Beveiligde Gevangenis,' zeg ik met een zuur gezicht. 'En ik woon fulltime bij mijn tante.'

Ze trekken allebei een gezicht; ze kennen mijn tante en kunnen zich levendig voorstellen hoe het moet zijn om bij haar in huis te wonen. Dat is ook al niet zo moeilijk zonder dat je haar daadwerkelijk hebt ontmoet: je hoeft alleen maar de fout te maken om op te bellen omdat je mij wilt spreken. Als zij opneemt en je aan een scheldkanonnade onderwerpt, kun je alleen nog maar proberen om niet in huilen uit te barsten en mompelen: 'Het was niet mijn bedoeling om u als een antwoordapparaat te behandelen.' Nou, dan weet je genoeg.

'Ik vind dus dat ik echt wel genoeg ben gestraft,' voeg ik eraan toe. 'Maar als jullie je hart willen luchten, willen vertellen hoe jullie over me denken... Ga je gang. Ik verdien het. Ik weet hoe slecht ik me heb gedragen.'

Alison bijt op haar lip. Luce kijkt snel naar haar, dan weer naar mij.

'Het is oké,' zegt Luce, en deze keer haalt zij haar schouders op. 'We zijn er nu overheen.'

O, ja? denk ik sarcastisch. Dus daarom zijn jullie al de hele tijd in Edinburgh zo hartelijk tegen me.

'En het moet vreselijk zijn om bij je tante te wonen,' zegt Alison huiverend.

Ik knik.

'Gaat het weer?' vraagt Luce. 'Na vanochtend, bedoel ik.'

'Je zag er heel erg slecht uit,' vult Alison aan. 'Je was lijkwit en je zweette. Miss Carter zei dat je ongesteld moest worden.'

'Daar had het niets mee te maken,' zeg ik. 'Ik weet niet wat het was.'

Ik kijk ze allebei heel doordringend aan, probeer hun uitdrukking te lezen, probeer te zien of ze schuldig kijken. Je zou denken dat ik dwars door ze heen kan kijken; het zijn immers mijn oudste vriendinnen. Meisjes die sinds we met turnen begonnen zo ongeveer zussen voor me zijn geweest. Ze hebben me van de brug zien vallen, op mijn hoofd of op mijn achterste, ze hebben me wedstrijden zien winnen, ze hebben met me meegeleefd omdat ik zo plat was als een pannenkoek, en me gefeliciteerd toen het niet meer zo was. En op mijn beurt heb ik al hun valpartijen en overwinningen en zorgen meegemaakt.

Maar sinds de gebeurtenissen van de vorige zomer zijn we allemaal veranderd. Ik heb twee mensen dood zien gaan; ik heb een lijk gevonden; ik heb nu een vriendje – of niet. Ik heb geleerd dat ik veel meer kan overleven dan ik ooit voor mogelijk heb gehouden. Ik weet niet wat Alison en Luce in die tijd hebben meegemaakt, al hoop ik dat het niet te vergelijken is met mijn belevenissen. Maar ik kan zien dat zij ook zijn veranderd. Ze zijn even sophisticated, elegant en glossy geworden als de andere St. Tabby-meisjes.

En ik kan hun gevoelens niet meer lezen.

'Je ziet er nu gelukkig wel beter uit,' merkt Luce op, en dan houdt ze haar hoofd naar achteren, haar ogen beginnen te glinsteren, en ze perst haar lippen op elkaar alsof ze haar best doet om niet te gaan gillen van enthousiasme. Ze kijkt naar iets boven mijn hoofd. Ik wil me net omdraaien en voel dan een hand op mijn schouder.

'Scarlett! Je bent gekomen! Cool!' zegt een vertrouwde stem. 'Je liet niets horen, dus ik wist niet of je tijd had.'

Zijn lichte Schotse accent is nog even aantrekkelijk. En zijn aanraking, moet ik toegeven, heeft op mij ongeveer hetzelfde effect als het zien van zijn gezicht op Luce. Hij heeft zich op het podium op zijn blote knieën laten vallen, die onder zijn kilt uitsteken, en tegen wil en dank zie ik hoe gespierd zijn kuiten zijn in de dikke groene kniekousen met dat rare rode lintje.

Nu weet ik zeker dat ik bloos. Gelukkig is het licht gedempt; het schijnsel van de wandlampen wordt zacht weerkaatst door de verweerde spiegels en de lambrisering. Niemand kan zien dat mijn wangen meer kleur hebben dan daarnet.

'Hé, Callum,' zeg ik glimlachend.

12

STEL NOU DAT IK NIET DE HELDIN BEN?

Voordat we afscheid namen op de begraafplaats heeft Callum mijn nummer opgeslagen in zijn mobiel, en Ewan kennelijk dat van Taylor. Ze hebben ons vandaag ge-sms't dat Mac Attack een gig had in een pub op loopafstand van Fetters, in de hoop dat we konden komen. Ik heb die sms natuurlijk niet gezien, want mijn telefoon staat nog steeds uit, maar Taylor wist het wel en wilde er heel graag naartoe.

Terwijl Alison en Luce, zoals Taylor al vermoedde, op MySpace de pagina van Mac Attack hebben bekeken en gezien dat de band vanavond speelde, in het voorprogramma van ene Nuala Kennedy. Ik stel ze voor aan Callum en Ewan, en moet een glimlach onderdrukken als ze de jongens overladen met complimentjes en zeggen hoe goed ze waren bij Celtic Connections.

'Bedankt!' Ewan springt met een stralende grijns van het podium om hen een hand te geven, wat mal zou moeten zijn omdat het een beetje formeel is, maar het is juist charmant. 'Wat vinden jullie van onze MySpace-pagina? Ik ben er nog niet tevreden over. Hebben jullie misschien suggesties?'

Hij had geen betere vraag kunnen stellen. Luce, die altijd

een computerwhiz is geweest, duikt in haar tas, pakt haar iPad en gaat naar MySpace om met Ewan te brainstormen. Met hun hoofden dicht bij elkaar bekijken ze de pagina van Mac Attack, en Ewan vertelt enthousiast wat hij er tot nu toe mee heeft gedaan.

Hij is misschien niet de leider van de band, denk ik, maar hij heeft er wel de persoonlijkheid voor. Hij vindt het geweldig om nieuwe mensen te leren kennen en met ze te babbelen, in tegenstelling tot Callum, die meer het sterke en zwijgzame type is.

Ik kijk naar Callum, die bezig is zijn viool te stemmen, zijn kin op de kast gedrukt, een ernstige, geconcentreerde uitdrukking op zijn knappe gezicht. Hij is echt geweldig fotogeniek. Daarom staat Callum op de cover van hun cd natuurlijk in het midden van de groep, broeierig en mysterieus. Maar Ewan is juist weer geschikt voor de interviews en het contact met de fans, hij schrijft de grappige bulletins op MySpace, en met zijn aanstekelijke enthousiasme zorgt hij ervoor dat de fans blijven komen.

Wat een geweldig team, denk ik. Net als Taylor en ik.

Het is alsof Ewan mijn gedachten heeft gelezen, want hij kijkt zoekend om zich heen. 'Hé, Taylor!' roept hij naar de andere kant van de ruimte, en hij zwaait zelfs naar haar, met een brede grijns op zijn gezicht. Hij schaamt zich er totaal niet voor om in een bomvolle bar de naam van een meisje te roepen.

Taylor grijnst terug, zwaait zelfs, terwijl ze het normaal gesproken vreselijk vindt om de aandacht te trekken. Maar het is onmogelijk om Ewan te weerstaan. Hij is net een grote vriendelijke hond – niet de domme retriever waarmee ik

Lizzie weleens heb vergeleken, maar een herdershond die iedereen bij elkaar wil drijven om gezellig samen een feestje te bouwen.

'Ik spreek je straks!' roept hij, en hij springt terug op het podium om zijn gitaar te pakken.

Ik knik naar Alison en Luce, en ze glimlachen zowaar naar me.

'Tot straks,' zeg ik, dolblij dat ze in elk geval een beetje zijn ontdooid.

'Leuk!' zegt Alison zelfs.

Luce bukt zich om haar iPad weer in haar tas te stoppen. En als haar tas openstaat, valt mijn oog op iets anders, een blocnote die er in combinatie met de iPad heel ouderwets uitziet. De omslag is versleten en gescheurd, zodat ik de pagina eronder kan zien, met Luces keurige kleine handschrift. Wit papier met lichtgrijze ruitjes.

Dus dáárom zag het papier waar dat dreigbriefje op was geschreven er zo bekend uit, besef ik. Luce heeft zo lang ik haar heb gekend altijd van dit soort blocnotes gebruikt.

Mijn hersenen slaan op hol in een poging om deze informatie te verwerken. Ik merk opeens dat ik absoluut niet wil dat mijn oude vriendinnen iets met die ellende te maken hebben. Het doet pijn, lichamelijk pijn, om er rekening mee te houden dat vriendinnen met wie ik zo'n hechte band heb gehad zich zó agressief tegen me hebben gekeerd, me kunstjes hebben geflikt die me in gevaar hebben gebracht. Ik weiger het te geloven en probeer dus juist allerlei redenen te bedenken waarom ze het níét gedaan kunnen hebben.

Er zijn zat mensen met dat soort blocnotes, houd ik mezelf voor.

'Ging het goed?' vraagt Taylor, terwijl de leden van Mac Attack klaar gaan staan op het kleine podium.

'Heel goed.' Ik spring weer op mijn kruk. 'Ik heb heel vaak sorry gezegd, maar de klap op de vuurpijl was dat ik Callum en Ewan ken. Ik heb ze aan elkaar voorgesteld.'

'Dat noem ik nog eens een eerlijke ruil,' zegt Taylor. 'Jij hebt ze gedumpt om naar een cool feestje te kunnen gaan, en nu heb je het goedgemaakt door ze aan twee coole jongens voor te stellen. Eind goed, al goed.'

Het is misschien wel goed, maar we zijn wat mij betreft nog helemaal niet aan het eind.

'Alleen...' zeg ik langzaam, 'ik zag net een blocnote in Luces tas. Hetzelfde papier als waarop het briefje was geschreven dat wij na die nepbrand in onze kamer hebben gevonden.'

'Ha!' Taylor denkt erover na. 'Er zat niet toevallig ook een sjabloon bij?'

Ik schud mijn hoofd.

'Dat zou ook te makkelijk zijn,' zegt ze droog. 'Als de persoon die dit heeft gedaan ook maar een béétje verstand heeft, ligt die liniaal nu ergens onder in een vuilnisbak. Het enige wat ik er op dit moment over kan zeggen,' voegt ze er peinzend aan toe, 'is dat een hele hoop mensen dat soort blocnotes hebben. Ook meisjes bij ons op school. Dus het zegt eigenlijk niks.'

Ik voel me opgeluchter dan haar woorden rechtvaardigen, want ze heeft Alison en Luce niet echt vrijgepleit. Ik wil écht niet dat zij het zijn geweest; ik zou er heel wat voor over hebben gehad om ter plekke te bewijzen dat ze onschuldig zijn, dat ze alleen onaardig zijn geweest, meer niet. Dan begint Mac Attack aan het eerste nummer. De muziek overstemt het geroezemoes, en gelukkig ook mijn verwarde gedachten.

Ik leun achterover op mijn kruk, met mijn rug tegen de muur, pak mijn glas cider en kijk naar de band. Luisterend naar de muziek begint de spanning in mijn lichaam langzaam weg te ebben. Niet alleen omdat ze echt megagoed zijn, of omdat het prettig is om naar mooie jongens in zwarte T-shirts en kilts te kijken, vooral als hun spieren zo prachtig rimpelen onder het spelen. Het is het geheel, de volle pub, iedereen die naar de muziek luistert en gefascineerd naar de jongens op het podium kijkt. Het is balsem voor mijn getergde ziel. Ik ben in gezelschap, maar ik hoef met niemand te praten. Niemand wil iets van me. Ik kan gewoon mezelf zijn, ik kan mijn gedachten de vrije loop laten, me laten troosten door de muziek, en ik ben blij om op te gaan in de menigte, heerlijk anoniem.

Ik slaak een lange, diepe zucht wanneer de viool als een leeuwerik in de ochtend boven de andere instrumenten uit stijgt, en een betoverend lief wijsje om ons heen wikkelt waarvan we allemaal in de ban raken. Aan de andere kant van de bomvolle pub zie ik Alison en Luce met hun hoofd achterover naar Callum kijken, die zijn viool en strijkstok als dirigeerstokje gebruikt om de andere leden van de band aanwijzingen te geven. En ik zie de leren tas die over de leuning van Luces stoel hangt, de tas met de blocnote die bij mij zulke vervelende vragen oproept.

Het is gewoon een blocnote in een tas, houd ik mezelf voor. Het bewijst niets. Alison en Luce kunnen niet zo wraakzuchtig zijn dat ze mijn leven in gevaar brengen – niet één keer, maar twee keer.

Wraakzuchtig. Zodra dat woord bij me opkomt, moet ik meteen aan Plum denken. En nee, ik kan me niet voorstellen dat Plum zelf vieze handen zou maken door met rookbommen rond te gaan rennen. Ik kan me wél voorstellen dat ze dat door iemand anders laat doen, terwijl zij me over de trapleuning duwt en een briefje op mijn kamer legt.

Van iedereen die mee is op dit schoolreisje, is Plum de meest gluiperige. Ze is achterbaks en doortrapt genoeg om op het idee te komen om met een sjabloon een hatelijk briefje te schrijven.

Ik denk aan Nadia en Plum zoals ze, met hun hoofden bij elkaar, door Holyrood Palace liepen, lachend om hun eigen grapjes, op hun gezicht precies dezelfde hooghartige en neerbuigende uitdrukking. Hoe ze hun nagels inspecteerden, hun hoofd een beetje schuin, alsof hun vingertoppen de belangrijkste dingen op de hele wereld zijn.

Als Plum en Nadia de handen weer ineen hebben geslagen, is dat voor ons allemaal slecht nieuws. Ze heersten over St. Tabby alsof het hun persoonlijke koninkrijk was, met Plum als de prinses en Nadia als haar hofdame. Geen detail ontging hun; als een meisje ook maar een heel voorzichtige poging deed om uit de rol te stappen die haar was toebedeeld, hadden de dames dat direct in de gaten en werd de opstand meedogenloos de kop in gedrukt. Geen wonder dat Alison en Luce zijn opgebloeid nu Plum weg is; nu kunnen ze experimenteren met mooie kleren en een nieuwe haarstijl zonder bang te hoeven zijn dat ze belachelijk worden gemaakt. In haar eentje is Nadia kennelijk niet sterk genoeg om de zweep erover te leggen.

Hun vete is voor hen allebei nadelig geweest. Plum is van

school gestuurd, en Nadia is zonder Plums ruggensteun een deel van haar macht kwijt. Maar als ze een nieuw pact hebben gesloten – omdat ze beseffen dat ze samen veel sterker zijn dan als dodelijke rivalen – zijn ze gevaarlijker dan ooit.

En driemaal raden wie ze als eerste slachtoffer zullen kiezen. Plum haat me, en ik heb weliswaar die foto van haar, maar ze weet ook dat ik eerlijker speel dan zij. Ik zou die foto alleen gebruiken als ik keihard bewijs heb dat zij achter de aanvallen zit. En Nadia heeft Taylor en mij in het verleden gebruikt. Ze weet donders goed hoe vindingrijk we kunnen zijn. Plum zou haar makkelijk over kunnen halen om mij uit voorzorg een hak te zetten.

En door wie zouden ze het vuile werk laten opknappen?

Daar hoef ik niet lang over na te denken: Lizzie. Die nu opeens beste vriendinnen is met Sophia.

Samen hebben ze de hersens van een rode kater (een dier dat bekendstaat om zijn domheid). Maar ze zijn allebei geboren volgelingen. Ze dragen de kleding die Plum voorschrijft, ze gaan waar Plum heen gaat, ze lachen als Plum iets gemeens zegt, ze springen als zij in haar vingers knipt. Waarschijnlijk heeft Plum massa's gênante informatie over hen – zo opereert ze. In elk geval genoeg om hen voor haar karretje te spannen. Ik denk niet dat ze zover zullen gaan dat ze mij over een trapleuning duwen, maar ze zijn ongetwijfeld bereid om rookbommen aan te steken, zo lang ze maar duidelijke, gedetailleerde instructies hebben gekregen. En ze zouden zonder een spier te vertrekken liegen om haar te beschermen. Als het moest van Plum, zouden Lizzie en Sophia bij hoog en bij laag volhouden dat zwart wit was.

Misschien dat Lizzie en Sophia daarom zo dik met elkaar

zijn tijdens dit reisje. De handlangers zoeken elkaar op: partners in crime.

Ik ben zo opgegaan in mijn gissingen dat ik geen verschil tussen de diverse nummers heb gehoord, of dat het publiek na elk nummer heeft geklapt. Toch moet dat zijn gebeurd. Kennelijk is de set van Mac Attack afgelopen, want de mensen om me heen roffelen met hun voeten op de houten vloer en roepen: 'Meer! Meer!' Callum, Ewan en de andere jongens buigen.

'We boffen,' zegt Callum in de microfoon, 'want Nuala Kennedy speelt mee in onze toegift voordat ze haar eigen set gaat doen. Graag een warm applaus!' Callum spreekt haar naam uit als 'Noela', maar ik weet dat die wordt geschreven als Nuala, want dat staat in grote letters op de posters aan de muren.

Ze komt het kleine podium op met een fluit in haar hand, een slanke vrouw in een gebloemde jurk. Het is een klassieke Ierse schone, met een witte huid, donker haar en fijne gelaatstrekken. Ze glimlacht naar het publiek, brengt de fluit naar haar mond en begint te spelen. Het geluid van de fluit is melodieus en hees, en zo mooi dat ik sommige mensen in het publiek hoor zuchten van genot. Mac Attack begint op de achtergrond te spelen, en na een tijdje herken ik het wijsje: het is 'The Blooming Bright Star of Belle Isle', het lied dat Callum ten gehore bracht tijdens het eerste optreden waar we bij waren. Nuala neemt de fluit uit haar mond en zingt met een prachtig heldere sopraan het refrein, samen met Callum. Aan de uitdrukking op zijn gezicht kan ik zien dat hij zich volledig op zijn zang concentreert, en als het lied uiteindelijk is afgelopen, heeft hij een kleur van inspanning.

'Laat het Callum maar horen!' zegt Nuala in de microfoon, boven het wilde applaus uit. 'We proberen hem allemaal zover te krijgen dat hij vaker zingt, en het klinkt niet al te beroerd, hè?'

Ik glimlach als ik zie dat Alison en Luce zelfs gillen, alsof ze dweperige tienermeisjes uit de tijd van Cliff Richard zijn. En ze zijn niet de enigen. Er klinken meer bewonderende kreten uit het publiek, en Callums gezicht verkleurt van roze naar rood.

'Hij zal eraan moeten wennen,' roept Taylor grijnzend in mijn oor. 'Hordes gillende meisjes.'

Callums blos trekt weg, maar hij blijft een kleur houden terwijl hij en de andere leden van Mac Attack hun instrumenten wegbergen om het podium vrij te maken voor Nuala's band. Hij en Ewan lopen langs de volle tafeltjes naar het hoekje waar Taylor en ik zitten, en ze blijven af en toe even staan om met een paar andere jongens een high five uit te wisselen.

Hoewel Callum en Ewan ons hebben gevraagd om te komen, is het toch geweldig vleiend om ze naar ons toe te zien lopen. Het valt niet te ontkennen dat het megacool is als jongens die echt vet goeie muziek hebben gespeeld na hun gig van het podium springen en naar je toe komen. Ik wriemel van pure opwinding heen en weer op mijn barkruk. Zelfs Taylor, zie ik als ik opzij kijk, houdt zich met twee handen vast aan de zitting om te voorkomen dat ze van haar kruk zal springen en zelf net een groupie lijkt. Haar ogen glinsteren en ze glimlacht van oor tot oor.

'Jullie waren geweldig!' zegt ze enthousiast. 'En ze had gelijk, Callum, je zou vaker moeten zingen.'

'Dat zeggen we allemaal,' zegt Ewan glimlachend. 'Hij heeft de beste stem van ons allemaal. En een band heeft een zanger nodig om het echt te kunnen maken.'

'Ik heb altijd gedacht dat Dan de beste stem had,' zegt Callum met neergeslagen ogen. 'Dat weet je, Ewan. Hij zong als een nachtegaal.'

Ewans glimlach vervaagt nu Callum het over zijn overleden tweelingbroer heeft.

'Jullie kunnen toch best allebei een mooie stem hebben?' hoor ik mezelf zeggen. 'Jullie leken als twee druppels water op elkaar – waarom zouden jullie dan niet ook allebei goede zangers kunnen zijn?'

Callum kijkt me met zijn grijze ogen oprecht geschokt aan, hoewel ik volgens mij iets heb gezegd wat iedereen had kunnen bedenken. Hij weet zich geen raad.

Gelukkig komen Alison en Luce net naar ons toe. Verlegen geven ze de jongens de cd's die ze hebben gekocht, met het verzoek die te voorzien van een handtekening. Het leidt Callum af, zodat hij zich kan herstellen. Ik heb zelfs het gevoel dat hij tranen weg moet slikken.

'Ik wil geen spelbreekster zijn,' kondigt Taylor aan, 'maar het is al halftien, en ik kan niet garanderen dat ik op de terugweg niet verdwaal.'

'Moeten jullie weg?' Ewan kijkt haar compleet verslagen aan, en ik hoop dat ze in de wolken is omdat hij haar zo overduidelijk leuk vindt. 'O, nee! We hadden gehoopt dat jullie konden blijven voor Nuala's set – ze is echt steengoed.'

'We kunnen jullie na afloop terugbrengen,' biedt Callum hoopvol aan. 'Jullie logeren toch in Fetters? Wij verdwalen heus niet.'

'We moeten voor tien uur terug zijn,' zeg ik spijtig.

'Echt waar?' Ewan zet grote ogen op. Hij heeft ongelofelijk lange, krullende wimpers, zoals zijn lange, krullende rode haar, maar dan donkerder. 'Kunnen jullie niet, weet ik het, later op de avond stiekem naar binnen sluipen?'

'De docenten van Wakefield Hall zijn heel erg streng,' zegt Luce, vastbesloten om deel uit te maken van het gesprek. Ze is zo vasthoudend als een chihuahua.

En wauw, nu ik haar naast Callum zie staan, valt het me op hoe lang ze is. Heimelijk kijk ik omlaag, en ja hoor, de verplichte slappe suède laarzen die alle meisjes van St. Tabby dit jaar dragen, zijn vervangen door stilettohakken van, schat ik, tien centimeter hoog. Krijg nou wat. Luce is heel slank, en de *killerheels* vormen een sierlijk verlengstuk van haar potlooddunne benen. Zelf ben ik altijd bang dat ik eruitzie als een varken op stelten als ik stiletto's draag, zeker als ze zo hoog zijn.

'Ja, onze gymjuf en Scarletts tante staan ons bij de deur op te wachten met een klembord en een zweep in de aanslag,' voegt Taylor eraan toe.

'Je tánte?' zegt Callum tegen mij.

'Ze geeft les op onze school,' zeg ik somber. 'Aardrijkskunde. Ik moet ook nog bij haar wonen.'

'Mán,' zegt Callum diep onder de indruk. 'En ik dacht dat ík het moeilijk had.'

Dit is zwarte humor, want ik weet beter dan wie ook dat er in Callums leven een hele hoop nare dingen zijn gebeurd. Toch kunnen we er om de een of andere reden om glimlachen, en op dat moment lijkt het net alsof de hele pub en al die mensen wegvallen, en zijn alleen Callum en ik nog over, glimlachend naar elkaar.

'Kom op!' zegt Taylor een beetje te luid. 'Tijd om te gaan.'

Het is koud buiten, en heel erg donker. Als de deur van de Shore achter ons dichtvalt, kijken we met een zucht van spijt om naar de pub. Nuala Kennedy speelt, en het geluid van haar fluit is zo mooi en pakkend dat het een toverformule lijkt om ons weer naar binnen te trekken, terug in de warmte en het licht, met de rinkelende glazen en de muziek – en, geef ik eerlijk toe, de jongens. Alles wat we op dit moment willen, bevindt zich in de Shore, maar wij lopen somber en zwijgend weg over de kade, allemaal diep weggedoken in onze jas tegen de wind van zee. Het is goed waardeloos om ergens weg te gaan als een paar knappe jongens graag willen dat je blijft.

De kade is zo smal dat we niet met z'n vieren naast elkaar kunnen lopen. Luce en Taylor, allebei geboren organisators, hebben een kleine voorsprong genomen en bestuderen Taylors iPhone, en Luce beschrijft met haar schrille stem de route die zij en Alison naar de Shore hebben genomen. Ik steek mijn handen diep in mijn zakken en kijk naar Alison, die haar baret omlaag trekt over haar oren.

Ze voelt dat ik naar haar kijk en draait haar hoofd opzij. 'Ik wist niet dat jij Callum zo goed kende,' zegt ze. 'Ik heb je wel met hem zien praten na het concert, maar ik dacht dat hij bevriend was met Plum.'

Ik proest het uit. 'Nee, hij is absoluut niet bevriend met Plum,' zeg ik. 'Ik ken hem vanwege zijn... vanwege zijn broer, Dan.'

Alison knikt. Ze herinnert zich Dan maar al te goed van alle keren dat we verlangend naar hem keken, de knapste jongen van het groepje door Plum en Nadia zorgvuldig geselecteerde mooie mensen, met zijn net iets te lange haar en losse grijns. Hij was een charmeur die elk meisjeshart deed smelten. Maar Callum, heb ik hun zus Catriona een keer horen zeggen, is twee keer zoveel waard als Dan.

Ik hoop dat Callum op een dag uit Dans schaduw weet te treden.

'Hij is waanzinnig cool,' mijmert Alison hardop. 'En ik vind echt dat hij een mooie stem heeft. Hij zou beslist vaker moeten zingen.'

'Laat een bericht achter op zijn MySpace-pagina,' opper ik. 'Dat vindt hij vast leuk om te lezen.'

'Wat een goed idee!' Alison leeft helemaal op nu ze een manier heeft gevonden om in contact te komen met Callum, op wie ze duidelijk smoorverliefd is. Ze glimlacht naar me. 'Hij heeft twee pagina's, een van de band en een van zichzelf. Ik ben op allebei vrienden met hem geworden.'

Ik kan het niet helpen, maar ik voel me behoorlijk zelfvoldaan omdat ik Callum al kende voordat zijn band succes kreeg. Het betekent dat hij me nooit als een fan zal beschouwen, maar als een vriendin, en dat is een heel groot verschil. Ik wist natuurlijk allang dat een knappe jongen die in een band speelt, al helemaal als hij zingt over mooie meisjes op wie hij stapelverliefd is, voor meisjes is wat kattenkruid voor een kat is. Maar dat je zoiets weet is iets heel anders dan dat je het ook met eigen ogen ziet. Ik denk aan de meisjes die Mac Attack bestormden na dat concert, die door het dolle heen waren, en ik ben blij dat Callum mij nooit als een van hen zal beschouwen.

We komen net weer langs het bruggetje. Ik kijk om, want ik wil nog een laatste blik werpen op de Waters of Leigh voordat we weglopen bij de rivier. Het is fascinerend om te zien hoe kalm en donker het water erbij ligt en de maan weerspiegelt die tussen de wolken door piept.

En dan schrik ik zo dat ik struikel. Ik meen iemand te zien op de kade aan de andere kant van de brug, iemand die zich schuilhoudt in de schaduw van de gebouwen. Het is natuurlijk helemaal niet vreemd dat er nu nog iemand op straat is; er komen mensen uit restaurants en bars naar buiten, er staan mensen bij een bushalte, en ik kan ze horen mopperen over de kou. Maar de persoon die ik zag, bewoog zich zo heimelijk dat alle haren in mijn nek overeind komen.

'Zag je dat?' vraag ik aan Alison, met een stem die hoger en paniekeriger klinkt dat mijn bedoeling was.

'Wat?' vraagt ze.

'O, niks...'

Ik wil niet overkomen als een paranoïde idioot die overal gevaren ziet. Oké, het is avond, maar niet diep in de nacht, en ik ben samen met drie andere meisjes, dus er zal me heus niks overkomen.

We slaan af naar een donkere straat, en Taylor kijkt over haar schouder om te zien of we haar wel volgen. 'Wat is er?' vraagt ze.

'Scarlett dacht dat ze iets zag,' zegt Alison, en ik voel me meteen een vreselijke aanstelster.

'Waarschijnlijk was het een meeuw,' zeg ik haastig – verderop in de straat hoppen een paar meeuwen rond bij een afvalcontainer, op zoek naar voedsel.

Maar ik weet dat het geen meeuw was.

'Gaat het?' Taylor blijft op me wachten en slaat een arm om mijn schouders. Dat is zó niets voor haar dat ze heel erg het gevoel moet hebben dat ik gerustgesteld moet worden. En het ís ook fijn om een arm om me heen te voelen, maar het doet me meteen aan Jase denken, hoe goed we bij elkaar passen als we lopen, mijn arm rond zijn middel, de zijne rond mijn schouders, en ik raak heel erg in de war. Alle gevoelens komen boven: het gemis, de nijd dat hij niet bij me is – en ik word er zo door in beslag genomen dat ik vergeet Taylor antwoord te geven.

Alison heeft Luce ingehaald, en ze slaan net een hoek om naar weer een smal straatje. Als zij tijdelijk uit het zicht verdwijnen, zie ik recht voor me uit opnieuw dezelfde figuur, met zijn rug tegen het luik voor een etalageruit gedrukt. Alsof hij zijn best doet om niet gezien te worden.

Ik zie hem alleen doordat al mijn zintuigen op scherp staan. Nu weet ik zeker dat het een man is – door zijn lengte en de breedte van zijn schouders. Hij is niet groot voor een man, niet zo groot als Jase, maar steviger, meer gebouwd zoals Callum.

'Taylor!' Ik grijp naar de hand die ze op mijn schouder heeft gelegd. 'Kijk, daar stáát iemand! Daar!'

'Hierheen,' zegt ze vrijwel tegelijkertijd, en ze duwt me naar de zijstraat toe.

'Nee, dáár!' Ik probeer haar mee terug te trekken. 'Zag je niet dat er iemand in een portiek stond?'

Voor mijn gevoel duurt het uren voordat Taylor blijft staan, en tegen de tijd dat we ons omdraaien, is de donkere gestalte bij het rolluik natuurlijk allang weg.

'Ik zie niks,' zegt ze totaal overbodig. 'Kom mee. We moeten opschieten als we op tijd terug willen zijn.'

Onze voetstappen klinken heel luid op de kinderkopjes als we sneller gaan lopen om Alison en Luce in te halen.

'Ik zie ze echt niet vliegen,' protesteer ik. 'Ik heb alleen maar een halfje cider gedronken.'

'Je bent opgefokt,' stelt Taylor vast, en ze blijft me meetrekken. 'Je hebt een rare dag gehad.'

'Ja, dat is wel zo, maar...' Ik zwijg even. 'Ik weet zeker dat ik iemand zag. Een man.'

'Scarlett, er zijn óveral schaduwen,' zegt ze beslist. 'Kijk eens om je heen! Edinburgh is een knap griezelige stad. Er spelen zich hier niet voor niets allerlei spookverhalen af. Denk maar aan Dr. Jekyll en Mr. Hyde.'

'Het zal wel,' zeg ik weifelend, want het begint erop te lijken dat Taylor me iets uit mijn hoofd probeert te praten wat ik met mijn eigen ogen heb gezien – ik ben er tenminste vrij zeker van. En dat is niets voor haar. Een van de belangrijkste aspecten van onze vriendschap is dat we elkaars instinct vertrouwen; het is ondenkbaar dat ik tegen Taylor zou zeggen dat ze iets wat ze heeft gezien níét heeft gezien.

'Ik...' begin ik, en dan weet ik zeker dat ik rechts van ons iets hoor. Parallel aan het straatje waar wij gejaagd doorheen lopen, is nog een straatje, heel dichtbij, want dit deel van Leith is een warnet van steegjes, en ik had durven zweren dat ik lichte, gedempte voetstappen hoorde die ons volgden. 'Hoorde je dat?' vraag ik met een hoog piepstemmetje.

'Scarlett! Ik krijg de zenuwen van je!' snauwt ze. 'Dat zijn ritselende bladeren! We zitten niet opeens in een horrorfilm, oké? Want zo klink je!'

Ik moet erom gniffelen, want ik klink inderdaad precies als de panische heldin in films als *Scream* of *Final Destination*, die rondrent en volhoudt dat ze een monster hoort terwijl al haar vrienden tegen haar zeggen dat ze het zich verbeeldt.

'We zijn er bijna!' roept Luce naar ons, en ze heeft gelijk, want we komen plotseling uit in een brede straat, met aan de overkant de stenen muur rond Fetters.

'Goed gedaan!' roept Taylor goedkeurend terug.

'Nog even een laatste spurtje,' zegt Luce.

We beginnen te joggen, en er rijdt een taxi langs ons heen die de oprijlaan op zwenkt. Om klokslag tien uur zijn we bij de hoofdingang. Plum, Nadia, Susan en Lizzie stappen uit de taxi, giechelend omdat ze net op tijd zijn.

'Alstublieft,' zegt Plum als ze een paar briefjes door het raampje naar de taxichauffeur gooit. 'En twintig pond extra omdat u ervoor hebt gezorgd dat we op tijd zijn.'

Ik ben belachelijk opgelucht dat ik weg ben uit dat laby-rint van donkere straatjes en weer in de helverlichte hal van Fetters sta, zelfs als mijn tante me vernietigend aankijkt terwijl ze mijn naam doorstreept, zelfs als Plum en Nadia, wanneer we buiten gehoorsafstand van de docenten zijn, luidkeels beginnen op te scheppen over de góddelijke cock-tails die ze hebben gedronken op de vierde verdieping van Harvey Nichols. 'En er loopt een terras omheen waar je kunt roken, echt práchtig, en het uitzicht is niet slecht, als je bedenkt dat we in dat stomme Schótland zijn, gód, wat een achterlijk land...'

Terug op onze kamer schuiven Taylor en ik de ladekast voor de deur.

'Voor de zekerheid,' zegt Taylor, nadrukkelijk langs haar neus weg, waardoor ik weet dat ze dit heel erg serieus neemt.

Nu de deur is geblokkeerd zou ik me volkomen veilig moeten voelen. Maar als het licht uit is en we in onze smalle bedjes kruipen, lig ik wakker in het donker, luisterend naar

Taylors langzame, regelmatige ademhaling, niet in staat om het malen in mijn hoofd stop te zetten. Het komt misschien doordat ik vanmiddag lang heb geslapen toen ik nog versuft was dat ik niet zo makkelijk in slaap val als Taylor. Hoe dan ook, er blijven nare gedachten bij me opkomen.

Ik heb de indruk gekregen dat Taylor me daarnet meesleepte om te voorkomen dat ik de man die ons mogelijk volgde goed kon zien. Of verbeeld ik me dat? Het is zo'n raar toeval dat hij een beetje op Callum leek, terwijl Callum toch zeker nog in de Shore naar Nuala Kennedy's muziek zat te luisteren. En waarom zou iemand me eigenlijk volgen? Is er nog wel íémand die ik honderd procent kan vertrouwen?

Vanavond, toen Taylor me door dat straatje sleepte, dreef ze de spot met mijn paniek door me met het overspannen slachtoffer uit een horrorfilm te vergelijken. Maar, bedenk ik nu, het meisje in horrorfilms dat niemand serieus neemt, heeft meestal gelijk als ze denkt dat een monster het op haar leven heeft gemunt.

Ik probeer mezelf te kalmeren door diep adem te halen. De heldin blijft altijd leven, houd ik mezelf voor. Ze moet urenlang rondrennen als een idioot en ze schreeuwt de longen uit haar lijf, maar uiteindelijk vecht ze terug. Ze brengt het er altijd levend van af.

Maar dan komt er een nog ergere gedachte bij me op.

Stel nou dat ik niet de heldin ben?

13

DAN KAN IK ME NET ZO GOED LATEN VALLEN

'O, kom op, Scarlett! Wat moeten we vanavond anders doen? Hier rondhangen en pingpong spelen in de recreatieruimte?'

'Ik vind tafeltennis leuk,' zeg ik zonder enthousiasme.

'We hebben voor het eten al twéé uur gespeeld!' betoogt Taylor. Ze ijsbeert op onze kamer tussen de twee bedden heen en weer, haar ruige pony voor haar gezicht, haar stem luider dan anders. 'Ik verveel me te plétter!'

Na gisteren, een dag met veel excursies, heeft de buschauffeur vandaag een vrije dag. Ons programma bestond uit een aantal historische en literaire lezingen over Schotland (*Macbeth* en *Dr. Jekyll and Mr. Hyde* zijn verplichte teksten voor je A-level), onderbroken door een weerzinwekkende lunch en thee met droge biscuits.

'Ik wil erúít!' roept ze zo luid dat ik een vinger voor mijn mond houd; wat zij voorstelt is ten strengste verboden.

Callum en Ewan hebben ons vandaag allemaal sms'jes gestuurd omdat ze zo teleurgesteld waren dat wij gisteren vroeg weg moesten uit de Shore. Vandaag is het zaterdag, en er schijnt bij een steengroeve op het platteland buiten de stad een feest te zijn, een *quarry party*, een grote groep jonge

mensen die elke week bij elkaar komen om muziek te maken, te dansen, gewoon gezellig bij elkaar te zijn. Het klinkt
fantastisch en ik wil er heel graag heen.

Taylor is er nog meer op gebrand om te gaan dan ik; ze
heeft al helemaal uitgevogeld hoe we uit Fetters kunnen ontsnappen, en waar Callum en Ewan ons kunnen oppikken. Ik
schaam me er een beetje voor dat ik tegenstribbel en de saaie
pier ben van ons tweeën.

Ik denk terug aan gisteravond, hoe griezelig de figuur was
die me heimelijk volgde, die zich schuilhield in de schaduw.
Het is een laffe reactie, en er is vandaag niets gebeurd waardoor ik me onveilig voelde, helemaal niets. Maar misschien
juist daarom vind ik een warme, zij het niet erg gezellige,
kamer met een deur waar we een ladekast voor kunnen
schuiven op dit moment een stuk aantrekkelijker dan weggaan in het donker – met, wie weet, opnieuw die griezel achter me aan...

Asjeblieft, zeg! Wat stel ik me áán!

'Ben je bang dat iemand zal proberen je te grijpen?' vraagt
Taylor op zachtere toon, en ze komt naast me zitten op het
bed. 'Ik denk echt dat je vanavond niets kan overkomen,
weet je. Callum en Ewan zijn bij je. En ik ben er ook nog,'
voegt ze eraan toe, en ik giechel als ze Popeye nadoet door
haar armspieren te laten opbollen. 'Ik ben sterker dan de
twee jongens samen.'

'Dat weet ik.'

Taylor geloofde me gisteren niet toen ik zei dat we werden gevolgd. Het heeft dus ook geen zin om te vertellen dat
die man erg op Callum leek, of dat ik, als ik toegeef aan
mijn paranoia, me wel kan voorstellen waarom Callum

wrok tegen me koestert. Ik heb zijn leven gered, dat is de positieve kant. Aan de negatieve kant is het best mogelijk dat hij heeft lopen piekeren over de gebeurtenissen die zich hebben afgespeeld toen ik op bezoek was in Castle Airlie, waar hij woont, en dat hij mij uiteindelijk de schuld geeft. Callum is zo'n piekeraar.

En nee, het zou niet eerlijk zijn als hij tot de conclusie is gekomen dat alles mijn schuld was. Maar naarmate ik ouder word, begin ik te beseffen dat mensen in staat zijn om je de zondebok te maken voor van alles en nog wat. Kijk maar wat Plum met Alison en Luce heeft gedaan.

Ik klem mijn kaken op elkaar. Zou ik niet knettergek zijn als ik een spannende uitnodiging afsla omdat ik gisteravond misschien ben gevolgd door iemand die op Callum leek en nog steeds peentjes zweet? Waarschijnlijk heeft Taylor gelijk: we werden helemaal niet gevolgd, en ik ben een fantast, een ongelofelijke aanstelster.

Bovendien heb ik nog steeds niets van Jase gehoord. En misschien hoor ik nooit meer iets van hem. Als ik vanavond hier blijf, zit ik er de hele tijd aan te denken, en werk ik mezelf nog veel dieper in de put. Het is beter om uit te gaan en afleiding te hebben. En als dat een zeker risico met zich meebrengt – ach, daar ben ik inmiddels wel aan gewend.

En als ik in de piepzak zit over een mogelijke achtervolger, heb ik tenminste geen tijd om aan mijn verdriet over Jase te denken. De uitdrukking 'van de wal in de sloot' lijkt wel voor mij bedacht. Maar ik moet wel oppassen dat ik niet met Callum alleen ben, gewoon voor het geval hij het gisteravond toch was.

'Oké,' zeg ik, en ik spring overeind van het bed. De paardenharen matras is zo oud dat Taylor meteen wegzakt in een diepe V. 'Het zal daar wel steenkoud zijn, dus moeten we ons heel dik aankleden. Maar niet zo dik dat we niet meer uit het raam kunnen klimmen.'

'Of dat we eruitzien alsof we een ton wegen,' voegt Taylor eraan toe terwijl ze zich omhoog drukt uit de doorgezakte matras. 'Ik lijk al zo fors door mijn goed ontwikkelde schouders. Ik wil het niet nog erger maken.'

Mijn wenkbrauwen vliegen omhoog naar mijn haarlijn, maar ik draai me snel om zodat Taylor mijn gezicht niet kan zien. Ik miep de hele tijd over mijn tieten en heupen, en dat ik kleren moet kopen die afkleden, maar dit is de eerste keer dat ik Taylor vergelijkbare zorgen hoor uiten. Meer dan ooit ben ik ervan overtuigd dat zij en Ewan iets met elkaar hebben. Geen wonder dat ze me vanavond zo graag mee wil slepen.

De avondklok komt en gaat. Ms. Burton-Rice, die vanavond dienst heeft, steekt haar hoofd om de hoek van de deur, ziet dat we in bed liggen te lezen en wenst ons welterusten. Het licht hoeft pas om elf uur uit, maar we geven haar allebei slaperig antwoord, en ze doet de deur weer dicht, tevreden dat we binnen zijn en al in bed liggen.

Voor de zekerheid wachten we nog tien minuten, en dan springen we ons bed uit. We hebben allebei een maillot aan onder onze spijkerbroek, en nu trekken we de sweater en de jas aan die we al hadden klaargelegd. We doen alle ritsen en knopen dicht en trekken de capuchon over ons hoofd.

Taylor kijkt me aan, grijnst breed, en bukt zich om het schuifraam open te zetten.

Ik ga eerst, het ene been na het andere totdat ik op de

vensterbank zit, en ik schuif op mijn billen naar de rand. Als mijn ogen aan het donker gewend zijn, steek ik mijn hand uit naar de leuning van de metalen brandtrap en mijn been naar de spijlen. Makkelijk zat – in elk geval voor Taylor en mij. We hebben het raam al van tevoren getest, en beseft dat het te gevaarlijk zou zijn om te proberen het achter ons dicht te doen, laat staan het weer open te krijgen; er zou zoveel kracht voor nodig zijn dat we mogelijk van de vensterbank zouden vallen, twee verdiepingen omlaag. Taylor heeft het maar een klein eindje opengeschoven, net ver genoeg om ons door de opening te kunnen wurmen. En ik heb een opgerolde handdoek voor de deur gelegd, zodat er door de kier geen tocht kan ontstaan, want dat zou een langslopende docent achterdochtig kunnen maken.

'Oké?' fluistert Taylor.

'Oké,' fluister ik terug. Met mijn beide handen om de leuning geklemd, en twee voeten tegen de spijlen zet ik me af van de vensterbank. Gedurende een duizelingwekkend moment zweef ik door de lucht, totdat ik plat tegen de buitenkant van de brandtrap sta. Ik zwaai mijn rechterbeen – het been waar ik altijd mee leid, bovendien is die heup flexibeler – over de leuning heen en plant dan mijn sportschoen stevig op de ijzeren vloer.

Veilig. Nu het andere been. Ik druk mijn heupen tegen de leuning en buig me naar voren, mijn armen gestrekt, zodat Taylor, die nu zelf op de vensterbank zit, de afstand die ze moet overbruggen kan verkleinen door mijn handen beet te pakken. We hebben de hele manoeuvre van tevoren tot in de details gepland, zodat we geen woord hoeven te wisselen. Ik ben trots; het gaat heel soepel, alsof we dit al honderden keren hebben gedaan. Als Taylor haar benen ook over de leuning heeft geschaard, wisselen we een snelle high five uit, maar zonder onze handen echt tegen elkaar te laten kletsen. We schrikken elke keer dat het vermoeide oude ijzer piept of kraakt, als de dood dat het ons zal verraden.

Een klein eindje verderop is een verlicht raam, dat uitkomt op de brandtrap. Als dat ons raam was, zou het helemaal een makkie zijn geweest. Ik besef dat het de kamer is die Plum en Susan met elkaar delen. Ik gluur naar binnen en kan ze zien, plus Nadia, Lizzie en Sophia, een kirrende kluwen van lange, glanzende haren en lange, glimmende benen. Plum heeft een fles witte wijn en schenkt plastic bekertjes vol, die ze giechelend ronddeelt. Zo te zien zijn ze nu al tipsy, het resultaat van een avondje uit in de bar van Harvey Nichols, waar ze ongetwijfeld chocolade-aardbeienmartini's hebben laten aanrukken.

En dan komt Nadia naar het raam toe, en ik deins in paniek achteruit. Heeft ze me gezien? Ik gebaar wild naar Taylor, die op een tree boven me bevriest alsof we stoelendans spelen, terwijl ik me met mijn rug tegen de muur druk en probeer geen adem te halen. Nadia's schaduw doemt op in de verlichte rechthoek die het raam op de trap werpt, ze buigt zich naar voren en probeert het schuifraam open te krijgen.

O nee... Ik ben door haar opgemerkt en nu heeft ze ons totaal in haar macht! Als ze snel nadenken, kunnen ze naar onze kamer rennen en het raam dichtdoen, en dan kunnen wij geen kant meer op en worden we betrapt door een van de docenten... door tante Gwen... O, nee, we zitten als ratten in de val.

Ik ben zo stijf als een plank. Nadia rukt aan het raam.

'Jezus, dat raam zit vást! En ik snak naar een sigaret,' klaagt ze. 'Sophia, probeer jij het eens. Jij bent de grootste. En jouw nagels zijn minder lang dan de mijne.'

Haar schaduw verdwijnt uit beeld, en ik gebaar Taylor met een brede zwaai van mijn arm om snel te zijn. Diep gebukt schuifelen we onder het raam door en de trap af, nét op tijd. Als we bij de volgende bocht zijn, schuift Sophia het raam open, en even later gaat Nadia op de vensterbank zitten. Ik hoor het klikje van haar aansteker als ze een sigaret opsteekt.

Taylor en ik kijken elkaar waanzinnig opgelucht aan. Als Nadia net iets eerder had bedacht dat ze een sigaret wilde roken, hadden we met geen mogelijkheid ongezien langs dat raam kunnen komen. En de brandtrap is de enige manier om weg te komen. Vijf minuten eerder, en wij hadden niet meer kunnen ontsnappen, we hadden niet van de laatste trede op de grond kunnen springen en over het gazon kunnen spurten. Nu springen we soepel over de stenen muur, en we landen op de stoep aan de andere kant. Buiten adem en opgewonden kijken we uit naar Ewans auto.

Een geparkeerde auto aan de overkant van de straat geeft een lichtsignaal; we rennen er met bonzend hart heen.

'Dat scheelde een haar!' zegt Taylor hijgend als we de achterportieren van de auto opendoen – nadat we hebben gekeken of Ewan en Callum erin zitten, uiteraard; we zijn niet helemaal gek – en ons op de achterbank laten vallen.

De jongens draaien zich naar ons om, zo enthousiast dat ze met hun hoofden tegen elkaar knallen; het is net een komische act. We giechelen allebei, en Callum wrijft met veel vertoon over zijn kortgeschoren hoofd.

'Hij heeft nergens last van,' klaagt hij. 'Zijn haar is net een bos schaamhaar. Je kunt hem een klap met een moker geven en dan voelt hij nog niks.'

'Nou nou,' mompelt Ewan geschokt. 'Gemengd gezelschap, zoals mijn moeder zou zeggen.'

'O... sorry!' Callum schaamt zich duidelijk te pletter dat hij iets heeft laten vallen van wat jongens onder elkaar zeggen.

Taylor buigt zich naar voren. 'Een jongen die aan hetzelfde college studeert als mijn broer heeft een dubbele schedel. Het is een soort erfelijke terugslag van de Neanderthalers, of zoiets. Die jongen kan een muur een kopstoot geven zonder schade. Behalve misschien een buil,' voegt ze eraan toe, altijd even eerlijk.

'Dat meen je niet!' zegt Callum terwijl Ewan de auto start en wegrijdt.

'Het is echt waar!' Ze lacht. 'Zoiets verzin je toch niet. Hij ontdekte het pas toen hij tijdens een basketbaltraining met zijn hoofd tegen dat van een andere speler stootte. Die andere jongen ging knock-out, de Neanderthaler voelde niets. De coach vond het vreemd en stuurde hem naar de dokter voor onderzoek.'

'Dan heb je dus een soort superpower,' zegt Ewan onder de indruk.

'Is zijn hoofd groter dan normaal?' vraagt Callum aan Taylor.

'Ha!' Ze lacht nu schaterend. 'Dat is precies wat mijn broer zei! Nee, zijn hoofd is niet extra groot, dus hij heeft...'

'... kleinere hersens,' vult Callum aan.

'Maar daar kunnen ze hem niet mee pesten,' besluit ze, 'want dan krijgen ze een kopstoot.'

'Heeft hij dan wel een heel laag voorhoofd en borstelige wenkbrauwen en kleine kraaloogjes?' vraagt Callum.

We lachen nu allemaal, deels omdat het beeld erg grappig is, en deels uit opluchting omdat Taylor de gêne over het woordje 'schaamhaar' heeft weggepoetst. Ze boft dat ze met een oudere broer is opgegroeid; ze weet hoe je met jongens moet praten. Het ijs is gebroken. Gedurende de rest van de rit zitten we vrolijk te kletsen.

Ewan rijdt Edinburgh uit. Omdat ik Londen gewend ben, verbaast het me hoe snel we de stad achter ons laten en door de velden rijden. Overdag is het hier waarschijnlijk heel erg mooi, maar nu kan ik niet veel zien, alleen rijen heggen die de velden doorsnijden. Ewan slaat af van de hoofdweg en rijdt verder over kleine weggetjes, met het gemak van iemand die deze rit al heel vaak heeft gemaakt. Al snel houdt het asfalt op en knerpen er steentjes onder de banden van de auto, en als hij een bocht maakt, zien we een smal weggetje met dicht naast elkaar geparkeerde auto's.

Ewan fluit. 'Het is druk vanavond.'

Stapvoets rijden we langs een lange rij geparkeerde auto's, totdat we bij de oprit naar een boerderij komen. Er hangen bordjes op het hek: PLUK UW EIGEN FRUIT en: VERSE PRODUCTEN TE KOOP. Het hek zit dicht met een hangslot en de boerderij ligt er stil en donker bij. Ewan keert de auto en rijdt terug zoals we zijn gekomen.

'Keer de auto altijd vóór het feest,' zegt hij opgewekt. 'Van mijn vader geleerd. Het beste advies dat hij me ooit heeft gegeven.'

Hij stuurt de auto tegen de berm in, met de rechterwielen

minstens vijftien centimeter hoger dan de linker, en trekt de handrem aan.

'Geen probleem,' zegt hij met het vertrouwen van iemand die dit vaker heeft gedaan. 'We stappen aan de hoge kant uit, dan kan de auto niet kantelen.'

Ik ben onder de indruk van zijn zelfvertrouwen, vooral als ik zie hoe hoog de berm is waar hij de auto heeft geparkeerd. Niemand anders lijkt onder de indruk te zijn van Ewans gewaagde parkeermanoeuvre, en we staan mooi in het midden van de auto's, naast de ruïne van een huis, de plaats waar we het bos in gaan op zoek naar het feest.

Andere groepjes komen samen bij het punt waar wij staan. Callum haalt een sixpack bier uit de auto en zwaait het op zijn schouder, samen met de riem van zijn vioolkist. Ewan haalt intussen spullen uit de kofferbak. Ik kijk onder het langslopen naar het oude stenen huis; de achtermuur is totaal verzakt, ondanks de roestige ijzeren stutten.

'Wauw,' zegt Taylor als we over een zandpad lopen dat breed genoeg is voor ons vieren. Het bos aan weerszijden van het pad is heel dicht, met oude eiken waarvan de stam zo dik is als Ewans auto breed, en witte berken met stakerige kale takken die zich aftekenen tegen de lucht. De maan komt achter een wolk vandaan en hult alles in een spookachtig zilveren schijnsel. In de verte hoor ik het ritmische dreunen van drums en de melodieuze klanken van een saxofoon, en mijn hart begint te kloppen van opwinding, even snel als het vroeger roffelde voor een turnwedstrijd.

Een echt feest, een feest voor jonge mensen. Niet zo'n feestje als bij Plum of Nadia, met mensen die alleen maar bezig zijn met doen alsof ze al dik in de twintig en wereldwijs zijn, die naar jazz luisteren en martini's drinken, zodat alle aanwezigen geweldig onzeker worden omdat ze zich anders gedragen dan ze werkelijk zijn.

Martini's zijn hier ver te zoeken. Aan het eind van het pad, als we tussen de bomen vandaan komen, kijk ik mijn ogen uit. We staan in een ruime kom, met links van ons bomen en rechts een hoge, halvemaanvormige muur van rotsen, zo hoog als een gebouw van tien verdiepingen, ruig en grillig. Dit moet de oude steengroeve zijn. In het midden van de kom brandt een enorm vuur, waar allemaal mensen omheen zitten, en er zitten ook mensen op de rotsen, sommigen zelfs heel hoog, met hier en daar een kleiner vuur. Het is net iets uit een sprookje. Er klinkt muziek; iemand moet een eenvoudig geluidssysteem hebben geïnstalleerd met een generator. Die hoor ik zachtjes gonzen tegen de achtergrond van versterkte gitaarmuziek en drums, maar niet snerpend luid, geen harde popmuziek. Dit is eerder een soort tribale bijeenkomst. De sfeer is zachtmoedig en heel erg chill; mensen zitten zachtjes te praten, maken in kleine groepjes hun eigen muziek en ze roosteren marshmallows boven het vuur.

'Het is een soort van postapocalyptisch,' merkt Taylor op. 'Heel cool. Mijn broer Seth zou het hier geweldig vinden.'

'We zitten meestal daar,' zegt Callum. Hij loopt om het vuur heen naar een beschut plekje aan de voet van de klif. Een grote hond dartelt over het pad, gevolgd door een hijgende soortgenoot, twee honden die heerlijk aan het ravotten zijn in het donker.

Ewan heeft een oude deken, die hij uitspreidt op de grond, en er komen twee bongo's tevoorschijn.

'We hebben ook wijn,' zegt Callum een beetje verlegen, en

hij zet de spullen die hij heeft meegenomen neer. 'Niet alle meisjes houden van bier.'

'Nou, ik wel hoor.' Taylor ploft neer op de deken, trekt een blikje bier open en pakt een van de bongo's. Ze kijkt naar mij en knipoogt. 'Dit is helemaal mijn ding,' zegt ze. 'Stiekem bier drinken als er geen volwassenen in de buurt zijn.'

'Man,' zegt Ewan vol ontzag als hij naast haar gaat zitten en de andere bongo naar zich toe trekt. 'Jij bent hardcore.'

'Reken maar!' zegt ze.

Callum en ik gaan ook zitten. Ik ben blij dat ik een maillot aan heb onder mijn broek; de grond is hard en koud, en de maillot geeft net dat broodnodige extra beetje warmte. Hij schroeft de dop van de wijnfles en geeft hem aan mij. Ik zet de fles aan mijn mond, schat de hoek verkeerd in, en krijg een sloot warme, goedkope witte wijn naar binnen. Ik verslik me en krijg een enorme hoestaanval.

Callum is bezig zijn vioolkist open te maken, maar draait zich opzij om mij op mijn rug te kloppen. Jezus, kan ik nóg duidelijker laten blijken dat ik anders nooit drink? Ik schaam me rot, maar het is verrassend fijn dat Callum me aanraakt, en ik ontspan me bijna onmiddellijk. En hij probeert geen arm om me heen te slaan; als ik ben uitgehoest, haalt hij zijn viool en de strijkstok uit de kist, en ik zit daar maar, de wijn brandend in mijn slokdarm, mijn hoofd tollend, en probeer te bedenken hoe ik me in deze situatie voel. Taylor en Ewan trommelen met hun vingers op de bongo's, zacht en ritmisch. Ik had geen idee dat Taylor bongo kon spelen, maar dat is typisch Taylor; ze vindt het leuk om mensen te verrassen.

Callum stemt zijn viool, en even later speelt hij een melancholiek wijsje. Prachtig. Ik schuif een eindje naar achteren zodat ik met mijn rug tegen de rotsen kan leunen en doe mijn ogen dicht.

Grappig, denk ik, het voelt alsof we paren hebben gevormd, Taylor met Ewan, ik met Callum. Vanaf het moment dat we op de deken gingen zitten, is er sprake van een subtiele verschuiving. Hebben de jongens het opzettelijk gedaan, of was het toeval? Het eerste, denk ik, want Ewan en Callum zitten met hun lichaam respectievelijk naar Taylor en mij toe, en met hun rug naar het andere paar. Zo vormen we twee stelletjes in plaats van vier vrienden.

Ik had dit kunnen zien aankomen als ik niet zo verstrikt was geweest in mijn problemen met Jase. Toen Callum en ik samen op de begraafplaats stonden, kijkend naar die grafsteen, wist ik dat we allebei aan onze kus op het vliegveld dachten, het moment dat ons onderlinge wantrouwen, onze wederzijdse gevoelens van wrok, wegsmolten als sneeuw voor de zon. En de waarheid kwam eronder vandaan: dat we ons enorm tot elkaar aangetrokken voelden.

Ik houd van Jase. Maar Jase is er niet. Ik weet niet waar hij is, en ik weet niet of hij ooit nog contact met me zal opnemen. Misschien niet. Het is heel waarschijnlijk dat ik Jase nooit meer zal zien, dat hij nooit meer terug zal komen naar Wakefield Hall – dat het voorgoed uit is.

Ik slik moeizaam en zeg tegen mezelf dat ik sterk moet zijn. Ik hoef niet lijdzaam af te wachten, ik heb keuzes. Ik kan zwelgen in verdriet, of ik kan me op positieve dingen richten. Het is positief dat ik, als ik alleen en single ben, kan doen wat ik wil. Ik kan zoenen met wie ik maar wil. Niemand kan het me kwalijk nemen.

Aarzelend verken ik dat idee, ik bekijk het van alle kanten. Hoe zou het nu, terwijl we in Schotland zijn, voelen als Callum vanavond probeert om een intiemere band met me te krijgen? Ik betwijfel of een echte relatie erin zit, want Dans dood, en de nasleep ervan, staat tussen ons in. Maar laten we wel wezen, ik kan me überhaupt geen vaste relatie met wat voor jongen dan ook voorstellen, niet nu de breuk met Jase nog zo rauw en vers is.

En als het me ooit lukt om een andere jongen te vinden met wie ik misschien wel vaste verkering wil, bedenk ik met een droge humor waar ik blij mee ben, zal ik mijn best doen om iemand te kiezen wiens familie niet in een afschuwelijke kluwen van moord en verdriet met de mijne is verwikkeld.

Ja, waarom probeer je dat niet een keer, Scarlett? denk ik, en er vormt zich een wrang glimlachje om mijn mond. Probeer eens een vriendje dat niet één enkel huiveringwekkend familiegeheim op zolder heeft verstopt – gewoon voor de verandering. Ik glimlach nu breed om mijn eigen zwarte humor, want niemand kan het zien in het donker. O, ik weet niet of ik dat wel kan, hoor. Waar zouden we het in hemelsnaam over moeten hebben als niemand van zijn familie iemand van mijn familie om zeep had gebracht?

Callum gaat verzitten, strekt zijn benen, zodat zijn kuit de mijne nu bijna raakt. Ik kijk hem aan, en op het moment dat we oogcontact maken begin ik te blozen, maar ook dat kan gelukkig niemand zien.

Hoe zou ik me voelen als hij me vanavond probeert te zoenen? Alleen al bij het idee gaat er een warme golf van opwinding door me heen. Ik trek mijn knieën op en sla mijn armen eromheen, want ik voel me opeens heel erg kwetsbaar. Maar niet op een nare manier, besef ik verbaasd. Helemaal niet, zelfs.

Het is grappig om te bedenken hoezeer mijn leven is veranderd. Als je een jaar geleden tegen me had gezegd dat er twee belachelijk knappe jongens in me geïnteresseerd zouden zijn, zou ik je keihard hebben uitgelachen en gezegd dat je niet goed bij je hoofd was. Destijds zou ik hebben gedacht dat het voor mij het toppunt van mijn dromen zou zijn om jongens zoals Callum en Jase te hebben gekust, alsof je op de top van Arthur's Seat staat met de wind die om je oren fluit. En het is nu nog steeds spannend, hoewel het tegelijkertijd ook erg pijnlijk is, want het feit dat ik erover nadenk om Callum nog een keer te kussen, betekent dat Jase en ik niet langer bij elkaar zijn. Natuurlijk begrijp ik dat de hele situatie met onze families hem te veel is. Het ergste is nog wel dat ik hem zijn gevoelens niet eens kwalijk kan nemen, al kost me dat moeite. Ik weet niet hoe ik zou reageren als ik in zijn schoenen stond. Eerlijk is eerlijk, als ik zomaar een vriendin van Jase was, in plaats van zijn ex-vriendin, zou ik misschien wel tegen hem zeggen dat hij het verleden achter zich moet laten, dat hij voorgoed weg moet gaan van Wakefield Hall, met al die nare herinneringen. En als dat betekent dat hij het Wakefield-meisje ook achter zich moet laten. Tja, het is niet anders.

Ik heb dus geen vriendje meer. Het heeft geen zin om je ogen te sluiten voor de werkelijkheid.

Ik kijk naar Callums brede schouders, zijn hoofd, dat schuin op de viool rust terwijl hij speelt. Hij heeft zich naar Taylor en Ewan gedraaid, en zijn wijsje versmelt met hun ritmische beat, een wijsje in mineur dat volmaakt bij mijn stemming past. Het is alsof hij mijn gedachten heeft gelezen, alsof hij de soundtrack speelt voor dit moment in mijn leven.

Het is zo mooi en zo triest dat ik mijn ogen dicht moet doen om te voorkomen dat ik begin te huilen. Ik laat me meeslepen door de melodie, met de gloed van de vlammen op mijn oogleden, en ik raak ik een soort roes die vergelijkbaar moet zijn met mediteren.

Als ik met een schok bijkom, is de muziek afgelopen. Taylor lacht, en Ewan duwt met de wijnfles tegen mijn hand.

'Was je in slaap gevallen?' vraagt hij. 'Waren we zo slecht?'

'O nee, het was prachtig!' Ik pak de fles aan en zet hem aan mijn mond, maar voorzichtiger deze keer, zodat ik niet meer dan een klein slokje hoef te nemen. 'Ik was in een soort trance,' beken ik.

'Cool,' zegt happy hippie Ewan. 'Dat was precies de bedoeling. Betooooovering.' Hij zegt het laatste woord met een zware fluisterstem en beweegt zijn vingers als een nephypnotiseur die iemand gaat laten zweven.

Taylor giert het uit. 'Idioot!' Ze geeft hem een speelse zet.

'Jezus, wat ben jij sterk,' zegt hij, wrijvend over zijn bovenarm. 'Hé, ga je mee een rondje doen?' Hij springt overeind. 'We kunnen de bongo's meenemen en naar het vuur lopen, kijken of er een jamsessie is waar we aan mee kunnen doen.'

'Cool!' Taylor gaat ook staan, bukt zich dan weer om de bongo's te pakken. 'Laten we daarheen gaan.' Ze wijst naar de andere kant van het vuur, waar zich rond de versterker een grote groep heeft verzameld.

Ik wist niet dat Taylor zich zo op haar gemak voelde met jongens. Of op feesten. Of, voor de volledigheid, met bongo's.

Maar we leven zo beschermd op Wakefield Hall, we zijn zo afgesneden van de buitenwereld, dat ik nooit de kans heb gehad om haar in een normale setting mee te maken. En ik vergeet dat ze een broer heeft, een coole broer die zich tussen de jetset van Venetië met gemak als een playboy kan voordoen. Met zo'n oudere broer is het volmaakt logisch dat Taylor het veel makkelijker vindt om met jongens om te gaan dan ik.

'Wij kunnen beter hier blijven,' zegt Callum terwijl hij zijn viool in de kist legt. 'Om op onze spullen te passen.'

'Goed,' antwoordt Ewan op quasi-ernstige toon. 'Die spullen kunnen niet op zichzelf passen.'

Hij neemt een van de bongo's over van Taylor, die iets tegen hem zegt waar hij om moet grinniken.

'Ze kunnen het heel goed met elkaar vinden,' merk ik op.

'Hm,' bromt Callum, terwijl hij ze peinzend nakijkt.

Waar ik op doelde, is dat Ewan en Taylor volgens mij iets met elkaar hebben – zij zou het *'hooking up'* noemen, maar ik weet niet zo goed wat dat betekent, of hoe ver dat aanhaken of inhaken dan gaat. Maar zo klinkt Callum niet. Hij klinkt niet overtuigd, en ik vraag me af waarom.

Het wordt stil, en ik voel me ongemakkelijk. Ik ben nu een paar keer met jongens alleen geweest, en zelfs van die beperkte ervaring heb ik geleerd dat stilte noodzakelijk is, een voorwaarde zelfs, om een andere sfeer te kunnen creëren, een sfeer die geladen is met spanning en mogelijkheden.

En dan voel ik die overgang optreden. Het is tastbaar, en ik besef dat ik vergeet adem te halen; mijn ribbenkast is gespannen, mijn maag voelt hol. Ik kijk naar Callum, wat ik misschien beter niet had kunnen doen, want hoewel ik zijn gezicht nauwelijks kan zien, afgetekend tegen het vuur, weet ik dat we oogcontact hebben gemaakt. Het is net een elektrische schok.

Ik steek mijn hand uit naar de fles wijn, en op hetzelfde moment buigt Callum zich naar voren om een blikje bier uit het sixpack te halen; we bewegen bijna volmaakt synchroon. Hij schuift de overgebleven biertjes naar de rand van de deken, naast zijn vioolkist, en komt in één moeite door naast me zitten, met zijn been nu tegen het mijne aan. Hij schraapt zijn keel en trekt het biertje open.

'Dus eh... ik had gelijk,' zegt hij nadat hij een slok heeft genomen.

'Gelijk?' Mijn stem klinkt hoger en schriller dan ik zou willen.

'Dat meisjes geen bier lusten,' zegt hij, en hij draait zijn gezicht naar me toe.

Ik heb de dop van de fles geschroefd, maar ik ben niet van plan om een bijna volle fles wijn aan mijn mond te zetten terwijl hij pal naast me zit. Het zou er bespottelijk uitzien, alsof ik een alcoholist ben. Onhandig houd ik de fles vast.

'Ik heb nog nooit bier gedronken, alleen cider. Ik weet dus niet of ik bier lekker vind.'

'Wil je proeven?' Hij steekt het blikje naar me toe, een gebaar van niks, want hij zit bijna tegen me aan. Ik draai de dop weer op de fles en pak het blikje van hem aan. Onze vingers strijken langs elkaar, en mijn hart maakt een sprongetje.

Ik breng het blikje naar mijn lippen, voel de bubbels, en proef dan pas het bier, zuur en scherp en bitter. 'Jakkes!' Ik trek een vies gezicht.

Callum lacht om mijn reactie en pakt het blikje van me

aan. 'De eerste keer smaakt het heel raar, ik weet het,' geeft hij toe. 'Ik had je moeten waarschuwen.' Hij zwijgt even. 'Je hebt een snor.' Hij steekt zijn hand uit en strijkt met zijn duim over mijn bovenlip om mijn reactie te testen, om te zien of ik mijn hoofd weg zal trekken, snel iets zal zeggen, of de fles wijn zal pakken.

Maar dat doe ik niet. Ik houd mijn gezicht naar hem omhoog en wacht af.

Langzaam buigt hij zijn hoofd. Ik doe mijn ogen dicht, en mijn hart klopt haast luider dan de dreunende drums rond het vuur, die de grond onder ons ritmisch doen vibreren. Ik ruik het bier dat hij heeft gedronken als hij zijn mond op de mijne drukt, proef het op zijn lippen, en ik moet toegeven dat het me tegenstaat.

Callum voelt het en tilt zijn hoofd op. 'O shit,' zegt hij, 'ik smaak naar bier, hè? Sorry!' Hij pakt de fles wijn en neemt een teug, gorgelt er zowat mee. Het zou grappig moeten zijn, maar ik ben nu te opgewonden, te nerveus, om een lachende opmerking te maken of hem gerust te stellen; ik zit daar maar, vastgenageld aan de grond, als hij me nog een keer kust, deze keer met minder aarzeling.

'Zo beter?' zegt hij tegen mijn mond.

Ik knik en mompel instemmend, want het is beter zo. Het is verrukkelijk. Hij is warm, en de wijn is bedwelmend als ik hem terug kus, eerst voorzichtig en tastend om elkaar te vinden, om de verbondenheid te vinden. Dan leunen we met meer gewicht tegen elkaar aan, Callums lichaam zwaar en stevig, en ik sla mijn handen om zijn nek, voel dat hij zijn armen om mijn middel legt om me dichter tegen zich aan te trekken.

Mijn hoofd valt opzij, en Callum volgt me gretig, vurig. O, wat is zoenen toch fijn, denk ik. Mijn hart zingt, er golft opwinding door me heen, en als Callums tong de mijne raakt, laat ik me helemaal gaan. Ik stort me met alles wat ik in me heb in die kus. Ik wil Jase vergeten, Dan vergeten, alle nare herinneringen vergeten, ik wil me alleen nog maar verliezen in Callums lippen, hier en nu, op een deken voor een vuur, met bonzende drums, muziek die om ons heen wervelt, de smaak van zijn mond, zijn tong die tussen mijn geopende lippen door glijdt...

Mijn ogen vliegen open. Hoewel mijn handen om zijn nek liggen, zijn warme huid aanraken, zijn ze opeens klam en koud. Het voelt helemaal fout. Ik trek mijn hoofd weg, laat mijn armen zakken en wrijf in mijn handen.

'Sorry,' mompel ik, 'ik heb eh... koude handen.'

'Ja, het is fris,' beaamt hij. 'Er is opeens eh... wind komen opzetten.'

'Ik weet het,' bevestig ik snel, hoewel er nog geen briesje te voelen is.

'Zal ik ze warm wrijven?' hakkelt hij, maar hij maakt geen aanstalten om mijn handen tussen de zijne te nemen, en als ik mijn hoofd schud, dringt hij niet aan.

Ik wrijf met veel vertoon mijn handen tegen elkaar, stop ze zelfs onder mijn jas onder mijn oksels, en ik doe alsof ik bibber. Ik lijk wel de ongelofelijk fantasieloze presentatrice van een kinderprogramma op tv, die zo overdreven mimet dat ze het koud heeft dat zelfs een peuter van twee de boodschap begrijpt.

Gelukkig klinkt er muziek, het geroezemoes van stemmen rond het vuur en langs de rotswand, het knappen van hout.

Zonder die geluiden zou de stilte tussen ons nog pijnlijker zijn. En die is al zo pijnlijk.

Callum schuift nerveus met zijn benen. Ik kan niet eindeloos met mijn handen onder mijn oksels blijven zitten. Ik begin het gevoel te krijgen dat ik niet langer kou mime, maar een gorilla imiteer, ook nu op peuterniveau; ik voel de krankzinnige aandrang om op mijn hurken te gaan zitten en 'Hoe-hoe-hoe!' te roepen. Ik trek mijn handen onder mijn jas vandaan, leg ze in mijn schoot en staar ernaar.

'Beter?' vraagt hij.

'Ja,' mompel ik.

Hij gaat verzitten, duidelijk nerveus. Ik trek mijn benen op, kan niet stilzitten. Ik wriemel alsof ik verga van de jeuk. Ik doe mijn mond open, want ik moet iets zeggen, wat dan ook, om de stilte te verbreken, en ik ben zelf verbaasd over wat eruit komt.

'Eh... ik moet nodig plassen.'

Geweldig, Scarlett, goed gedaan. Eerst doe je een gorilla na en dan moet je naar de wc.

'Iedereen gaat in de bosjes,' zegt hij. 'Daar.' Hij draait zich om en wijst naar het dichte struikgewas langs het pad dat naar de steengroeve voert. 'Pas wel op voor stekelige takken,' voegt hij eraan toe. 'Eh... wil je dat ik meega?'

'Nee!' Ik schreeuw het bijna uit en spring overeind alsof ik door rode mieren ben gestoken. 'Dat hoeft niet, bedankt! Het hoeft echt niet.'

Ik loop weg in de richting van de bosjes, zo overhaast dat ik struikel over een steen en mijn linkervoet verzwik. Au! Ik bijt op mijn tong om een kreun te smoren, en ga zelfs niet langzamer lopen, ik hink gewoon door.

'Gaat het?' vraagt Callum.

Ik zwaai naar hem om hem gerust te stellen en hobbel grimmig verder, zonder me iets aan te trekken van de stekende pijn in mijn enkel. Pas als ik bij het struikgewas ben en me tussen het groen kan verbergen blijf ik staan. Ik pak een tak beet, en balancerend op mijn rechtervoet beweeg ik de linker naar alle kanten om de druk op mijn enkel te verlichten.

Volgens mij ben ik in shock. Ik kan gewoon niet geloven wat er daarnet is gebeurd.

Het was verrukkelijk om Callum te kussen, net zo verrukkelijk als vorig jaar. Totdat – ik kan geen subtielere manier bedenken om het te zeggen – totdat zijn tong mijn mond binnengleed.

Toen wilde ik alleen nog maar gillen dat hij zijn tong uit mijn mond moest halen.

Het is niet zijn schuld, absoluut niet. Ik wilde dat hij me zou kussen, en ik hunkerde ernaar om hem te kussen. Ik deed mijn lippen van elkaar, ik sloeg mijn armen om hem heen, streek met het puntje van mijn tong langs de zijne. Tot op dat moment verlangde ik ernaar om mijn hele lichaam tegen het zijne te drukken, om naast hem op de deken te gaan liggen, om te zoenen en te strelen totdat we allebei gloeiden van opwinding.

Wat ging er dan zo erg mis dat ik ervandoor ging alsof mijn schoenen in brand stonden? Mijn hoofd tolt. Ik kan maar twee logische antwoorden bedenken:

A) Eigenlijk vind ik Callum helemaal niet zo leuk, of:
B) Ik ben zo verliefd op Jase dat ik niet met een andere jongen kan zoenen zonder me zo schuldig te voelen dat ik ermee op moet houden.

Geen van deze beide theorieën is ook maar een beetje troostend.

Ik zet mijn linkervoet op de grond en loop dieper de bosjes in. Ik ben zo overstuur door mijn tegenstrijdige gevoelens dat ik me flink kwetsbaar voel. Ik peins er niet over om mijn broek en maillot te laten zakken en op mijn hurken te gaan zitten om te plassen zolang ik niet heel zeker weet dat ik ver bij het pad vandaan ben. Gelukkig is de aandrang niet zo sterk. Het was gewoon een smoes om weg te komen omdat ik niet meer tegen die vreselijke situatie kon, zittend op een deken naast Callum, allebei diep ongelukkig.

O. Opeens bedenk ik iets heel anders. Als ik me had losgemaakt van hem, en hij me nog steeds wilde zoenen, zou hij harder zijn best hebben gedaan om me vast te houden. Hij zou me nog een keer hebben gekust, hij zou op me in hebben gepraat. Zo zijn jongens; als ze eenmaal zijn begonnen, vinden ze het vreselijk om op te houden. Dan zeggen en doen ze van alles om je over te halen door te gaan.

Maar Callum deed niets. Het was alsof hij net zo graag wilde stoppen als ik. Hij probeerde me niet vast te blijven houden, en toen hij aanbood om mijn handen te warmen of met me mee te lopen naar de bosjes, deed hij dat alleen uit beleefdheid. Ik kon merken dat hij het niet echt meende.

Het leek wel alsof hij precies hetzelfde voelde als ik.

Daarmee kom ik uit bij conclusie A: eigenlijk vind ik Callum helemaal niet zo leuk.

Dat merkte ik zodra we serieus begonnen te zoenen. En het was voor hem precies zo. Om de een of andere alchemistische reden kuste de een niet op een manier die de ander fijn vond. En daarna was er geen weg terug meer.

Ik heb nog nooit zoiets van iemand gehoord. Ik moet er snel eens over praten met meisjes die veel jongens hebben gezoend; misschien heeft iemand wel net zoiets meegemaakt. Want ik ben compleet de kluts kwijt. Jammer genoeg zijn de meisjes van wie ik weet dat ze veel jongens hebben gezoend allemaal ontzettende trutten die expres tegen me zouden liegen, dus daar heb ik ook niets aan.

Ik pijnig mijn hersens, en ik kan echt niemand bedenken aan wie ik het zou kunnen vragen. Ik loop nu al een tijdje door de bosjes; het struikgewas is niet zo dicht als ik dacht, en ik kan er makkelijk in een rustig tempo tussendoor lopen, in gedachten verzonken. Maar nu mijn gedachten stokken, blijven ook mijn voeten steken.

En nu ik zelf geen geluiden meer maak, hoor ik achter me zwaar geritsel in het struikgewas.

De honden, stel ik mezelf gerust als er een golf van paniek door me heen gaat. Het zijn gewoon de grote honden die ik eerder vanavond met elkaar heb zien spelen, ze rennen achter elkaar aan door het bos.

Niets om bang voor te zijn, want ik ben dol op honden. Maar terwijl ik roerloos in dat struikgewas sta, mijn oren gespitst op het geluid dat elk moment dichterbij lijkt te komen, besef ik dat het niet klinkt als een hond, laat staan als twee honden. Het is te gestaag. Te gelijkmatig.

Het klinkt te veel als voetstappen.

En hoe ik ook mijn best doe om mezelf te kalmeren, de herinnering aan de man die ik gisteravond heb gezien, de vage figuur die ons volgde door de donkere straten van Leith, vertroebelt mijn gezonde verstand. Opeens ben ik ervan overtuigd dat Callum achter me aan komt door het bos. Dat híj ons gisteravond stalkte, en dat hij weliswaar rustig en normaal reageerde toen ik er met een slappe smoes vandoor ging, maar dat hij komedie speelde en in feite helemaal niet rustig bleef.

Het zou niet de eerste keer zijn dat iemand van de familie McAndrew komedie speelt.

Speelt Callum een of ander raar dubbelspel? Koestert hij wrok vanwege Dans dood en alles wat zich daarna op Castle Airlie heeft afgespeeld? Of volgt hij me, opzettelijk luidruchtig, om me bang te maken omdat ik niet meer met hem wilde zoenen?

De wildste gissingen spoken door mijn hoofd, versnellen tot het gonzen van paniek, en mijn voeten gaan opeens ook een stuk sneller. Ik storm weg, dender tussen de struiken door, knal tegen takken op, struikel over boomwortels en rotzooi, en ik haal hijgend adem. Met andere woorden, ik gedraag me zoals de aanstellerige, bespottelijke slachtoffers in horrorfilms.

Als ik naar zo'n film kijk, geef ik die meisjes altijd luidkeels advies. Doe die deur niet open zonder wapen in je hand! Sla hem op zijn kop met een koekenpan totdat hij erbij neervalt – niet één keer, stomme trut, blijf hem slaan totdat hij zich niet meer kan bewegen! Of, als ze door een donker bos achterna worden gezeten: duik weg achter een boomstronk, verberg je totdat hij langs je heen is gelopen, en maak je dan uit de voeten!

Maar als het me daadwerkelijk overkomt, ben ik natuurlijk helemaal niet verstandig. In plaats van me ergens in een donker hoekje te verbergen, maai ik als een hysterische idioot met mijn armen, compleet gek van angst; de persoon achter me hoeft alleen nog maar op het kabaal af te gaan. Maar ik kan het niet helpen, ik kan niet blijven staan. Létterlijk niet. Ik ben een op hol geslagen machine, gevoed door doodsangst. Alle gebeurtenissen van de afgelopen dagen – de rook, het brandalarm, de zet over de trapleuning, de verdovende troep in mijn water, de mogelijkheid dat iemand me gisteravond volgde – rijgen zich aaneen tot een snerpende gil in mijn hoofd, de overtuiging dat de persoon die achter me aan zit – Callum, dat kan niet anders! – erop uit is om me naar de andere wereld te helpen.

Opeens zijn er geen struiken meer. Ik race door een grijzig, grillig landschap, spookachtig verlicht door de maan. Losse steentjes glijden weg onder mijn voeten. Ik slip, ik glijd naar beneden langs een flauwe helling, nog steeds in volle vaart.

En plotseling zie ik voor me een afgrond, een steile afgrond die eindigt in een donker gat. In een fractie van een seconde besef ik wat het is: nog een steengroeve.

Omdat de kom in het gesteente waar iedereen bij elkaar is aan de voet ligt van een hoge rotswand, nam ik aan dat er geen lagergelegen terrein zou zijn. Maar die kom moet ooit door de jaren heen zijn uitgehold in de grond, om de stenen uit te hakken waar de stad mee is gebouwd. En de arbeiders zijn blijven hakken, op zoek naar meer. Aan mijn voeten opent zich een grote, gapende muil, als een mond die me gaat opslokken.

Ik heb te veel vaart. Ik probeer mijn voeten schrap te zetten, opzij te draaien om te remmen, maar daardoor verlies ik mijn evenwicht, en ik glijd zonder houvast door over de steentjes, onverbiddelijk op de rand van de steengroeve af. Nog een paar seconden, en dan zeil ik over de rand.

Nu kan niets me meer schelen. Ik doe mijn ogen dicht en laat me gaan. Voor het eerst van mijn leven geef ik het op, en dat voelt beter dan ik had gedacht. Ik ben zo moe. Ik ben zo moe van de overdaad aan drama, de verdrietige breuk met Jase, dat rare gedoe met Callum, de angst dat iemand me iets aan wil doen, me misschien zelfs wil vermoorden.

Ik kan niet meer vechten, ik ben leeg.

Dan kan ik me net zo goed laten vallen.

14

Een fractie van een seconde later besef ik hoe stom ik ben. Een belachelijke *drama queen,* dat ben ik. Ik heb me laten meeslepen door de wijn die ik heb gedronken en alle krankzinnige dingen die er zijn gebeurd sinds we in Edinburgh zijn. Natúúrlijk wil ik niet vallen! Natúúrlijk heb ik nog vechtlust! Natúúrlijk wil ik niet met een gebroken nek of een gebroken rug onder aan de steengroeve gevonden worden als er straks een zoekactie wordt gehouden!

Elke gram kracht die ik in me heb gebruik ik om mezelf naar achteren te gooien, met de bedoeling om op mijn achterste te vallen. Als ik dan toch ga vallen, en dat zal beslist gebeuren, dan kan ik beter op mijn kont die helling af glijden dan met mijn hoofd omlaag in het niets duiken. Mijn armen maaien als een schoepenrad, alsof ze zich in water afzetten, een formidabele peddelbeweging die er waarschijnlijk bespottelijk uitziet, maar wel helpt om me naar achteren te laten hellen. Ik maak me op voor een pijnlijke landing op fijn grind.

En dan word ik met zo'n ruk naar achteren getrokken dat ik door de lucht vlieg. Iemand grijpt me bij de kraag van mijn jack zoals je een hond in zijn nekvel pakt. De rits van mijn jas snijdt in de dunne huid van mijn hals, en ik probeer mijn vingers onder de kraag te schuiven om te voorkomen dat ik stik.

Ik val als een dood gewicht naar achteren en plof met zo'n keiharde smak neer dat de lucht uit mijn longen wordt gestoten. Geschrokken, snakkend naar adem, besef ik dat ik niet op de grond ben gevallen; onder me voel ik geen prikkend grind, maar een hard, warm lichaam. Het heeft niets zachts, geen vlees dat meegeeft, alleen stevige spieren.

Taylor? Taylor is niet zo groot, niet zo breed...

'Scarlett!' zegt een hijgende stem boven mijn hoofd.

Ik kan mijn oren niet geloven en met een razendsnelle beweging rol ik me van hem af. 'Jáse?' roep ik uit als ik naast hem zit. De maan schijnt op ons neer; het scherpe grind glinstert. Maar zelfs als we niet zo helder werden verlicht, zou ik Jase overal herkennen. Zijn aanraking, zijn geur, zijn stem, zijn lichaam.

Ik kan niet geloven dat hij hier is. En toch is het zo.

'Hé,' zegt hij zacht, nog steeds buiten adem van zijn val.

'O, Jase...'

Ik stort mezelf weer op hem, sla mijn armen om hem heen en probeer zoveel mogelijk van zijn lichaam vast te houden. Ik snuif zijn geur op, druk me tegen hem aan, put zo onnoemelijk veel troost uit zijn aanwezigheid. En natuurlijk stort ik een regen van brandende kussen uit over zijn gezicht – voor zover kussen kunnen regenen.

'Wat dóé je hier?' roep ik tussen de storm van brandende kussen door. 'Hoe wist je waar ik was? Waar kom je vandáán? Waarom ben je... O, Jase, je hebt me gered! Jase, ik heb je zo ontzettend gemist!'

'Scarlett...' Hij kust me terug, met zijn handen rond mijn gezicht, maar niet met hetzelfde krankzinnige enthousiasme als ik. 'Hé, laat me even gaan zitten... Scarlett, laat me even los...'

Maar dat kan ik niet. Ik houd me zo krampachtig aan hem vast dat hij zijn handen achter zich op de grond moet zetten om zichzelf overeind te werken, samen met mij, als een aapje dat zich aan een boom vastklampt.

'Wat dóé je hier?' vraag ik nog een keer, als een cd die vastzit in een kras. 'Ik begrijp het niet. Waarom ben je...'

'Hou op, Scarlett, hou op!' Hij maakt mijn handen los en blijft ze stevig vasthouden. 'Geef me de kans om iets te zeggen, Scarlett, alsjeblieft!'

Ik knijp in zijn handen, staar hem vol verwondering aan. Zijn haar is langer geworden, zodat zijn krullen nu meer een hippe afro zijn, en zijn gouden ogen glinsteren. Hij glimlacht niet.

'Ik heb je gezien,' flapt hij eruit. 'Daarnet. Met die jongen.'

'Daarnet?' herhaal ik stompzinnig, en dan pas snap ik wat hij bedoelt.

'Ik heb gezien dat je hem kuste,' zegt hij zacht.

'Jase...' Mijn adem stokt, en ik probeer mijn gedachten te ordenen, want ik weet hoe belangrijk het is dat ik de juiste woorden gebruik. Ik moet een manier bedenken om hem de waarheid te vertellen zonder hem te beledigen of hem een schuldgevoel te bezorgen. 'Je bent weggegaan. Ik heb je al maanden niet gezien. En toen ik door de telefoon tegen je zei dat ik niet samen kan zijn met een jongen die er niet is als ik hem nodig heb... nou, toen zei je niets.'

Godzijdank. Het gaat goed. De uitdrukking op zijn gezicht verandert van beschuldigend in grote verlegenheid; hij bijt op zijn volle onderlip.

'Ik was er wél voor je,' protesteert hij. 'Nu net. Zonder mij zou je een snoekduik in die steengroeve hebben gemaakt.'

'Ja.' Ik houd zijn handen steviger vast als hij ze weg wil trekken. 'Je was er. Dank je wel.' Ik kijk opzij naar de helling, die afloopt naar een gapend zwart gat, en ik huiver, want ik had nu aan de voet van de afgrond kunnen liggen, zwaargewond of erger. En het zou helemaal mijn eigen schuld zijn geweest, mijn eigen stomme schuld.

'Ik dacht dat je het had uitgemaakt.' Ik kijk omlaag naar mijn handen. 'Je belde niet terug.'

'Ik dacht dat jíj het uit had gemaakt,' zegt hij meteen.

'Néé!' Ik haal heel diep adem. 'Maar ik heb je zo gemist, en het is niet genoeg om af en toe te bellen. Ik wil je kunnen vóélen. Ik wil bij je zijn, Jase, ik meen het. Ik heb je zo ontzettend gemist, ik kon er echt niet tegen.'

We omhelzen elkaar. Jase trekt me bij zich op schoot, met zijn armen om mijn rug geslagen.

'Ik heb jou ook gemist,' murmelt hij in mijn nek. Zijn adem kietelt tegen mijn blote huid. 'Ik was zo in de war; maar toen je zei dat ik er niet voor je was, voelde ik me zo ongelofelijk rot, ik kan het niet beschrijven. En ik wist niet wat ik moest zeggen.' Hij zwijgt even. 'Nee, dat is niet waar. Ik dacht dat ik niets kón zeggen. Ik draaide in een kringetje rond. En toen ben ik tot de conclusie gekomen dat ik een idioot was. Je belde me omdat je in de nesten zat en ik er niet was. En ik vind dat ik er hóór te zijn als jij problemen hebt. Daar is een vriendje voor. Nou, toen ben ik op mijn motor gestapt en naar Edinburgh gereden om je te zoeken.'

'O Jase...' herhaal ik voor de zoveelste keer, maar mijn hart loopt over en ik kan niets anders zeggen. Ik neem me voor om níét te gaan huilen.

'De school waar jullie logeren had ik zo gevonden, vanochtend al,' vertelt hij. 'Maar toen wist ik niet meer wat ik moest doen. Ik wist zeker dat ze me niet binnen zouden laten als ik naar jou vroeg. Wat moet ik nou op een meisjesschool?'

'Het is een jongensschool,' mompel ik, 'maar dat doet er niet toe...'

'Dus heb ik een bed genomen in een jeugdherberg, en ik ben de hele dag voor de deur op je blijven wachten. Maar er kwam niemand naar buiten.'

'We moesten de hele dag lezingen aanhoren,' leg ik uit.

'En toen zag ik twee meisjes omlaag klimmen van de brandtrap,' zegt hij, 'en ik wist dat jij een van hen moest zijn, samen met Taylor. Jullie zijn de enige twee die ik zoiets zie doen.'

'Je hebt de hele dag en de hele avond op me gewacht?' zeg ik blij. 'O, Jase, wat lief van je...'

'Ik wilde net van mijn motor stappen om naar je toe te gaan, maar je rende naar de overkant van de straat alsof de duivel je op de hielen zat, en je sprong in een auto,' gaat hij verder. 'Jullie reden weg, dus ik erachteraan. Ik had vanavond toch niks beters te doen,' voegt hij er droog aan toe.

Nu komt het lastige deel, en ik zet me schrap.

'Het is een leuke avond, hè?' mompel ik schaapachtig. 'Goeie muziek.'

'Ik heb mijn motor naast die rammelkast gezet,' zegt Jase, 'en ik ben achter jullie aan gelopen. Je keek niet eens om, je was alleen maar aan het geinen met die jongens.' Hij schraapt zijn keel. 'Ik wilde je niet bespioneren,' zegt hij snel. 'Ik wilde alleen zeker weten dat alles in orde was. Wist ik veel wie die jongen was! Het was misschien geen goed idee dat je met hem alleen zou zijn.'

Nou ja, alleen te midden van een hele hoop andere mensen, denk ik. Maar Jase heeft gelijk; dat je samen bent met andere mensen, betekent nog niet dat je veilig bent.

'En je hebt hem gekust!' besluit hij beschuldigend. 'Ik heb het zelf gezien!'

'Het spijt me dat je dat hebt gezien,' zeg ik langzaam.

'En toen dacht ik dat je het misschien hebt uitgemaakt met mij omdat je liever met hem samen wilt zijn,' zegt hij met een veel kleiner stemmetje. 'Niet omdat ik er niet was. Ik dacht dat het misschien een smoes was omdat je hem leuker vindt.'

'Nee!' Ik trek zijn hoofd omlaag en kijk hem aan, huilend, maar ik kan het niet helpen. 'Ik vind helemaal níémand op de hele wereld leuker dan jou! Jase, je moet me geloven! Ik was zo eenzaam, en zo bang, en ik dacht dat het me een goed gevoel zou geven om hem te kussen, maar ik voelde me juist nog veel rotter. Het was raar en fout, en ik miste je juist nog veel erger... Daarom ben ik weggegaan en in mijn eentje naar de bosjes gerend, omdat ik me zo rot en zo vreemd en zo eenzaam voelde...'

'Echt waar?' zegt hij, en hij trekt me dichter tegen zich aan.

Alleen al aan de klank van zijn stem weet ik dat hij het me heeft vergeven. Niet dat ik mezelf iets te verwijten heb, laten we wel wezen. Het was uit, althans dat dacht ik. En ik heb niet gezegd dat het me spijt dat ik Callum heb gezoend, ik heb alleen gezegd dat het me spijt dat Jase het heeft gezien, maar dat is iets anders. Ik voel intuïtief aan dat ik niet alleen maar sorry moet zeggen om mijn vriendje terug te krijgen. Nu kan ik tevreden zijn dat ik hem de waarheid heb verteld.

'Ja,' zeg ik uit de grond van mijn hart. Ik haal mijn vingers zo goed en zo kwaad als het gaat door zijn belachelijk dikke krullen, en hij slaakt een kreet omdat ik hem pijn doe.

'Sorry,' zeg ik, al net zo welgemeend. 'Ik vind je haar mooi nu het wat langer is. Het is cool.'

'Vind ik ook. Maar nog langer gaat niet,' zegt hij, 'vanwege de motorhelm.'

'Ik begrijp het,' zeg ik.

En dan praten we niet langer en kijken we elkaar heel lang en heel ernstig diep in de ogen. Het wordt stil, een rustige, allesomvattende stilte; we zeggen niets meer, want er hoeft niets meer gezegd te worden. En ik ervaar dat er soms niets mooiers bestaat, geen groter gevoel van vreedzaamheid, dan als er niets meer gezegd hoeft te worden.

Ik glimlach als Jase zijn hoofd buigt om me te kussen en ik til het mijne omhoog. Heel even heb ik een déjà vu van Callum en mij, toen we een halfuur geleden precies hetzelfde deden. Jeetje, daarnet dacht ik nog dat ik een meisje met meer ervaring om raad moest vragen, en nu zoen ik twee jongens op één avond! Hoe is mijn leven in deze achtbaan terechtgekomen?

En dan voel ik zijn lippen op de mijne. Een golf van blije herkenning gaat door me heen; de zachtheid van zijn volle

lippen is zo vertrouwd en verrukkelijk dat ik me in de ze-
vende hemel voel – de andere zes heb ik in de gauwigheid
overgeslagen.

'Ik hou van je,' zeg ik tegen zijn lippen, en ik voel dat hij
hetzelfde mimet. Ik doe mijn ogen dicht van puur geluk dat
ik weer met Jase samen ben, dat ik hem kan aanraken, dat
ik met mijn handen over zijn armen kan strijken, dat ik zijn
lichaam tegen het mijne voel, en wéét dat we bij elkaar
horen. We zijn weer samen, vriendje en vriendinnetje. Jase
heeft afgerekend met zijn demonen en geconcludeerd dat
wat hij voor mij voelt belangrijker is dan wat onze families
in het verleden hebben uitgespookt.

In stilte neem ik me voor dat ik het nooit ter sprake zal
brengen, dat ik hem nooit verwijten zal maken. Wat zijn
vader heeft gedaan is niet zijn schuld, en als wij een kans
willen maken om samen iets op te bouwen, moet ik hem
laten zien dat ik daarin geloof.

Jase kust me nu in mijn hals, en ik streel zijn haar, maak
geluidjes die ik bespottelijk zou vinden als iemand anders ze
voortbracht. Maar het kan me niet schelen. Er is niemand in
de buurt; we zijn alleen in dit vreemde, kale landschap, houden elkaar vast alsof we dood zouden gaan als we elkaar
niet aanraakten. En ik laat me gaan. Het voelt bijna als
daarnet, toen ik dacht dat ik in een gapende afgrond viel en
dacht dat niets mijn val zou breken.

Ik val nu net zo hard. Net zo snel, net zo diep. Ik laat me
net zo volkomen gaan. Ik val in Jase, en hij valt in mij.

'Weet je wel,' zeg ik hijgend, 'dat dit de eerste keer is dat
we echt helemaal alleen zijn? Zonder dat we bang hoeven te
zijn dat mijn tante of jouw vader ons betrapt?'

Jase bijt zachtjes in mijn nek en kijkt me dan aan, zijn gouden ogen glinsterend van geluk en opwinding.

'Ja,' zegt hij. 'Typisch iets voor ons dat we dan in een ijskoude steengroeve zijn, met de helft van al het Schotse grind dat in mijn billen prikt! Hadden we niet een gezellig plekje uit kunnen kiezen, iets met luie stoelen en centrale verwarming?'

Het is waar: het lijkt wel alsof Jase en ik gedoemd zijn om ons te moeten behelpen. Zelfs die ene nacht dat we samen hebben geslapen, op Wakefield Hall, lagen we op mijn smalle eenpersoonsmatras op de vloer, moesten we muisstil zijn omdat mijn tante in de kamer naast de mijne lag te slapen, en moest Jase al voor het krieken van de dag door mijn raam naar buiten klauteren.

'We hebben veel te veel drama meegemaakt.' Ik kruip op zijn schoot zodat ik op mijn beurt zijn nek kan kussen. 'Weet je wat ik fijn zou vinden? Een heel normaal leven, lekker saai en voorspelbaar.'

'Vergeet het maar, schatje,' zegt hij, en hij zucht van genot als ik mijn handen onder zijn jack en sweater schuif, en zijn T-shirt omhoogtrek om zijn huid te kunnen strelen. 'Ik denk dat jij bent voorbestemd om groots en meeslepend te leven.'

'Dat was vroeger niet zo,' zeg ik terwijl ik met mijn handen over zijn borst ga. 'Ik ben zestien jaar lang een saaie grijze muis geweest.'

'Nou, dat maak je nu meer dan goed.' Hij begint nu ook te graven in alle lagen kleren die ik draag, en er gaat een tinteling langs mijn rug.

En dan slaakt hij een geschrokken kreet als mijn jack onder zijn gretige vingers begint te zoemen.

'Het is mijn telefoon, sorry.' Mijn geweten begint even hard te zoemen als ik hem uit mijn zak haal en opneem. 'Taylor!' zeg ik verontschuldigend, maar het is al te laat.

'Scarlett! Ik ben gék van de zorgen!' tiert ze. 'Waar bén je? Callum zei dat je bent gaan plassen en niet meer terugkwam, maar hij doet heel raar, dus ik dacht dat er iets anders achter zat, maar hij zei nee, je was echt alleen maar gaan plassen, dus vroeg ik of hij zich geen zorgen maakte omdat je niet terugkwam, en hij zei dat je misschien ergens naar muziek was blijven luisteren of naar ons op zoek was gegaan, en dat klonk zó slap! Waarom maakte hij zich geen zorgen? En ik...'

Je kunt horen dat Taylor in topconditie is; tijdens die hele tirade hoeft ze niet één keer te stoppen om naar adem te snakken.

'Ik ben met Jase!' zeg ik luid, de enige manier om tot haar door te dringen.

Ze valt abrupt stil, alsof ik haar een stomp in haar maag heb gegeven. 'Wát?'

'Hij is naar Edinburgh gekomen,' leg ik uit, met een stem die zou stralen als dat mogelijk was.

'Huh.' Taylor verwerkt het en komt dan met een nieuwe spraakwaterval. 'Hoe wist hij waar je was? Heb je hem gebeld? Dat heb je me helemaal niet verteld! Zitten jullie bij het vuur? Ik heb je overal gezocht, maar het is zo donker!'

'Het spijt me.' Ik vind het echt heel naar dat ze zich zorgen heeft gemaakt. 'Nee, we zitten bij een andere groeve. Een groot gat in de grond.'

'Wauw, lekker zwijmelen bij een groot gat in de grond,' zegt ze komisch. 'Dat klinkt romantisch. Nou, ik zal de jongens vertellen hoe het zit, dan kunnen jullie fijn... je weet wel. Sorry voor de onderbreking.'

We hebben helemaal niets onderbroken, denk ik blozend; Jase heeft mijn sweater en T-shirt omhoog geschoven, en ik wriemel van genot door wat hij nu doet.

'Ik bel je als we klaar zijn om terug te gaan,' besluit ze.

'Goed.' Ik slaak een gilletje als Jase' vingers een gevoelig plekje vinden.

'Ieuw, zijn jullie aan het vozen terwijl je met mij aan de telefoon bent? Wat wálgelijk,' zegt ze, en ze hangt op.

'Niet ophouden,' zeg ik tegen Jase. Ik schuif de telefoon weer in mijn zak, mis, en hoor hem op de grond vallen zonder dat het me iets kan schelen. 'Niet ophouden...'

En later smeekt hij mij om niet op te houden. We merken niet eens dat er steentjes door onze spijkerbroeken steken, hoe koud het is op de plaatsen waar we elkaar niet aanraken, hoe spookachtig het hier is in het bleke maanlicht; we zijn ons nauwelijks bewust van wat dan ook, behalve van elkaars lichaam, hoe heerlijk het is om weer bij elkaar te zijn, hoe goed en volmaakt natuurlijk het voelt, hoe fantastisch het is om elkaar gek te maken, en dat we, zelfs als we ons laten gaan en vallen, weten dat we volkomen veilig zijn, dat we zacht zullen landen, beschut in elkaars armen.

'Ik hou van je, Scarlett,' zegt Jase als we weer tot onszelf komen, en hij pakt de hand die op zijn borst ligt om de palm te kussen. 'Ik weet dat het niet makkelijk zal zijn om samen te zijn. Ik kan je niet beloven dat de ellende met mijn vader en jouw ouders me niets zal doen. Ik kan je niet beloven dat ik het er nooit moeilijk mee zal hebben en dat het nu en dan niet tussen ons in zal staan. Maar ik hou van je, en ik zal nooit meer maandenlang verdwijnen.'

'Gelukkig,' zeg ik heftig, en ik druk een kus op zijn arm. 'Want ik denk niet dat ik ermee om kan gaan als je het nog een keer doet.'

'Nooit meer,' zegt hij zacht. 'Beloofd.'

Het begint al bijna licht te worden als we langzaam teruglopen door de bosjes, hand in hand. Jase bepaalt de route en houdt hoffelijk takken voor me opzij. Jongens, is me opgevallen, doen heel erg hun best om je te beschermen als ze je leuk vinden, alsof je zelf geen deuren open kunt doen of door een bos kunt lopen zonder een doodsmak te maken. Ik bijt op mijn tong, want ik weet inmiddels dat dit gedrag niet betekent dat Jase me een dom gansje vindt dat geen twee seconden alleen kan zijn zonder in zeven sloten tegelijk te lopen. Hij wil me laten zien hoeveel hij om me geeft.

Als we bij het pad komen, sluiten we aan bij de stroom mensen die teruglopen naar hun auto, met instrumenten in hun hand, opgerolde dekens over hun schouder, en rammelende zwarte vuilniszakken met lege blikjes en flessen. Een lange, magere jongen met een bos dreadlocks duwt een karretje op wieltjes met een generator erop, de wielen hobbelend door de kuilen in het pad. Iedereen gaapt, maar iedereen is gelukkig en compleet relaxed; mensen lopen in groepjes, hand in hand, of met hun armen om elkaar heen.

Ik denk terug aan het enige tienerfeestje waar ik ooit ben geweest, in Nadia's poepchique penthouse, met stinkend rijke jongens en meisjes die champagne dronken, en hoe onecht en broeierig de sfeer daar was. Dit is compleet het tegenovergestelde; ik glimlach naar mensen die langs ons lopen, een vermoeide grijns van pure blijdschap omdat we zo'n magische nacht hebben gehad.

'Geweldig feest,' mompelen mensen vrolijk tegen elkaar. Een meisje maakt zich los uit een klein groepje om de jongen met de dreadlocks te helpen met zijn karretje, terwijl iemand anders de bosjes in duikt om een paar lege plastic flessen op te rapen.

Van nu af aan wil ik alleen nog maar naar dit soort feesten, denk ik gelukzalig.

We komen bij de ruïne van het oude huis en ik neem Jase mee naar Ewans auto. Taylor, Callum en Ewan zijn er al. De jongens laden hun spullen in de kofferbak, en Taylor leunt met haar handen in haar zakken tegen de zijkant van de auto. Ze heeft duidelijk een fantastische tijd gehad; ze ziet er zo ontspannen uit alsof ze in een kuuroord is geweest, en ze glimlacht al voordat ze ons ziet.

'Volgens mij zouden ze je hier een slettenbak noemen,' zegt ze lijzig tegen mij. 'Dat is toch de uitdrukking?' Ze grijnst naar Jase. 'Leuk je weer te zien.'

'Insgelijks.' Jase grijnst terug; hij heeft Taylor altijd graag gemogen.

'Kom je terug naar Wakefield?' vraagt ze.

Hij slaakt een zucht. 'Dat weet ik nog niet,' zegt hij, met mijn hand nog steeds in de zijne. 'Ik weet niet of het kan. Maar Scarlett en ik gaan ervoor, wat er ook gebeurt.'

Ik krijg een brok in mijn keel en knijp in zijn hand.

'Eh... dit is Jase,' zegt Taylor tegen Callum en Ewan als ze de kofferbak dichtslaan, met zo'n harde knal dat de auto wiebelt op de steile berm. 'Scarletts vriend. Dus.'

O jee, dit is pijnlijk. Ik ben zo bedwelmd geweest door

mijn blijdschap om weer met Jase samen te zijn dat ik geen moment de tijd heb gehad om te bedenken hoe het zou zijn om Callum weer te zien. Het zou al om-door-de-grond-te-gaan zijn zonder Jase aan mijn arm, maar met hem is het regelrecht nucleair. *Hai, weet je nog dat ik je zoende en er toen als een pijl uit een boog vandoor ging zodra je je tong in mijn mond stak? Nou, dit is mijn vriend. Taylor heeft je over hem verteld, toch? Ik heb zelf nooit iets over hem gezegd, maar ik ben stapelverliefd op hem.* Oeps!

Als ik Callum was, zou ik woest zijn. Ik weet vrij zeker dat Callum ook geen vonken voelde met mij, maar ik zou toch woedend zijn als hij me had gekust, de benen had genomen, en uren later grijnzend van oor tot oor opdook, zijn arm om een volslagen vreemd meisje, met de mededeling dat dit zijn vriendin was. Ik zou me gebruikt voelen.

Jase verstijft als Callum naar ons toe loopt, en ik kijk Callum nerveus aan. Ik verwacht geen scène, met beledigingen of klinkende vuistslagen, maar ik zou het Callum niet kwalijk nemen als hij duidelijk maakte dat hij beledigd is – of als hij me waar Jase bij is belachelijk zou maken.

Maar hij kijkt me niet aan, en dat lijkt me positief. Beter dan een vernietigende blik. Hij mompelt 'hallo' als hij langs ons loopt en maakt het portier van de auto open.

Ewan kijkt over het schuine dak heen naar mij en Jase, met een verrassend harde blik in zijn bruine ogen.

Hij is kwaad op me omdat hij denkt dat ik Callum heb verleid, besef ik geschrokken. En dat is ook logisch.

Ik kan natuurlijk niet uitgebreid gaan uitleggen hoe het is gekomen dat ik die nacht eerst met de ene en toen met de andere jongen heb gezoend. In elk geval niet nu, want iedereen is bekaf en we moeten terug.

Ewan grist de sleutels uit Callums hand, alsof hij met hem ook een appeltje te schillen heeft. Waarschijnlijk is hij gewoon moe, maar de spanning is met een botermesje te snijden. Ik voel me ontzettend schuldig dat ik er de oorzaak van ben, vooral omdat ik zo'n fijne tijd heb gehad, terwijl zowel Callum als Ewan, die de moeite heeft genomen om ons allemaal naar deze plek te brengen, merkbaar uit hun humeur en moe zijn. Jakkes, wat een toestand.

'We moeten gaan,' mompelt Callum, terwijl Ewan achter het stuur gaat zitten. De hele auto kraakt onder zijn gewicht. 'De meisjes moeten de school weer binnenglippen voordat het helemaal licht is.'

'Ik weet het,' zegt Jase met een scherpe ondertoon in zijn stem, en hij slaat een arm om me heen.

Wauw, denk ik. Ik ben weggelopen bij Callum en in Jase' armen gekropen, en Jase is degene die agressief doet. Hoe werkt dat?

De roze vingers van de dageraad strelen de lichtgrijze lucht. Boven de horizon tekent zich een lichte streep af, en het zachte roze wordt donkerder van kleur. Staand naast elkaar kijken Jase en ik naar de zonsopgang.

'Ga maar snel terug,' zegt hij. Hij buigt zich voorover om me een kus te geven, neemt er de tijd voor, om Callum duidelijk te maken dat hij mij aan het begin van de avond misschien wel heeft gekust, maar dat ik voor hem heb gekozen. 'Bel me straks, oké?'

'Oké,' zeg ik. Ik ben heel blij dat hij me heeft gekust, maar ik voel me ook opgelaten omdat Callum erbij was. Ik geef hem alleen een heel vluchtig kusje terug en duik dan achter Taylor aan de auto in. Omdat de auto zo scheef staat, val ik bijna boven op haar.

'Ben jij met de motor, Jase?' roept Taylor.

'Ja.' Jase wijst ernaar met zijn duim. 'Scarlett, denk je dat we elkaar vanavond kunnen zien?'

'Ik denk dat ik wel een paar uurtjes weg kan,' zeg ik door het raampje, dolblij met de plotselinge verandering van onzekerheid over het moment wanneer ik hem weer zal zien naar meerdere afspraakjes op dezelfde dag. 'Ik stuur je een sms zodra ik weet hoe ons programma eruitziet, oké?'

Callum doet het handschoenenvakje open, haalt er een blikje uit, trekt het open en geeft het aan Ewan. 'Noodrantsoen voor de bestuurder,' zegt hij kortaf.

Taylor en ik proberen te zien wat het is. Het kan geen bier zijn, denk ik nerveus. Als het bier is, en Jase ziet het...

Maar het is Irn-Bru, dat rare Schotse energydrankje. Ewan mompelt een bedankje en drinkt met zijn hoofd in zijn nek terwijl hij de auto start.

Ik draai me om op de achterbank terwijl Ewan van de berm hobbelt, terug naar het onverharde pad. Ik zie dat Jase zijn helm opzet en een been over de motor slaat, en ik zwaai naar hem door de achterruit. Hij kijkt naar de auto, ziet me, en zwaait terug, met een hand die nu is weggestopt in een grote handschoen. Ik laat me terugzakken op de achterbank, grijnzend van geluk. Tot mijn stomme verbazing glimlacht Taylor breed. Ze slaat een arm om me heen en trekt me tegen zich aan, iets wat ze echt never nooit niet heeft gedaan. Haar hele lichaam is soepel en ontspannen.

Wauw, Taylor is aanhankelijk. Zij en Ewan hebben duidelijk meer gedaan dan alleen bongo spelen, bedenk ik als ik mijn ogen dichtdoe. Het is heel raar; wij zitten dicht tegen elkaar aan op de achterbank, glimlachend om de fijne herinneringen aan de afgelopen nacht, terwijl de ruggen van de twee jongens voorin zo stram en stijf zijn alsof ze de tips uit mijn grootmoeders etiquettegids ter harte hebben genomen. Ik neem aan dat Callum pissig is omdat Ewan het leuk heeft gehad met Taylor, terwijl ik hem in de kou heb laten staan, en dat Ewan de hele situatie nogal gênant vindt, maar wat weet ik er nou helemaal van? Ik ben geen expert op het gebied van jongens. Ik ken er eigenlijk maar één.

En voor mij is dat meer dan genoeg, denk ik tevreden, terwijl de beweging van de auto en de gezellige omhelzing met Taylor me in slaap wiegen.

Taylor gaat ook onder zeil, zodat Callum en Ewan ons wakker moeten maken als we terug zijn bij Fetters. Ik knipper met mijn ogen, en gaap hartgrondig.

'Ga maar snel,' zegt Ewan kortaf. 'Het is al bijna licht.'

Ik neem aan dat Taylor een gebaar zal maken, dat ze misschien zijn schouder zal aanraken, of hem door het open raampje zelfs een kus zal geven. Maar nee. Ze springt eerder uit de auto dan ik, zegt dag over haar schouder en steekt zonder om te kijken de straat over. Al ben ik nog zo moe, dit verrast me. Misschien vindt ze het pijnlijk dat zij en Ewan zo'n leuke avond hebben gehad terwijl Callum het vijfde wiel aan de wagen was, maar toch vind ik het wel erg kortaf. Ik vermoed dat ze hem een sms zal sturen zodra we terug zijn op onze kamer.

Ik zeg ook dag en voeg er nog een bedankje aan toe, en wip dan net als zij uit de auto, zo opgelucht dat ik weg ben uit die vreselijk ongemakkelijke situatie dat ik ondanks mijn vermoeidheid een sprintje trek naar de muur, er soepel overheen spring en over het gazon naar de brandtrap ren. We trekken onszelf op, zwaaien onze benen op de trap, en klimmen zo snel mogelijk naar boven zonder dat het metalen gevaarte al te erg kraakt. Taylor legt een vinger tegen haar lippen als we bij de kamer van Plum en Susan zijn. Ik laat met een knikje weten dat ik het niet vergeten ben, maar de vele sigarettenpeuken op de vensterbank hadden me er anders ook wel aan herinnerd.

De gordijnen staan half open, en onwillekeurig kijk ik naar binnen, benieuwd of ze na het feestje allemaal in Plums kamer zijn blijven pitten. Maar ik zie iets wat ik totaal niet had verwacht.

Deze kamer is net zo ingericht als de onze, met tegen elke muur een eenpersoonsbed en een kleedje ertussen. Het verschil tussen onze kamer en deze is dat een van de bedden leeg is. En in het andere liggen twee meisjes, heel dicht tegen elkaar aan omdat de matras zo smal is.

Susan ligt vredig te slapen, met haar hoofd op Plums schouder en haar blonde haar uitgewaaierd over Plums smalle borst. Ze liggen onder een deken, maar in het bleke ochtendlicht kan ik ze duidelijk zien. Plums hoofd ligt op het kussen, haar ene arm is om Susans middel geslagen, en met haar vrije hand streelt ze zachtjes Susans haar. Ze kijkt omlaag naar de bovenkant van Susans hoofd met een vertedering in haar blik die ik bij ieder ander zonder aarzelen liefde zou hebben genoemd.

Ik zou niet zo naar ze moeten staren. Dit gaat me niet aan. Maar ik ben verlamd. Eerlijk waar, ik weet niet wat me meer verbaast: het besef dat Plum en Susan een stelletje zijn, of dat Plum een ander menselijk wezen zo teder streelt.

Goh, denk ik, dus ze is toch menselijk.

Taylor trekt aan mijn arm, maar dan ziet ze over mijn schouder waar ik naar kijk, en ook zij verstijft. Plum moet het hebben gemerkt, want ze draait haar hoofd naar het raam. En voordat ik weg kan duiken, maken we oogcontact.

Het voelt of dat moment een eeuwigheid duurt. Plums hand is stil blijven liggen op Susans haar; we zijn allemaal in standbeelden veranderd. Plum heeft haar groene ogen nu van schrik wijd opengesperd. Ik heb haar nog nooit zo bang zien kijken.

Ik ben zowat gehypnotiseerd.

'Kom mee,' sist Taylor. We draaien ons om van het raam, maar ik werp nog een laatste blik naar binnen. Plum kijkt doodsbang.

'Wie had dát gedacht?' mompelt Taylor als we onszelf vanaf de brandtrap aan de vensterbank van onze kamer hebben opgehesen en weer naar binnen zijn geglipt.

'Ik kan het gewoon niet bevatten,' zeg ik. 'Het is te pikant... Ik ben te moe...'

'Ik weet het.' Taylor gaapt alsof het uit haar tenen komt. 'Ik ben zwaar overbelast.'

'Ze maakte altijd rotopmerkingen dat jíj gay was,' zeg ik, en ik gaap zo diep dat mijn kaak ervan kraakt. 'Alsof het een probleem was!'

Ik begin mijn kleren uit te trekken.

'Kennelijk heeft zij er inderdaad een probleem mee, anders zou ze het niet geheimhouden,' merkt Taylor op, haar stem nu al dik van de slaap. Ze schopt haar schoenen uit en een seconde later valt haar spijkerbroek op de vloer.

'Dit is niet te bevatten,' mompel ik. Ik doe mijn beha uit en kruip in mijn slipje onder de dekens, te moe om mijn pyjama aan te trekken.

'O jawel.' De matras van het andere bed kraakt als Taylor erin kruipt.

'Maar weet je... ze waren een plaatje met z'n tweeën,' zeg ik slaperig. Uitputting overvalt me als een lading bakstenen, en mijn ogen vallen dicht.

Taylor begint iets instemmends te mompelen, maar halverwege valt ze in slaap, en haar 'hm' gaat over in een luide snurk.

Wat grappig. Dat zal ik haar morgen vertellen. En dan hoor ik mijn eigen ademhaling, een diepe, snurkende zucht.

15

SPOKEN EN GEESTEN

Het is donker – donker en spookachtig, en we staan héél dicht tegen elkaar aan. Voor het eerst sinds ik ben gestopt met turnen (een sport waarbij je in het voordeel bent als je niet zo groot bent), ben ik blij dat ik niet meer dan één meter achtenvijftig meet. De meisjes die langer zijn dan ik moeten telkens bukken als we door een deuropening komen, en ze wankelen op de keitjes doordat ze hoge hakken dragen.

'Er zijn toch geen jongedames bij die last hebben van claustrofobie?' vroeg de gids, een gezette oude man met een geklede jas en een pruik op zijn hoofd, tien minuten geleden aan Miss Carter, toen we allemaal in de souvenirwinkel stonden en nog geen idee hadden van de ondergrondse tunnels waar we in zouden afdalen.

Plum wilde iets gaan zeggen, maar Miss Carter was haar voor.

'In halfdonkere nachtclubs hebben ze nergens last van,' zei ze opgewekt, en de gids moest erom grinniken. 'Dus het lijkt me geen probleem.'

Toch zijn de kleine kamers en de smalle gangen benauwend genoeg om iedereen spontaan claustrofobie te bezorgen. Het komt door de atmosfeer, de kille, vochtige lucht die door het ruwe metselwerk sijpelt, en de spookverhalen waar de gids aan refereert. We huiveren. Hij drijft ons naar een kamer die gelukkig zo groot is dat we er allemaal in passen, dicht tegen elkaar aan omdat het er zo koud en griezelig is, terwijl hij aan de andere kant van de kamer heen en weer loopt en zijn stok met zilveren knop op de keitjes laat neerkomen om zijn uitleg kracht bij te zetten. We zijn via een houten trap twee verdiepingen onder straatniveau afgedaald, maar het voelt alsof we levend begraven zijn.

'Hierboven...' zegt hij, en hij tikt met zijn stok tegen het plafond, 'hierboven ligt het centrum van Edinburgh: de Grassmarket, de Royal Mile, de sfeervolle straten van de oude stad, winkelstraten waar elke hoofdstad trots op zou zijn. Misschien dat de *young lassies* er al zijn geweest om het zuurverdiende geld van jullie vaders uit te geven aan de mooie spulletjes waar jullie zo dol op zijn.'

'Seksist,' mompelt Taylor in mijn oor.

'Maar híér,' vervolgt hij, waarbij hij met zijn stok zo luid op de stenen vloer tikt dat Lizzie van schrik een gesmoorde kreet slaakt, 'híér woonden de arme mensen van Edinburgh drie eeuwen geleden. Er zijn hier geen toiletten! Er is hier geen enkele luxe! De bedienden van de rijken schreeuwden *"Gardez loo!"* en kieperden dan overvolle emmers met drek uit het raam! Weten jullie wat ik met drek bedoel, *young leddies*? Menselijke uitwerpselen! Emmers vol, drek die door de straten stroomde, door de stegen – stegen als deze. Stel je voor dat je elke dag door de drek moet baggeren. Smerige, stinkende drek! In de negentiende eeuw stond Edinburgh bekend als Auld Reekie, vanwege de rook van de brouwerijen en de fabrieken, maar de stank van al die uitwerpselen moet het ergst zijn geweest, denken jullie ook niet?'

'Jeetje, hij geníét,' fluistert Taylor.

'En niet alleen menselijke uitwerpselen!' vervolgt hij glunderend. 'Kijk eens hier.' Hij loopt naar de lange muur achter hem en tikt tegen de zware metalen ringen, bruin van de roest, die erin verankerd zijn. 'Hier stonden de dieren. Stel je voor dat je dag in, dag uit samenwoont met je dieren die, uiteraard, ook bijdroegen aan de drek die door deze goten en langs de muur van het kasteel stroomde...'

'Ik krijg de indruk dat de man een obsessie heeft met fecaliën,' fluistert Jane tegen Miss Carter.

'Wie kan me vertellen wat voor soort dieren hier waren vastgebonden?' vraagt de gids.

Tot mijn verbazing geeft Susan antwoord. 'Koeien,' zegt ze met haar zachte stem. 'Voor de melk.'

'Precies! Goed gedaan, *young lassie*! Koeien voor de melk. En, na verloop van tijd, voor het vlees,' voegt hij eraan toe. 'De arme dieren werden hierheen gebracht en gingen nooit meer weg. Ze werden hier ter plekke geslacht, als ze oud waren, en hun bloed stroomde door deze goten...'

'Laat me eens raden,' zegt Luce, die sarcastisch uit de hoek kan komen. 'Het bloed vermengde zich met de poep en de pies?'

'Nee!' roept hij triomfantelijk. 'Er werd *black pudding* van gemaakt, de verrukkelijke Schotse bloedworst! Wie van jullie heeft die delicatesse van ons weleens gegeten?'

Hij rolt theatraal met de r, 'de verrrrukkelijke', en Lizzie en Sophia rillen zichtbaar bij de gedachte.

'Eigenlijk zijn we meer geïnteresseerd in geschiedenis,' kondigt Ms. Burton-Rice op luide toon aan. 'Kunt u ons iets vertellen over de architectuur van dit ondergrondse complex? Ik heb begrepen dat het oorspronkelijk open was.'

'Inderdaad,' beaamt de gids met een brede grijns. 'Probeert u zich eens voor te stellen dat we boven ons de lucht zagen, want zo is het eeuwenlang geweest. Mensen winkelden hier, ze gingen naar hun advocaat, ze lieten hun messen slijpen, ze kochten hier hun brood, gingen naar de kleermaker. En ze woonden hier ook, in deze kleine kamers. De plek waar we nu staan, heette vroeger de Vleesmarkt. Kan iemand me vertellen waarom?'

'Hoeren, neem ik aan,' zegt Plum. 'Hoeren die in de deuropening stonden. Net als in Amsterdam. Alleen zonder het rode licht, want dat was toen nog niet uitgevonden.'

Hier heeft de gids niet van terug. Ere wie ere toekomt, het is Plum gelukt om hem compleet van zijn stuk te brengen. Hij krabt zich op zijn hoofd, waardoor de pruik scheef komt te zitten.

'Néé,' zegt hij uiteindelijk op zwaar afkeurende toon. 'Nee, helemáál niet. We zijn hier in Edinburgh, *young leddy*, niet op het vasteland.' Hij zegt het op een toon alsof de rest van Europa een poel van verderf is. 'Nee, hier deden de slachters hun bloederige werk. De slagers. En daar,' voegt hij eraan toe, gebarend naar een ander smal steegje, 'was de Leerlooierssteeg, waar de huiden werden bewerkt. Och, wat een stánk moet hier hebben gehangen!'

Hij komt nu weer lekker op dreef. 'Maar in die tijd was je hier in de buitenlucht, zodat een deel van de stank kon ontsnappen. Rond 1750 begon de gemeente met de verdiepingen hierboven, zoals jullie die vandaag de dag zien, en drie jaar later werd de deftige Royal Exchange gebouwd, waar mensen tenminste plezierig konden winkelen. En daarmee zaten de mensen in de stegen,' besluit hij op gedempte toon, 'als ratten in de val.'

Hoewel we allemaal weten dat de mensen er nog steeds in en uit konden komen, bezorgt het ons toch de rillingen, het gevoel om levend begraven te zijn, ingemetseld in gangen en holen, zonder daglicht. Het is behoorlijk spookachtig, en onze gids glimlacht triomfantelijk als hij onze reactie ziet.

'Och, en dan heb ik het nog niet eens over de spookverhalen gehad,' zegt hij. Hij neemt ons mee naar een kleinere ruimte met een houten vloer, die kraakt als we ons een voor een door de smalle deuropening naar binnen wurmen. Ik ben een van de laatsten, en als ik in de gang sta te wachten, strijkt er een koude bries langs mijn nek, alsof er ergens verderop in de gang een deur open is gedaan.

Alleen heb ik nergens deuren gezien.

Met een ruk draai ik me om, en vanuit mijn ooghoeken steekt een donkere gedaante het steegje over en duikt weg in een ruimte een eind bij ons vandaan. Mijn hart begint te bonken.

'Wie is daar?' zeg ik in een opwelling. 'Taylor?' Ik stoot haar aan. 'Zag je dat?'

'Wat?' vraagt ze.

'Ik dacht dat ik iets... iemand zag.'

'O, doe me een lól,' zegt Nadia luid tegen Plum als ik de kamer binnenga. Ruwe planken wiebelen onder mijn voeten. 'Hoorde je dat? Scarlett doet alsof ze een spook heeft gezien. Wat vraagt ze toch altijd een hoop áándacht!'

'Er zijn veel verhalen over geesten in deze stegen,' zegt de gids direct. 'Een vrouw in het zwart, Mary King, waart hier rond. En ik zal jullie zo het verhaal vertellen over de pest die op een vreselijke manier in Edinburgh heeft huisgehouden' – vrrrreselijke – 'en over de spoken en geesten die de familie Coltheart in 1685 in deze zelfde ruimte hebben bezocht...'

Hij gebaart dat we op een lange bank tegen een van de muren moeten plaatsnemen. Alison en Luce zitten al, en als ik Alison aankijk, knikt ze naar me. Het is een erkenning van het feit dat er sinds de avond in de Shore sprake is van een detente, zoals Ms. Burton-Rice het in haar lezingen pleegt te noemen. Het is geen officieel vredesverdrag, eerder een wederzijdse afspraak om elkaar niet langer vijandig te behandelen. Luce, die ziet dat Alison knikt, tilt haar hoofd op en glimlacht zelfs voorzichtig naar me.

Wauw, wat een fijne ontwikkeling. Ik wilde dat ik er meer van kon genieten. Ik denk nog steeds dat Alison en Luce, die niet alleen fysiek behendig zijn maar ook nog steeds wrok koesteren, als eersten in aanmerking komen voor het afsteken van de rookbommen en het schrijven van dat briefje, al wil ik er niet eens aan denken dat ze mij over de trapleuning hebben geduwd, dat weiger ik te geloven. Ik kan Taylors redenering wel volgen: als zij antihistamine in mijn water hebben gedaan, is het heel goed mogelijk dat Alisons geweten opspeelde toen het ernaar uitzag dat ik te pletter zou vallen, waarop ze me alsnog heeft gered.

Als Luce en Alison inderdaad achter de aanvallen zaten, voel ik me nu weer veilig. Na de Shore en ons gezellige babbeltje met de jongens zijn we met z'n vieren teruggelopen naar de school, en toen voelde ik duidelijk dat ze waren ontdooid. Die twee meiden zijn nooit fake geweest; ze zeggen wat ze bedoelen, en ze bedoelen wat ze zeggen. Zij zouden heus niet naar me knikken of glimlachen als ze nog steeds woedend op me waren. (Als ze wisten dat we gisteravond zijn ontsnapt om met Callum en Ewan naar een feest te gaan zouden ze natuurlijk scheel zien van jaloezie, maar gelukkig hebben ze geen idee waarom Taylor en ik er vandaag zo moe uitzien.)

Op een dag – als ik achter de waarheid ben gekomen, als ik zeker weet dat ze niet hebben geprobeerd mij iets aan te doen – kunnen we misschien weer vriendinnen zijn. Dat zou ik fijn vinden. Maar nu zijn de rollen nog omgedraaid en ben ik op mijn hoede.

Ik kijk om me heen om te zien waar Plum is, en stel vast dat zij en Susan niet naast elkaar zitten. In de bus zaten ze ook al niet naast elkaar; Plum ging met veel vertoon naast Nadia zitten, en Susan koos met evenveel zorg een plaats naast een ander meisje van Wakefield Hall. Het is voor het eerst tijdens dit reisje dat ze niet met elkaar zijn verkleefd, en ik kan wel raden waarom. Het is duidelijk dat Plum Susan heeft verteld dat Taylor en ik hen vanochtend samen in bed hebben zien liggen, en nu doen ze aan totale ontkenning.

Ach, wat maakt mij het ook uit. Plum en Susan mogen wat mij betreft vér bij elkaar uit de buurt blijven of bij elkaar op schoot zitten, ik vind het best. Wat ik níét best vind, is dat Nadia mij belachelijk maakt omdat ik spoken zie en aandacht vraag, haar gouden armbanden rinkelend als ze haar haar naar achteren strijkt. En Plum, die naast haar zit, laat het haar doen.

Ik weet heel goed dat Plum bepaalt wie zij en Nadia pesten. En het is de hoogste tijd dat Plum Nadia voorgoed de mond snoert als ze mij weer eens de grond in boort.

'Het zou kunnen dat ik iets heb gezien doordat ik een beetje moe ben, Plum,' zeg ik als ik aan de andere kant naast haar kom zitten. 'Ik heb niet zo goed geslapen. Heb jij een behoorlijk bed? Het mijne is vreselijk.'

Ik kan voelen dat haar hele lichaam verstijft.

'En de matras is zo smal, hè?' voeg ik eraan toe, zonder mijn stem te verheffen, want dat is niet nodig. 'Zelfs voor één persoon is het al krap!'

'*Overkill alert*,' mompelt Taylor.

Iedereen zit nu op de bank, en de gids gebaart om stilte. Plum draait haar hoofd naar me opzij. Het is te donker om haar gezichtsuitdrukking te kunnen zien, maar het ene woordje dat ze fluistert kan ik goed verstaan. '*Please.*'

Ik heb Plum nog nooit zo gehoord. Kwetsbaar. Smekend. Wanhopig.

In mijn tijd op St. Tabby – vooral toen ik borsten kreeg, want toen pestte ze me aan de lopende band – zou ik een gat in de lucht hebben gesprongen als ik Prinses Plum eindelijk op de knieën had gekregen. En het voelt ook goed. Toch ben ik tot mijn verbazing minder euforisch dan ik had gedacht.

De gids vertelt op geheimzinnige toon een verhaal, duidelijk met de bedoeling om zoveel mogelijk meisjes de stuipen op het lijf te jagen. Maar ik luister niet. De flits die ik heb opgevangen van de figuur in de gang heeft me al de rillingen bezorgd; in mijn hoofd is geen plaats voor een spookverhaal; ik ben bang dat ik word belaagd door iemand van vlees en bloed, niet door een spook. Af en toe vang ik flarden op – 'hoofd zonder lichaam,' 'afgehakte arm,' 'ijselijke gil' – maar die gaan het ene oor in en het andere weer uit, hoewel ik kan horen dat de meisjes om me heen verrukte gilletjes slaken.

Plum zit zo stijf als een standbeeld naast me. Volgens mij dringt het verhaal ook niet tot haar door. Als de gids de duidelijk spannende ontknoping heeft bereikt en aankondigt dat we weer verdergaan, staat Plum als laatste op, haar lange benen knikkend in haar kniehoge laarzen. Ik ben de ruimte al bijna weer uit als ik voel dat iemand aan mijn mouw trekt, en ik moet een kreet van schrik onderdrukken.

Het is geen spook of een stalker. Het is Plum. Maar ze is zo wit als een doek en kijkt alsof ze net een geest heeft gezien.

'Alsjeblieft, Scarlett,' smeekt ze. 'Vertel het alsjeblieft aan niemand, en Taylor ook niet. Ik wil álles voor je doen.'

'Laat me met rust,' zeg ik terwijl ik mijn mouw lostrek uit haar greep. 'En Taylor ook. En zorg ervoor dat niemand ons lastigvalt.'

'Dat zal ik doen. Beloofd!'

Ze kijkt nog steeds doodsbang. Eindelijk heb ik Plum waar ik haar altijd wilde hebben: ik heb haar volledig in mijn macht en kan haar het zwijgen opleggen als ze weer eens een valse opmerking maakt, in elk geval als die voor Taylor of mij is bedoeld. Plum is een tijdje waanzinnig gemeen geweest tegen Taylor, en ze had Lizzie en Susan zover gekregen dat zij haar hielpen om Taylor in het nauw te drijven. En Taylor kon zich niet verdedigen, doordat Plum het geheim van Taylors broer kende.

Nou, daar hoeft Taylor niet langer bang voor te zijn, bedenk ik als ik achter de rest van de groep aan door de steeg loop. Plum keer ik de rug toe alsof ze lucht voor me is. En van nu af aan is dat ook zo.

Toch voel ik geen triomf. Raar.

Ik ga sneller lopen, want Taylor staat op me te wachten aan de staart van de sliert meisjes die zich door de smalle doorgangen kronkelt. Ze kijkt me met opgetrokken wenkbrauwen aan, twee krachtige donkere strepen die desalniettemin een vraagteken vormen.

'Volledige overgave,' fluister ik. 'Alles wat we maar willen. Ze smeekte me om niets te zeggen.'

'Ieuw,' zegt Taylor, en de twee strepen worden nu een frons.

'Ik weet het. Het is raar. Het voelde helemaal niet zo geweldig.'

'Dat verbaast me niet,' zegt ze als we een hoek om gaan. 'Want... hola!'

Het steegje is opeens zo breed geworden als een straat en duikt de diepte in. Ik ben in dit warnet mijn gevoel voor richting volledig kwijtgeraakt, maar ik neem aan dat we bij de rots zijn gekomen waar Edinburgh Castle op is gebouwd, want deze steeg loopt duidelijk langs een steile helling omlaag. Meisjes die al een eindje zijn afgedaald klampen zich giechelend aan elkaar vast.

De gids houdt een hand omhoog. 'Ik weet zeker dat mooie jonge meisjes zoals jullie het leuk vinden om voor de camera te poseren, ja toch?' Het is een retorische vraag. 'Ik durf te wedden dat jongens in de rij staan om een foto van jullie te mogen nemen!'

'Als ik een oom had zoals hij, zou mijn moeder me ervoor waarschuwen om met hem alleen te zijn,' merkt Taylor op.

En Jane sist tegen Miss Carter: 'Ik ben helemáál niet blij met die ouderwetse opvattingen van hem.'

De gids wijst met zijn stok op een balk in het hoge plafond. 'Lach eens lief naar het vogeltje! Nog vijf seconden... twee, één...'

Al is hij nog zo'n seksist, hij slaat de spijker op zijn kop. De meisjes van St. Tabby vinden het geweldig om voor de camera te poseren, en het tempo waarmee ze klaar gaan staan is indrukwekkend: bliksemsnel vormen zich groepjes op de steile helling, haren worden naar achteren geschud, bevallige poses ingenomen, witte tanden ontbloot en lippen getuit. Taylor schuift haar handen in haar zakken en trekt een gezicht als een oorwurm; zij haat het om op de foto te gaan. En ik sta daar maar, starend naar die plafondbalk, totdat er een helder wit licht aanfloept waar je oogballen zo ongeveer van gaan sissen. Na de flits zijn we allemaal tijdelijk verblind.

'Na afloop van de rondleiding is de foto te koop in de souvenirwinkel,' zegt de gids. 'Nu maar hopen dat jullie er leuk op staan – ik weet dat de dametjes altijd klagen dat ze veel te dik lijken op foto's, nietwaar?'

'Ik ga een klacht indienen!' briest Jane als we slippend en glijdend de helling afdalen.

'Heeft Plum ons wel ingehaald?' zeg ik opeens, denkend aan de staat waarin ik haar heb achtergelaten, lijkwit en trillend. Ik heb haar niet bij een van de groepjes gezien toen de foto werd genomen, en dat is helemaal niets voor haar.

Ik draai me om, een beetje bang dat ze is verdwaald in dit ondergrondse doolhof. Het is zowaar een opluchting als ik haar aan zie komen, met haar lange giraffenbenen in strakke spijkerbroek, wiebelend op hoge hakken, zodat ze zich met een hand aan de muur moet vasthouden.

En dan verstijf ik, niet vanwege Plum, maar omdat ik achter haar iets zie bewegen. Het is heel donker in de deuropening boven aan de helling, maar nu kan ik het duidelijk zien: daar staat een donkere figuur, fors gebouwd, met brede schouders, alsof de duisternis zelf de vorm heeft aangenomen die me al angstaanjagend bekend voorkomt van twee dagen geleden, toen we 's avonds door de straten van Leith liepen.

Ik pak Taylors arm beet. Deze keer wéét ik dat ik ze niet zie vliegen, en dat Taylor het ook heeft gezien, want ze draaide zich op hetzelfde moment om als ik, en ze kijkt in precies dezelfde richting.

'Kijk!' zeg ik met schrille stem. 'Dáár! Kijk dan! Er ís iemand!' Ik steek mijn vrije arm uit en wijs op de deuropening, mijn hand trillend van emotie.

Plum draait zich om, geschrokken van mijn angstige stem, en staart naar de deuropening. Op dat moment trekt de vorm zich terug in het donker en versmelt hij haast onmerkbaar met de schaduw, totdat hij geheel verdwijnt.

'Kom op, meisjes,' roept tante Gwen, die beneden aan de helling ongeduldig staat te wachten. 'Nu hebben we wel genoeg getreuzeld.'

Maar ik ga juist de andere kant op, in de richting van de schaduw.

Taylor grijpt mijn arm om me tegen te houden en sleurt me terug. 'Kom mee, Scarlett! Je tante roept ons.'

Ongeduldig probeer ik mijn arm los te rukken, maar Taylors hand lijkt wel een bankschroef. 'Laat me los!' val ik heftig uit. 'Ik ga hem achterna! Hij volgt me al dagen, wie het ook is...'

'Scarlett...' Ze houdt haar gezicht vlak voor het mijne, haar wenkbrauwen streng gefronst. 'Scarlett, er is daar niets, oké? Ik heb niets gezien. Kom op, ze wachten op ons.'

'Meisjes!' Tante Gwen klinkt woedend. 'Meekomen!'

De seconden tikken weg; wie er ook boven aan de helling naar ons stond te kijken, hij heeft nu ruim de tijd gehad om zich in een van de kleine kamertjes of steegjes van het doolhof te verbergen. En mijn kans om hem te grijpen is verkeken. Mijn schouders zakken van frustratie en woede omlaag.

'Er was wél iemand! Dezelfde figuur die ons in Leith achtervolgde!' Ik blijf protesteren terwijl Taylor me meetrekt naar de rest van de groep. 'Je móét hem hebben gezien!'

'Nee, Scarlett,' zegt ze hoofdschuddend. 'Het spijt me.'

Nu lukt het me eindelijk om mijn arm los te rukken. 'Ik geloof je niet,' zeg ik. Tranen van woede branden in mijn ogen. 'Ik geloof gewoon niet dat je niets hebt gezien. Het wás er, levensgroot!'

'Ik heb wel iets gezien,' meldt Plum, die bijna over de kop gaat als ze langs de helling omlaag trippelt. 'Er stond iemand in de deuropening. Ik heb het zelf gezien.'

'Hou toch op,' snauwt Taylor. 'Jij liegt gewoon om te slijmen.'

'Dat is níét waar!' houdt ze verontwaardigd vol.

Onder aan de helling komen we bij een klein kamertje, met houten stutten die het plafond maar net lijken te kunnen houden. We passen er met moeite allemaal in. Ik schuifel naar binnen en werk me tussen de meisjes en docenten door naar voren, zo ver mogelijk bij Taylor vandaan, want ik ben woedend dat ze me ervan heeft weerhouden om de duistere figuur achterna te gaan.

Als ik bij de voorste rij van de groep kom, zie ik iets huiveringwekkends: poppen, een houten kist vol met poppen. De kist staat tegen de muur en er komt een soort waterval van poppen uit. Op een plank erboven staan er nog meer. Ze staren met glinsterende ogen glazig en doods voor zich uit, alsof ze naar geesten kijken die alleen zij kunnen zien. Het is net iets uit een horrorfilm, en om de een of andere reden raakt het me heel diep. Ik blijf als aan de grond genageld staan. Het moeten er zeker honderd zijn, met een beige plastic huid die glimt in het felle licht van een kaal peertje aan het plafond, en nephaar van goedkope acryl.

Achter ons vertelt de gids handenwrijvend het verhaal van de poppen. Ik vang er alleen flarden van op terwijl ik als gehypnotiseerd naar de kist en de inhoud kijk.

'Nou, toen het medium in déze kamer kwam... tja, ze kon niet eens naar binnen, de arme vrouw, ze bleef op de drempel staan en zei dat ze het zó koud had dat ze zich niet kon bewegen, alsof zich hier een geest bevond...'

Sommige poppen zijn kaal, als baby's met een veel te groot hoofd, en de koppen glimmen in het licht.

'Uiteindelijk deed ze een soort seance of zoiets, en zo kwam ze in contact met de geest van een zielig dood meisje, Flora, en Flora zei dat ze haar pop miste...'

Lizzie, die naast me staat, vindt Flora zo zielig dat ze begint te snuffen.

'... en nadat de documentaire was uitgezonden, werden we overstelpt met poppen. Ze komen overal vandaan: Australië, Canada, zelfs uit China, van over de hele wereld. Volgens die

dame had Flora haar verteld dat ze aan de pest was overleden en dat haar moeder haar hier had achtergelaten...'

Lizzie begint te huilen, en daardoor houdt Susan het ook
niet langer droog. Zuchtend haalt mijn tante een pakje papieren zakdoekjes uit haar tas en ze deelt er een paar uit. Als
Susan zich naar voren buigt om het zakdoekje aan te pakken, snikkend en snuffend, strijkt ze met haar hoofd langs
het peertje; Susan is zo lang als een fotomodel. Ze merkt het
niet eens, maar het peertje, dat aan een dik wit snoer hangt,
zwaait nu heen en weer aan het plafond.

Ik weet dat ik niet nog een keer naar de poppen moet kijken. Ik weet dat het een slecht idee is. Maar ik kan het niet
helpen, de drang is sterker dan mijn gezonde verstand.

Dus kijk ik.

Dom, dom, dom. Mijn zenuwen zijn al strakker gespannen dan elastiek om een spoel; ik ben duf en kwetsbaar door
gebrek aan slaap, en ik ben volledig over mijn toeren, niet
alleen doordat ik die duistere figuur weer heb gespot, maar
vooral door het feit dat Taylor bij hoog en bij laag ontkent
dat ze iets heeft gezien, terwijl ik deze keer zeker weet dat
ik niets aan mijn ogen mankeer.

Speelt Taylor een gemeen spelletje met me? Speelt zij
onder één hoedje met de persoon die me volgt? Dat moet
haast wel – waarom zou ze anders ontkennen dat ze iets
heeft gezien, terwijl zelfs Plum bevestigt dat er iemand was?

Het schijnsel van het zwaaiende peertje gaat heen en weer,
heen en weer, zodat de kist met poppen het ene moment verlicht is en het volgende moment in duisternis gehuld. Oog-
jes glinsteren in afschuwelijk vervormde gezichtjes. Het licht
valt op de pop die boven op de stapel ligt, zodat op de kale

stenen muur erachter een sterk uitvergrote schaduw verschijnt. Mijn adem stokt, want de flits die ik opvang van het ineengedoken lichaam met het ronde hoofd lijkt precies op de vorm die ik daarnet in de deuropening heb gezien. Alleen wordt er nu een hand naar me uitgestoken, een hand in de vorm van een klauw.

Mijn zenuwen zijn totaal overspannen, en de paniek over de nabijheid van de dreigende figuur vlamt heftig op. Ik bevind me diep in een labyrint van donkere gangen en stegen en word achtervolgd door een mysterieuze figuur. En mijn beste vriendin heeft zich tegen me gekeerd en doet haar best om me gek te maken door me te vertellen dat ik ze zie vliegen. Ik kan Taylor niet vertrouwen, en dat maakt me zo onzeker dat mijn hoofd voelt alsof het elk moment kan ontploffen. Ik besef dat ik nauwelijks adem kan halen. Het volgende moment sta ik te tollen op mijn benen. En dan wordt alles zwart.

16

ER IS IETS HELEMAAL MIS MET ME

Ik zou me te pletter moeten schamen, ik zou me de ogen uit mijn hoofd moeten schamen, dat ik zo'n vreselijke scène maak over een kist met poppen en een zwaaiende lamp. En diep vanbinnen vínd ik het ook gênant, maar het is een dof gevoel dat diep is begraven onder ettelijke lagen andere emoties die veel scherper en acuter zijn. Angst. Verwarring. Paniek.

Iemand heeft me opgevangen en houdt mijn schouders vast, zodat ik niet op de grond in elkaar zak. Het is Jane.

'Heeft iemand een papieren zak?' vraagt ze gejaagd. 'Ze heeft een paniekaanval, en dan helpt het om in een zak te ademen...'

'Het is de schaduw op de muur! Net als de schaduw die we daar boven zagen!' gilt Plum. 'Ik weet waarom ze flauw-valt! Ze zag iets in de deuropening boven aan de helling. Ze zei dat iemand haar achtervolgt.'

'Ach, Flora is maar een verhaaltje, *lassie*,' sust de gids op bezorgde toon. 'Er zijn geen bewijzen voor; we hebben alleen het verhaal van dat medium. Het kan best dat zij het allemaal heeft verzonnen...'

'Giet een beetje water over haar gezicht!' oppert Miss Carter.

Ik kan nu echt niet meer ademen. Donkere vlekken dansen voor mijn ogen. Er staat druk op mijn hoofd, alsof mijn schedel krimpt, en mijn lichaam voelt steeds lichter. Mijn benen lijken wel van pudding.

En dan pakt iemand mijn arm beet, in een greep die nog steviger is dan die van Taylor, en ik word de kamer uit gesleept. Ik voel elke vinger die in mijn vlees drukt, elke vinger afzonderlijk, met de duim die zich in mijn triceps heeft geboord, en ik ben blij met de stekende pijn, want de paniek wordt er onmiddellijk door verdreven. Ik slaak een kreet van schrik, maar kan mijn longen godzijdank volzuigen met lucht als ik naar de gang word gesleurd en tegen de helling op getrokken. Dan word ik in een stenen nis geduwd, een raamopening, en ik zak in elkaar. De hand blijft mijn arm vasthouden, en ik voel de andere tegen de achterkant van mijn hoofd, dat tussen mijn knieën wordt gedrukt.

'Bloed naar het hoofd helpt tegen flauwvallen,' snauwt de stem van mijn tante boven me.

'Goed gedaan, Gwen,' zegt Miss Carter, die achter ons aan is gedraafd. 'Heel goed gedaan. Wat is er toch met Scarlett aan de hand? Op Arthur's Seat had ze last van haar menstruatie, maar ik begin te denken dat we met een echte zenuwtoeval te maken hebben.'

'Haar moeder was erg labiel,' zegt tante Gwen grimmig. 'Dat soort problemen beginnen vaak in de puberteit, zoals je weet.'

'O jeetje...' Miss Carter klakt met haar tong.

Ik probeer iets te zeggen, maar ik ben nog te versuft. Tante

Gwen is een gemene, valse heks die geen kans voorbij laat gaan om te bitchen over mijn moeder, en toch was zij de enige die de tegenwoordigheid van geest had om mij weer bij mijn positieven te brengen. Eigenlijk zou ik haar dankbaar moeten zijn.

'Ik breng haar terug naar Fetters, zodat ze kan uitrusten,' zegt mijn tante. 'Meer kunnen we op dit moment niet doen.'

'Een uitstekend idee,' vindt Miss Carter. 'Ik begrijp er niets van. Dat malle verhaaltje over een overleden meisje was volgens mij op geen stukken na schokkend genoeg om er zó heftig op te reageren. Plum zei dat Scarlett hallucineerde of zo, iets met een schaduw. Als we terug zijn op Wakefield laten we haar nakijken door een dokter.'

'Niet alles tegelijk,' zegt tante Gwen. 'Scarlett, til je hoofd op en haal heel diep adem vanuit je middenrif. Kom op, behéérs je!'

Het is verbijsterend, maar de ruwe behandeling van mijn tante werkt. Ze heeft mijn arm losgelaten, maar die klopt nog steeds, zodat ik me op de pijn kan richten. Met pijn kan ik omgaan. Het is veel moeilijker om met paniek te dealen. Als ik, op bevel van mijn tante, mijn hoofd optil, zie ik geen zwarte vlekken meer en tolt mijn hoofd niet langer.

'Miss Carter, wat gebeurt er?' Taylor komt aan sprinten, en ze klinkt net zo paniekerig als ik daarnet. 'Hoe is het met Scarlett?'

'Dat weten we niet precies, Taylor,' verzucht Miss Carter. 'Haar tante brengt haar terug naar Fetters. Ze heeft rust nodig. We zijn benieuwd wat de verpleegster ervan zal zeggen.'

'Ik ga mee!' zegt Taylor direct. 'Ze kan beter niet alleen zijn. Ik ga wel bij haar zitten op onze kamer...'

'Bedankt, Taylor,' snauwt tante Gwen, 'maar ik ben heel goed in staat om in mijn eentje voor een hysterische tiener te zorgen.'

'Nee... Miss Carter, Miss Wakefield, mag ik alstublíeft mee?' Taylor klinkt nu zelf hysterisch. 'Ze is mijn beste vriendin! Mag het, alstublieft?'

'Ach, het kan geen kwaad als...'

'Néé!' val ik Miss Carter luid in de rede. 'Ik wil niet dat ze meegaat!'

'Scarlett!' kermt Taylor. 'Scarlett, je móét...'

'Ik moet helemaal niks!' gil ik terug. 'Ik wéét dat jij die geest hebt gezien... Nee, geen geest, het was écht... Ik wéét dat je het hebt gezien! Je líegt tegen me, niet alleen nu, maar ook toen we terugliepen van de Shore. Je hebt er nu al twéé keer over gelogen!'

'Ik kan het uitleggen...' begint ze, maar verder komt ze niet.

'De situatie is volledig uit de hand gelopen,' briest tante Gwen met een stem die druipt van venijn. 'Ik breng Scarlett nú terug naar de school. Clarency, neem Taylor alsjeblieft snel weer mee naar de groep, voordat de meisjes allemáál hysterisch worden.'

Miss Carter draait zich om. 'Kom mee, Taylor. Dit doet Scarlett beslist geen goed.'

Ik kijk naar Taylor; ze is zo wit als een doek. Ze loopt langs Miss Carter heen, rent naar me toe en laat zich naast me op haar knieën vallen, zodat ze me kan aankijken.

'Scarlett, laat me alsjeblieft met je meekomen!' smeekt ze. 'Alsjeblíeft! Ik kan alles uitleggen. Laat me gewoon met je meegaan naar school...'

'Laat me met rust,' zeg ik kwaad, en mijn stem weergalmt tussen de stenen muren. 'Ik kan je niet meer vertrouwen! Zelfs Plúm heeft dat ding gezien, wat het ook was. Het klópt gewoon niet dat jij tegen me blijft liegen en dat Plum me bijvalt. Het is één grote bende, ik weet niet meer wat ik moet denken.'

Tante Gwen sjort me overeind. 'Je hoort het,' zegt ze boven mijn hoofd tegen Miss Carter, 'deze twee meisjes hebben duidelijk een ongezond hechte band met elkaar gekregen. Dat komt er nou van als je alleen maar meisjes bij elkaar zet.'

'Wát!' zegt Taylor verontwaardigd, en ze springt overeind. 'Wat een kul! U vond het niet goed dat Scarlett haar vriend zag! Als u bang bent voor een "ongezond hechte band" tussen mij en Scarlett, waarom mocht zij Jase dan niet zien?'

'Sinds wanneer is Jase Barnes Scarletts vriend?' zegt Miss Carter verbaasd, en dan schudt ze haar hoofd. 'Het moet niet veel gekker worden. Gwen,' vervolgt ze beslist, 'je hebt volkomen gelijk. Taylor, ik wil geen woord meer horen. Je gaat nu met me mee.'

'Maar, Miss Carter...'

'Geen woord meer, zei ik!' blaft Miss Carter, nu weer helemaal de gymjuf die weet hoe ze onwillige meisjes moet drillen.

Tante Gwen voert me in hoog tempo mee door de smalle ondergrondse gangen, zonder ook maar één keer te aarzelen; het is alsof ze hier haar hele leven heeft gewoond. Al na een paar minuten beklimmen we de houten trap, en we komen uit in de souvenirwinkel. Mensen gapen ons aan als we recht op de deur afstevenen en naar buiten gaan. Het is druk op de Royal Mile, en ik schrik me rot van alle mensen en de touringcars die langsrijden; ik kan het helemaal niet aan. Te veel werkelijkheid, te veel verwarring.

Maar tante Gwen kan het prima aan. Misschien is zij echt de aangewezen persoon om voor iemand met oververhitte emoties te zorgen. Ze houdt vrijwel direct een taxi aan en zet me als een zoutzak op de achterbank. Het vertrouwde snorren van de motor werkt rustgevend, en in een kwartier rijden we terug naar Fetters, zonder een woord met elkaar te wisselen.

Tante Gwen neemt me niet mee naar de ziekenboeg. Daar ben ik haar ook dankbaar voor, want dat mens was de eerste keer dat ze me onderzocht ronduit onuitstaanbaar. Jeetje, wat zou ze sarcastisch kijken als ik voor de tweede keer in drie dagen tijd met een appelflauwte bij haar binnen werd gebracht. In plaats daarvan koersen we door de grote hal in marstempo naar de trap aan de achterkant. We klimmen naar de tweede verdieping, en dan via een reeks branddeuren naar een moderne vleugel van de school, die zó goed is verborgen achter de victoriaans-gotische façade dat ik het bestaan ervan niet eens had vermoed. Deze vleugel is duidelijk voor de docenten – tante Gwen heeft er haar eigen suite, met kamers die even ruim en luxueus zijn als die van de leerlingen klein en ouderwets.

Aha, dus hier gaat een groot deel van het schoolgeld naartoe, denk ik, de cynische kleindochter van de directrice van een kostschool. Ik durf te wedden dat de ouders dit bijgebouw nooit te zien krijgen.

Tante Gwen stiefelt naar de zitkamer en wijst op een stoel waar ik moet gaan zitten, terwijl zij druk in de weer gaat in de aangrenzende kitchenette. Aan een kant van de zitkamer is een deur naar een slaapkamer, duidelijk met badkamer. De zitkamer is mooi ingericht, met een leren bank en twee bijpassende leunstoelen rond een salontafel, een bureau en boekenkasten tot aan het plafond. Twee grote ramen kijken uit over het parkeerterrein en de voetbalvelden van Fetters erachter.

'Hier, opdrinken.' Tante Gwen komt terug met een beker thee en zet die voor me neer op de salontafel – op een onderzetter uiteraard. 'Ik heb er extra veel suiker in gedaan, dat is altijd goed bij een shock.' Ze gaat in de andere leunstoel zitten. 'O, en zet dat raam naast je open,' voegt ze er met een knikje aan toe. 'Frisse lucht is ook goed voor je.'

Niet doen wat tante Gwen zegt is uitgesloten, dus ik sta gehoorzaam op, draai aan de verchroomde knop en zet het zware raam met dubbel glas een klein eindje open, in de hoop dat het genoeg is. Als ik me omdraai voel ik een koude bries in mijn nek, en ik moet toegeven dat ze gelijk heeft: ik word er wakker van.

Ik ga weer zitten, pak de beker en blaas in de thee om die sneller te doen afkoelen. De thee is loeisterk.

'Helemaal leegdrinken,' beveelt ze, en ze kijkt me met haar uitpuilende toverballenogen strak aan.

Een van tante Gwens meest effectieve machtsmiddelen is zwijgen. Terwijl ze me onafgebroken blijft aankijken, drink ik braaf de hele beker thee leeg. De opwekkende werking van de suiker en de cafeïne, in combinatie met de koele lucht die langs mijn gezicht strijkt, verdrijft het laatste restje duizeligheid van mijn flauwte, en ik voel me zo goed als mogelijk is – gezien de omstandigheden wel te verstaan. Ik ben daarnet even helemaal van de wereld geweest en zit nu tegenover mijn vreselijke tante, die vermoedelijk een van haar zenuwslopende preken over mijn waardeloze persoontje gaat afsteken.

Ik haal diep adem en bereid me mentaal voor op de aanval. Maar de eerste vraag had ik totaal niet verwacht.

'Heb je nog steeds contact met Jase Barnes, Scarlett?' Ze buigt zich naar voren en strijkt haar tweedrok glad. 'Taylor zei daarnet dat hij je vriend was. Ik heb je eerder dit jaar in niet mis te verstane bewoordingen te kennen gegeven dat je met hem moest breken. Gezien de narigheid met zijn vader en Jase' verdwijning leek het me vanzelfsprekend dat je geen contact meer met hem zou hebben.'

Ik bijt op de binnenkant van mijn lip en bereid me voor op de taak een hele trits leugens te moeten opdissen. Het heeft geen enkele zin om met haar in discussie te gaan: ik woon in haar huis en ze heeft maanden geleden aangekondigd dat zij er, als ik met Jase bleef omgaan, alles aan zou doen wat in haar vermogen ligt om van mijn leven een nog grotere hel op aarde te maken dan ze tot nu toe heeft gedaan.

'Nee, tante Gwen,' jok ik, en ik schuif een hand onder mijn dij om mijn vingers te kunnen kruisen. Het is misschien mal bijgeloof, maar na wat er afgelopen nacht in de steengroeve is gebeurd – ik bloos al als ik eraan denk – is onze relatie nog belangrijker voor me geworden.

Helaas is het niet genoeg; tante Gwen kijkt in de verste verte niet overtuigd.

'Hij is weg,' zeg ik. 'Ik heb sinds hij weg is gegaan niets meer van hem gehoord. Ik ging niet eens met hem om toen al die dingen gebeurden. Ik wilde hem alleen helpen omdat ik ervan overtuigd was dat hij onschuldig was.'

Om al die leugens te kunnen verkopen, roep ik herinneringen op aan de vreselijke tijd waarin hij me niet belde, wekenlang, en aan de vorige dag, toen ik dacht dat het uit was. Ik stel me voor dat het zo gaat als je actrice bent: ze zeggen tegen je dat je aan iets naars moet denken, dat je hond doodgaat of zo, om op bevel te kunnen huilen. Ik voel dat ik diep ongelukkig ga kijken, dat mijn mondhoeken omlaag zakken.

Aan tante Gwens uitdrukking kan ik zien dat het werkt; ze knikt voldaan.

'De familie Barnes is uitschot,' zegt ze. Ze leunt achterover en slaat haar benen over elkaar. 'Denk eens aan die grootmoeder! En aan de zielige muis met wie Kevin is getrouwd!'

Volgens mij heb ik mijn tante nog nooit iets aardigs horen zeggen over een andere vrouw, peins ik, maar voor arme Dawn heeft ze echt geen goed woord over. Jase' moeder is niet bepaald snugger, toegegeven, maar ze bedoelt het goed, en dat kun je van tante Gwen met de beste wil van de wereld niet zeggen. Het is een beetje vreemd dat ik haar in gedachten bij haar voornaam noem, maar als je Dawn ontmoet, weet je gewoon dat het niet goed zou voelen om haar als een volwassene te behandelen. Als je haar en Lizzie Livermore op volwassenheid zou testen, zou Lizzie winnen.

'Ik krijg de indruk dat u Dawn – Jase' moeder – niet aardig vindt.'

'Er valt van haar niets te vinden,' bitst ze met ogen die vuur schieten. 'Dawn Barnes is gewoon niets. Ze was niet mooi toen Kevin met haar trouwde, en nu al helemaal niet meer.'

Jeetje, wat is ze hard, mijn tante. Maar als je haar ziet, begrijp je wel waarom ze zo kattig doet over het uiterlijk van andere vrouwen. Arme tante Gwen stond niet vooraan toen de zeven schoonheden werden uitgedeeld; ze lijkt op haar vader, en mijn grootvaders stoere, mannelijke trekken en grote, stevige bouw laten zich niet naar een vrouwelijke variant vertalen. Met haar eeuwige twinsets, parelketting en orthopedische schoenen ziet ze er bovendien uit als een oude vrijster in een Agatha Christie uit 1940. Ze zou er dus íéts aan kunnen doen met een goede kapper, een wenkbrauwpotlood, andere kleren. Maar het is waar dat de basis weinig hoopgevend is. En dan heeft ze ook nog de pech dat ze een schildklieraandoening heeft, met als gevolg dat haar ogen uitpuilen als die van een opgeblazen kikker.

Ik zie er totaal niet uit alsof ik familie van haar ben; ik lijk als twee druppels water op veel van de Wakefield-vrouwen op de familieportretten: klein postuur, witte huid, blauwe ogen, donker, krullend haar. Mijn moeder was een verre achternicht van mijn vader, dus ik heb van twee kanten Wakefield-bloed, wat verklaart waarom de gelijkenis tussen mij en de vrouwen in hoepelrokken of japonnen met een queue de Paris zo opvallend is. Tante Gwen háát me erom, maar ik kan het toch niet helpen?

En zonder al te vals te willen zijn, ik vind echt dat mijn tante voorzichtiger moet zijn met haar commentaar op het uiterlijk van andere vrouwen. Ik bedoel, wie in een glazen huisje zit, moet niet met stenen gooien.

Ik doe mijn ogen even dicht, want ik voel me een beetje

versuft. Ik knijp mijn oogleden stevig op elkaar en schud mijn hoofd in een poging om wakker te worden.

'Dus je hebt geen contact meer met Jase Barnes?' vraagt tante Gwen. 'En je weet ook niet of hij van plan is om terug te komen naar Wakefield?'

'Nee,' zeg ik, en ik doe mijn ogen weer open. Waarom houdt ze er niet over op? Ik heb toch al gezegd dat ik geen contact met hem heb.

Ik draai mijn hoofd naar het raam om de kou op mijn gezicht te kunnen voelen. Ik ben alweer een beetje duizelig. Waarschijnlijk doordat ik vannacht bijna niet heb geslapen.

'Ik denk dat ik even moet gaan liggen,' zeg ik tegen mijn tante, en ik onderdruk een gaap.

'Nog niet,' zegt ze beslist. 'We hebben nog meer te bespreken.'

O ja? Tot nu toe heeft ze me alleen maar een paar keer achter elkaar dezelfde vraag gesteld.

'Ik voel me niet lekker,' zeg ik verontschuldigend.

'Blijf zitten waar je zit,' zegt ze kalm. 'In die stoel zit je goed.'

Het is waar, het is een erg fijne stoel, hij zit heerlijk, alleen is het zo moeilijk om me in tante Gwens bijzijn te ontspannen. Nee, daar kom ik op terug; het is onmogelijk.

'Heb jij je ooit afgevraagd, Scarlett,' babbelt ze verder, 'waarom ik de portierswoning betrokken heb? En niet de privévertrekken van Wakefield Hall? Bijna een hele verdieping van de Hall is opgeknapt voor jouw vader en moeder. Die verdieping is nu afgesloten, en ik woon in de piepkleine cottage waar vroeger het allerlaagste lid van het personeel werd ondergebracht.'

Ik zet grote ogen op. 'Ja,' geef ik toe, 'dat heb ik me wel-eens afgevraagd.'

Ze knikt. 'Het was een idee van mijn moeder,' zegt ze. 'Na de dood van jouw ouders. Ze wilde dat jij bij mij kwam wonen, dat ik je groot zou brengen; ze wilde dat ik een band met je zou krijgen. Ik moest je nieuwe moeder worden.' Ze snuift om aan te geven hoe belachelijk ze dat idee vindt. 'Met z'n tweeën in dat... dat armoedige hútje, vreselijk! Wat bezielde haar?'

Ze buigt zich nu weer naar voren. 'Maar je beseft natuur-lijk dat ze in feite een heel ander motief had. Ze was bang – doodsbang dat ik iets met de dood van jouw ouders te maken had gehad. Het was een onverteerbare gedachte. Ze liet jou door mij grootbrengen om voor zichzelf te bewijzen dat ze het niet geloofde. En, neem ik aan, om te voorkomen dat jou iets zou overkomen. Zolang ik verantwoordelijk voor je was, redeneerde zij, zou het voor mij te link zijn om jou iets te laten overkomen.'

Mijn mond hangt open; ik ben met stomheid geslagen. Dit is zo onverwacht, en zo totaal niet te bevatten, dat ik geen idee heb wat ik zou moeten zeggen. Bovendien voelt mijn hoofd alsof er watten in zitten; mijn lippen willen niet nor-maal bewegen.

'En ze had gelijk.' Tante Gwen glimlacht. Het is alsof je een krokodil zijn tanden ziet ontbloten. 'Het zou veel te ver-dacht zijn geweest als jou een ongeluk was overkomen toen je klein en kwetsbaar was. Dat risico kon ik niet nemen.'

'Maar Mr. Búrnes heeft mijn ouders gedood!' weet ik uit te brengen. 'Hij heeft ze aangereden met zijn bestelwagen toen zij op hun scooter reden!'

Tante Gwen klapt spottend in haar handen. 'Denk nou toch eens even ná, Scarlett! Je bent toch niet achterlijk? Heb je je weleens afgevraagd waarom Kevin sir Patrick en lady Wakefield heeft aangereden? Waarom zou hij zijn vrijheid op het spel zetten als het hem niets opleverde? Denk je soms dat hij een moordlustige maniak was? Waar sláát dat nou op? Je bent al net zo'n grote idioot als je moeder, die poezelige trut. Kevin heeft je ouders om het leven gebracht zodat ik de Hall kon erven, schatje. We hadden het samen beraamd.'

Dit kan ik gewoon niet geloven. Ze speelt een afschuwelijk spelletje met me, ze kwelt me. Ze weet dat niemand me zal geloven als ik vertel wat ze tegen me heeft gezegd, omdat het zo bespottelijk en krankzinnig is.

Ik probeer mijn hoofd te schudden, maar het is zo zwaar als lood. Er is iets helemaal mis met me.

'Vind je het vervelend om dit te horen, Scarlett?' zegt tante Gwen met een nog bredere glimlach. 'Waarom ga je dan niet weg? Ik hou je heus niet tegen.'

Ik leg mijn handen op de armleuningen van de stoel, maar ik kan mezelf niet omhoog drukken. Ik ben als verlamd; mijn botten lijken van piepschuim, mijn spieren van spinrag. Ik kan geen kracht zetten; mijn armen zakken slap langs mijn lichaam.

'Antihistamine heeft altijd dit effect op je gehad,' vertelt ze me. 'Ik heb het je een keer gegeven toen je klein was en last had van hooikoorts. Binnen de kortste keren was je buiten westen.' Ze kijkt dromerig. 'De verleiding was érg groot, dat kan ik je wel vertellen! Maar zoals ik net al zei, het was te vroeg. Vorige week heb ik dezelfde pillen gekocht, en ik heb er een paar in je waterfles gedaan. Ik hoopte dat je zou vallen en je nek zou breken.' Ze haalt haar schouders op. 'Dat ging jammer genoeg niet door.'

'Taylor zei... antihistamine...' mompel ik.

'Taylor is niet gek,' beaamt ze. 'Daarom was ik opgelucht dat je niet wilde dat ze vanmiddag met ons mee terug zou gaan. De hemel mag weten wat er opeens speelt tussen jullie, maar mij kwam het goed uit. Er zaten vier verpulverde pillen in je thee – je moet nu behoorlijk versuft zijn. Ik hoop alleen dat je begrijpt wat ik je vertel. Ik zou het heel teleurstellend vinden als het niet tot je doordrong.'

'U... en Mr. Barnes?' Ik merk dat ik bijna geen gevoel meer heb in mijn lippen.

Ze knikt kort. 'We hadden samen een relatie,' zegt ze, en ze kijkt nu weemoedig, bijna kwetsbaar. 'Maar het was natuurlijk onmogelijk. Hij was de zoon van de tuinman, en ik ben een Wakefield. Ongehoord! Maar Kevin is altijd ambitieus geweest. Toen ik duidelijk maakte dat niemand mocht weten dat wij iets met elkaar hadden, werd hij woedend. Kevin was erg opvliegend. Hij wilde me niet meer zien en trouwde met de eerste de beste vrouw die hij tegenkwam: dat domme gansje, Dawn.' Nu fronst ze haar wenkbrauwen. 'Dat werd natuurlijk niets. Het kon ook niet. Ze was dodelijk saai. Wij gingen elkaar weer zien. Nou, en toen bedachten we dat ik veel meer van mijn moeder zou erven als jouw vader van het toneel verdwenen was.'

Ze kijkt me recht in de ogen. De hare fonkelen. 'Patrick is altijd haar lieveling geweest,' zegt ze verbitterd. 'De zoon – haar eerstgeborene – die dienst nam in het leger, die met een nicht trouwde, een Wakefield. In haar ogen deed hij alles goed. En toen ze jou kregen, en toen duidelijk werd dat je een volmaakte Wakefield-kloon zou worden, bestónd ik niet eens meer voor mijn moeder. Alles ging naar Patrick, álles. Ik bedacht dat het allemaal anders zou zijn als Patrick er niet meer was – en je moeder ook niet, want mijn moeder aanbád haar.' Ze zucht. 'Ik wilde jou natuurlijk ook het liefst uit de weg hebben. Dat zou het beste zijn geweest. Maar Kevin wilde het niet doen. "Geen klein meisje," zei hij. Hij bleek ineens toch wel scrupules te hebben.' Ze lacht, maar zonder een spoortje humor.

'Hij kon het trouwens sowieso niet aan,' vervolgt ze op verwijtende toon. 'Hij had last van wat hij had gedaan. God, wat een slappeling was die man. Nadat hij je ouders had aangereden, dook hij in de whiskyfles. Om woest van te worden! Hij wilde me niet meer zien – hij verweet mij dat ik hem had overgehaald, terwijl het net zo goed zijn idee was als het mijne.' Ze knijpt haar ogen half dicht. 'Wat een loser! Ik zou me nóóit zo laten gaan! Gelukkig heeft mijn moeder nooit het verband gelegd, al moet ze zeker vermoed hebben dat ik erbij betrokken was. Dat wéét ik gewoon. Anders zou ze me nooit naar de portierswoning hebben gestuurd. Of mij met jou hebben opgezadeld. Jézus, dat waren de ergste jaren van mijn leven. Wachten, steeds maar wachten totdat jij oud genoeg zou zijn, zodat het minder verdacht zou lijken. Totdat ik me eindelijk van jou zou kunnen ontdoen en ik de enige erfgename van Wakefield Hall zou zijn, of mijn moeder het nou leuk vond of niet.'

Ze laat een stilte vallen.

'Enfin, dit leek me de ideale gelegenheid, helemaal in Schotland, ver bij Wakefield vandaan. Het moet natuurlijk op een ongeluk lijken. De rookbomen waren een érg goed idee, vind je ook niet? Ik wist dat niemand een docent van zoiets zou verdenken. En het briefje dat ik in je kamer heb gelegd!'

Tante Gwen straalt nu van morbide trots. 'Zo slim! Al die meisjes van St. Tabitha in hetzelfde gebouw; er moest wel iemand bij zijn met wie jij ooit ruzie hebt gehad. Ik weet precies hoe tienermeisjes zijn – vandaag zijn het beste vriendinnen, morgen gezworen vijanden. Doodzonde dat zo'n goed plan in het honderd liep.' Ze slaakt een zucht. 'Was je maar doodgevallen... Ik heb je hard genoeg geduwd, dat weet jij net zo goed als ik. Het zou perfect zijn geweest. Ze zouden de rookbommen en het briefje vinden, en iedereen zou denken dat het een uit de hand gelopen streek was geweest.'

Ik probeer me overeind te drukken, uit alle macht. Eerst wil ik mijn voeten onder me krijgen zodat ze mijn gewicht kunnen dragen. Maar mijn benen zijn te slap; ik kan niet op eigen kracht opstaan uit mijn stoel, uitgesloten. Er komt paniek opzetten. Het klinkt misschien totaal ongeloofwaardig dat ik niet eerder bang ben geworden, maar door de antihistamine heb ik het gevoel dat ik in dikke dekens ben gewikkeld; het duurt eeuwen voordat dingen tot me doordringen, voordat ze echt lijken. Laat staan zo'n krankzinnig verhaal als dat van tante Gwen.

Toch weet ik dat het waar is, woord voor woord. Ze geniet ervan om het me te vertellen, dat zie ik aan de kwaadaardige glinstering in haar ogen. Alles sluit als een bus – vooral omdat het laatste puzzelstukje nu op zijn plaats valt: Mr. Barnes' motief om mijn ouders aan te rijden. En het verklaart waarom zowel Mr. Barnes als mijn tante over de rooie was toen ze in de gaten kregen dat Jase en ik verliefd op elkaar waren.

'Het is tijd,' kondigt ze aan. Ze gaat staan en strijkt haar rok glad, een heel gewoon, alledaags gebaar dat een schril contrast vormt met wat ze gaat doen.

Ik schud als een wilde mijn hoofd, voel dat er een schreeuw opkomt in mijn binnenste, een schreeuw die door mijn mond naar buiten wil komen, maar ik kan nauwelijks enig geluid maken.

'Ik heb geen idee waarom je vanochtend volhield dat je een geest had gezien,' zegt ze bijna opgewekt. 'Dat soort aanstellerige nonsens is niets voor jou. Maar het komt prima in mijn kraam te pas. Je bent in drie dagen tijd twee keer van je stokje gedaan. Je gedraagt je zo hysterisch dat iedereen denkt dat je elk moment een zenuwinzinking kunt krijgen. Mijn verhaal hoeft dus niet ingewikkeld te zijn: ik heb je meegenomen naar boven om met je te praten, Scarlett, omdat ik me zorgen maakte. Je bent per slot van rekening mijn nicht. Ik ben nog een keer thee gaan zetten, en toen ik terugkwam, stond het raam open. En jij was weg.'

Ze komt naar me toe, bukt zich en hijst me overeind uit de stoel. Ze is echt onvoorstelbaar sterk; ik probeer me te verzetten, maar ik ben zo slap als een vaatdoek. Ik heb geen puf, geen greintje puf. Als Taylor en ik keihard hebben gesport en onze spieren voelen als toffee, hebben we vaak niet eens genoeg energie om de afstandsbediening van de tv te pakken, en kijken we liever naar een stom blablaprogramma dan dat we een arm optillen. Zo is het nu ook. Tante Gwen sleurt me aan mijn sweater uit mijn stoel; ze wil me natuurlijk liever niet aanraken uit angst blauwe plekken op mijn huid te maken. Mijn voeten slepen over de vloer als ze me met kordate rukjes naar het raam trekt.

'Je hebt het zelf opengezet,' zegt ze voldaan. 'Ik heb expres gevraagd of jij het wilde doen, voor het geval iemand achterdochtig wordt – jouw vingerafdrukken staan op de knop. Je had behoefte aan frisse lucht, maar je leunde te ver naar buiten. Een tragisch ongeval. Ik ga geen zelfmoord in scène zetten, al schijnt het heel vaak voor te komen onder tienermeisjes. Maar goed, van mij mag de politie het natuurlijk best denken...' Ik voel dat ze haar schouders ophaalt. Dan stoot ze met een elleboog het raam verder open, en ze begint me door de opening te duwen, naar de vensterbank.

Ik doe het enige wat ik kan verzinnen: ik laat me slap tegen haar aan vallen en maak mezelf zo zwaar mogelijk. Als een dweil hang ik over de vensterbank. Ze probeert me grommend omhoog te sjorren, maar de neuzen van mijn schoenen blijven haken onder de verwarmingsradiator. Ik zit vast.

Ze stort een waterval van schuttingtaal over me uit – onder alle andere omstandigheden zou ik geschokt zijn geweest dat tante Gwen zulke lelijke woorden kent. Ik bungel als een lappenpop aan haar handen, en ik voel dat ze haar knie tegen mijn onderrug zet in een poging om mijn voeten los te krijgen, zodat ze me naar buiten kan duwen.

Ik probeer terug te duwen, me naar achteren te laten vallen, mezelf zo zwaar te maken dat ze de laatste zet niet voor elkaar krijgt. Het is ijskoud buiten, de wind snijdt in mijn gezicht, tilt mijn haar op, mijn vingers raken verdoofd van kou, en het verzwakt me. Ik ben uitgeput, in shock, en versuft door de medicijnen; diep in mij broeit het besef dat het mijn tante is die dit doet, mijn eigen vlees en bloed. Mijn tante, die al eerder heeft geprobeerd me te vermoorden. En deze keer gaat het haar lukken...

Mijn nek wiebelt en mijn hoofd valt voorover, hoe ik ook mijn best doe om het overeind te houden. En dat wordt me fataal. Het hoofd van een volwassene weegt ongeveer vijf kilo – dat is me tijdens het turnen jarenlang ingeprent: dat ik mijn hoofd naar mijn borst moest brengen als ik een salto maakte. Het extra gewicht helpt bij het rollen.

En nu helpt het tante Gwen, want zo kiepert mijn gewicht vanzelf naar voren – naar buiten. Over de vensterbank. Het raam uit. Met mijn kin tegen mijn borst kijk ik omlaag. Ik zie asfalt. Het lege parkeerterrein. Er staat zelfs geen auto die mijn val zou kunnen breken.

Ze heeft het slim gepland. Er is geen gazon onder het raam, geen zacht gras. De val wordt mijn dood, geen twijfel mogelijk.

Ik doe mijn ogen dicht, ik ben niet flink genoeg om te kijken als ik val.

En dan word ik met zo'n harde ruk naar binnen getrokken dat ik mijn kin stoot aan het raamkozijn. Een steek van pijn schiet door me heen als ik met een plof op de vloer val. Ik trek mijn knieën omhoog tegen mijn borst en rol me tot een bal om mijn gezicht te beschermen, want tante Gwen en iemand anders zijn aan het vechten. Hun voeten schuifelen rakelings langs me heen, en een van de twee struikelt over mijn been. Ik probeer zo goed en zo kwaad als het gaat weg te kruipen.

Ik druk mijn rug tegen een van de stoelen en trek mijn benen zo hoog mogelijk op. Dan doe ik mijn ogen open, en ik kan niet geloven wat ik zie: tante Gwen en Taylor, die heen en weer bewegen in de raamopening. Nee, niet Taylor, dat is nou juist het onbegrijpelijke. Het is een mannelijke versie van Taylor, een grotere, met hetzelfde ruige haar, dezelfde brede schouders, hetzelfde sprekende gezicht.

De radertjes in mijn bovenkamer komen zo langzaam op gang dat ik er bizar lang over doe om te snappen wat iedere sukkel meteen zou hebben geweten.

'Seth!' zeg ik ten slotte. 'Jij bent Séth!'

Hij draait zich om bij het horen van zijn naam, tijdelijk afgeleid. Zijn dikke haar valt voor zijn ogen en zijn greep op tante Gwen verslapt. Zwaar hijgend tilt ze een arm op, en haar hand komt als een klauw op zijn gezicht af om hem te krabben. Ik slaak een kreet om hem te waarschuwen. Seth ziet haar hand en slaat hem weg, vlak voordat haar nagels contact maken met zijn huid.

En door die klap verliest ze haar evenwicht. Haar voeten glijden weg, haar benen vliegen omhoog. Wanhopig graait ze naar het raamkozijn, en mist. Het lijkt wel alsof ze in het luchtledige zit. Haar rok kruipt omhoog, haar achterste zakt weg. Haar hoofd schokt, haar ogen puilen erger uit dan ooit, en ze opent haar mond om te gillen.

Het laatste wat ik van mijn tante zie, zijn de zolen van haar schoenen als ze van de vensterbank valt, achterover in het niets. Haar gil klinkt ijl en ver weg; het is de gil van iemand die weet dat ze al dood is.

17

'IK HOU HEEL ERG VEEL VAN JE, SCARLETT'

In gedachten verzonken speel ik met iets in mijn hand. Het is een hanger aan een zilveren ketting, een helderblauwe steen waarvan ik eerst dacht dat het een aquamarijn was, in een simpele zilveren zetting. Vroeger was de ketting van mijn moeder; ze kreeg hem van mijn vader op mijn vierde verjaardag, omdat de steen dezelfde kleur had als mijn ogen. Wakefield-blauw, noemde zij die kleur, en mijn vader heeft kosten noch moeite gespaard om een steen in exact die kleur te vinden.

Toen Mr. Barnes op die zomerdag zo lang geleden mijn ouders aanreed, stopte en uit zijn auto kwam om te controleren of ze echt dood waren, haalde hij de ketting van mijn moeders hals. Als een trofee. En hij gaf hem aan zijn vrouw Dawn, de moeder van Jase. Hij zei tegen haar dat ze de ketting nooit in het openbaar mocht dragen, dat ze hem aan niemand mocht laten zien. Dat maakte haar wantrouwig, dus ze heeft hem nooit gedragen.

Dawn, die schuwer is dan een bedreigde diersoort, was niet dapper genoeg om lastige vragen te stellen. Doodsbang voor haar vaak ladderzatte en gewelddadige man, borg ze de hanger op in een la en deed ze alsof hij niet bestond. Jaren later, toen Jase en ik begonnen te daten, herinnerde hij zich de ketting die zijn moeder had achtergelaten, en hij gaf hem aan mij, omdat de kleur van de hanger zo goed bij mijn ogen paste.

Ik was er meteen helemaal weg van en deed hem niet meer af. Totdat Lizzie Livermore die, wat je verder ook van haar kunt zeggen, een expert is op het gebied van dure juwelen, er beter naar keek en me liet weten dat het helemaal geen aquamarijn was. Het is een rondgeslepen blauwe diamant, héél zeldzaam en héél waardevol. En toen ik dat eenmaal wist, ben ik op zoek gegaan naar het verhaal achter de hanger, zoals je aan een los draadje trekt en dan een heel kledingstuk uitrafelt.

Nu ik eenmaal weet dat de steen een diamant is, vraag ik me af hoe ik ooit heb kunnen denken dat hij iets anders was. Hij schittert als ik hem in het licht houd, maar de blauwe laag onder de flonkerende oppervlakte is fluwelig, met een diepte die volgens Lizzie karakteristiek is voor een diamant.

Ik heb er altijd voor gezorgd dat tante Gwen me de hanger nooit heeft zien dragen, want die was een cadeau van Jase, en zij was zo fel tegen onze relatie dat ze iets wat ik van hem had gekregen onmiddellijk zou confisqueren. Dat was natuurlijk voordat ik de herkomst van de ketting ontdekte. Achteraf besef ik dat het mijn tante woedend zou hebben gemaakt als ze had geweten dat Mr. Barnes mijn moeders ketting aan Dawn had gegeven. Ik concludeer eruit dat hij weliswaar met mijn tante heeft samengezworen om mijn ouders te doden, maar dat zijn motief puur en alleen bestond uit de zucht naar financieel gewin. Als hij de moeite nam om de ketting van mijn moeders hals te trekken omdat hij hem aan zijn eigen vrouw wilde geven, moet hij van haar hebben gehouden.

Het roept gruwelijke beelden op, en ik slik moeizaam. Het is vreselijk. En alles was voor niets geweest. Tante Gwen was zo mogelijk nog slechter af na de dood van haar broer en schoonzus; Barnes greep naar de fles en wilde niets meer van haar weten, en tot overmaat van ramp werd ze samen met een wees van vier naar de portierswoning verbannen.

Ik kan er niet te lang bij stilstaan; het verdriet over alles wat verloren ging is te groot. Als ik bedenk hoe mijn leven eruit gezien zou hebben als ik bij mijn ouders was opgegroeid – ouders die van me hielden, en waarschijnlijk meer kinderen zouden hebben gekregen, zodat ik broertjes en zusjes zou hebben gehad om mee te spelen – krijg ik een brok zo groot als een voetbal in mijn keel.

En dan bedenk ik opeens iets wat nooit eerder bij me was opgekomen: als ik een jonger broertje had gehad, zou híj Wakefield Hall erven, niet ik. Het hele bezit is vastgezet op een mannelijke erfgenaam, als die er is.

Het zou niet eerlijk zijn. Ik voel verontwaardiging opkomen als ik eraan denk – en niet alleen verontwaardiging, ook een liefde voor Wakefield Hall die ik nooit eerder heb ervaren. De eeuwenlange geschiedenis, het schitterende hoofdgebouw, het doolhof, het meer, de terrassen met uitzicht over Lime Walk. Op een dag is het allemaal van mij. Het wordt een enorme verantwoordelijkheid om het allemaal net zo goed te onderhouden als mijn grootmoeder heeft gedaan. De verantwoordelijkheid is zwaar. Maar ik heb altijd geweten dat mij die ooit ten deel zou vallen, en nu heb ik dat aanvaard.

Het idee dat mijn ouders na mij een jongen zouden hebben gekregen, een jongen die me dat allemaal af zou nemen, ligt me zwaar op de maag. Voor het eerst begint het me te dagen wat mijn tante moet hebben gevoeld, de woede en de wrok, omdat ze altijd heeft geweten dat haar broer op een dag Wakefield Hall, en alles wat erbij hoort, zou erven. Het moet een ontzettend bittere pil voor haar zijn geweest dat haar broer de kroonprins was, gewoon omdat hij een jongen was, en dat zij het nakijken had.

Ik zal haar nooit vergeven wat ze mijn ouders heeft aangedaan en hoe ze mij heeft behandeld. Maar ik kan haar een heel klein beetje begrijpen.

'Scarlett? Scarlett!' Penny, de secretaresse van mijn grootmoeder, moet me twee keer roepen, zo diep ben ik in gedachten verzonken. Ze buigt zich over haar bureau en wappert met haar hand. 'Ga maar naar binnen. Je grootmoeder wacht op je.'

De hele groep van Wakefield Hall zat vanochtend in de eerste trein van Edinburgh naar Londen. We zijn nog maar een halfuurtje terug op school, en Miss Carter heeft me meteen naar de privévertrekken van mijn grootmoeder gebracht. Mijn koffertje staat naast me, en heel even overweeg ik om het mee naar binnen te nemen, maar dan gebaart Penny dat ik het moet laten staan.

Met mijn hand op de deurknop blijf ik staan. Het is niet te geloven dat ik serieus heb overwogen om mijn koffertje hobbelend achter me aan te trekken naar het smaakvol en schitterend ingerichte werkvertrek van mijn grootmoeder.

Kennelijk ben ik erger de kluts kwijt dan ik dacht. Ik zie vreselijk op tegen dit gesprek. Het moet allemaal nog tot me doordringen. Gisteren was ik het grootste deel van de dag van de wereld door dat ellendige gevecht met tante Gwen en de schok van haar dood, overgoten met de bedwelmende saus van de antihistamine die ze me had toegediend. Het was waanzinnig moeilijk om tegenover de politie vast te houden aan mijn verhaal, zelfs al werd ik erbij gesteund door Seth.

We hebben onze versie van de gebeurtenissen zo simpel mogelijk gehouden: tante Gwen had me meegenomen naar haar kamer om thee voor me te zetten, en toen kwam Seth de school binnenwandelen om zijn zus met een bezoekje te verrassen omdat hij toevallig in Edinburgh was. Vanzelfsprekend bood tante Gwen hem ook een kopje thee aan, en ze liet hem weten dat hij samen met ons kon blijven totdat de anderen terug waren van de excursie. Ik was duizelig, en mijn tante was zo vriendelijk om het raam open te zetten omdat de frisse lucht me goed zou doen. Helaas boog ze zich te ver naar voren, haar voeten gleden weg en ze viel uit het raam. Wat een vreselijk tragisch ongeluk.

Seth heeft het eindeloos met me doorgenomen voordat de politie kwam, en er steeds op aangedrongen dat ik niet van die simpele verklaring moest afwijken omdat we ons door extra details toe te voegen alleen maar in de nesten zouden werken.

Nou, de politie was er helemáál niet blij mee. Ik wilde dat Seth weg zou gaan voordat ze kwamen, ik wilde niet dat hij erbij betrokken zou raken, maar hij hield voet bij stuk en zei dat zo'n onaannemelijk verhaal alleen enige geloofwaardigheid zou hebben als er ten minste twee getuigen waren.

Seth bleek gelijk te hebben, want we werden urenlang verhoord en steeds waren er pogingen om ons verhaal door te prikken. De politie was er duidelijk van overtuigd dat het ging om een of andere samenzwering. Het hielp dat iedereen, Taylor voorop, bij hoog en bij laag volhield dat ik Seth nooit eerder had gezien. Dat maakte het wel erg onwaarschijnlijk dat wij samen plannen hadden beraamd om mijn tante te vermoorden. Er was uiteraard ook geen enkel bewijs voor, dus uiteindelijk moesten de politie ons laten gaan.

Seth was geweldig. Ik was een wrak, en hij een rots in de branding: kalm, gereserveerd en helder. Hij richtte zich niet op tante Gwens vreselijke dood of wat ze met mij had geprobeerd te doen, maar op het vertellen van ons verhaal. Hij leek echt veel ouder dan ik; ik weet dat hij twintig is, wel een paar jaar ouder dan ik, maar hij praatte tegen me als een volwassene, eerlijk waar, als iemand die ik volledig kon vertrouwen. Ik vond hem meteen aardig en was onder de indruk van zijn waardige uitstraling. En ik begreep ook hoe het komt dat Taylor in zoveel opzichten zo zelfverzekerd is: met een broer als hij gaat dat vanzelf.

Na het verhoor was ik zo compleet kapot dat ze me in bed hebben gestopt. Ik ging direct onder zeil en sliep totdat Taylor me vanochtend wakker maakte om te pakken en naar het station te gaan. Miss Carter was zo attent geweest om een plaats in de eerste klas voor me te reserveren, en daar heb ik weer uren geslapen, terwijl zij en Jane over me waakten. Het is echt verbijsterend dat de nasleep van extreme stress je volkomen kan vloeren.

Als ik uiteindelijk de deurkruk indruk en mijn grootmoeders heiligdom binnenga, schrik ik me te pletter. Hoe slecht ik me gisteren en vandaag ook voelde, zij ziet er oneindig veel slechter uit. Lady Wakefield is altijd volmaakt beheerst en tot in de puntjes verzorgd, haar witte haar keurig gestyled, de combinatie van twinset en parels chic, haar blauwe ogen helder en scherp. Ook vanmiddag ziet ze eruit om door een ringetje te halen, maar haar gezicht is bleek, een fragiel masker, wit als papier en doorgroefd met rimpels, als een tissue die is verfrommeld, en in haar doffe ogen is pijn te lezen.

Tijdens het schooljaar moet ik haar lady Wakefield noemen, want ik ben een leerling en zij is de directrice. Die regel heeft ze ingesteld zodra ik op Wakefield begon.

Maar nu ik naar haar toe ren, heel erg bezorgd omdat ze zo broos oogt, vergeet ik het volkomen. 'Oma!' roep ik uit. Ik laat me op het gestoffeerde voetenbankje naast haar stoel zakken en pak de hand die ze naar me uitsteekt beet.

'O, Scarlett...'

Tot mijn verbijstering begint ze te huilen. Het zou schokkend moeten zijn om mijn grootmoeder te zien huilen, om te zien dat ze ook kwetsbaar kan zijn terwijl ze altijd zo sterk is, maar het tegendeel is waar – ik ervaar het als een opluchting.

'Scarlett,' zegt ze snikkend, 'nu heb ik alleen jou nog maar...'

Met haar vrije hand strijkt ze zacht over mijn haar; het is héél lang geleden dat iemand dat heeft gedaan. Het is zo troostend dat ik zelf ook tranen in mijn ogen krijg. Ik leun tegen haar knieën aan.

'Ik ga niet weg, oma,' verzeker ik haar, zoekend naar woorden om haar te troosten. 'Ik ben er... Ik zal er altijd voor u zijn...'

'Allebei mijn kinderen, dood,' zegt ze met verstikte stem.

'En Sally, allerliefste Sally – zij en Patrick hielden zielsveel van elkaar, ze waren zo'n gelukkig paar... Hoe heeft dit allemaal kunnen gebeuren? Hoe is het mogelijk dat er van mijn familie nog maar één Wakefield over is, afgezien van mijzelf? Ik dacht dat Patrick en Sally een groot gezin zouden krijgen, kinderen die door de tuin renden, speelden op de gazons... en nu ben jij alleen nog over, Scarlett. Alleen jij.'

Ze houdt mijn hand nog steeds vast, zo stevig dat haar ringen in mijn huid snijden, en ik knijp terug, te geëmotioneerd om een woord te kunnen uitbrengen.

'Het is mijn schuld,' zegt ze triest. 'Ik hield meer van Patrick, en Gwen wist het. Kinderen weten het altijd als hun moeder een lieveling heeft. Arme Gwen, voor haar heb ik nooit hetzelfde gevoeld, en ik kon niet veinzen. Ze was de lieveling van haar vader, maar hij is te jong gestorven. Als hij was blijven leven, was alles misschien anders gelopen – dan was Gwen misschien minder verbitterd geweest, minder rancuneus. Maar hij overleed, en ik mis hem nog elke dag...'

Ik heb mijn grootvader nooit gekend; hij is al heel lang geleden overleden, lang voordat ik werd geboren. Ik heb wel foto's van hem gezien, vandaar dat ik weet dat mijn tante op hem leek. Als ik aan tante Gwen denk, huiver ik, en ik knijp nog harder in de hand van mijn grootmoeder. Zij is nu het enige familielid dat ik nog heb, de enige die ik altijd heb kunnen vertrouwen.

'Ik had je nooit door Gwen moeten laten grootbrengen,' zegt ze. 'Nooit.' Ze geeft een klopje op mijn hand en haalt een zakdoek uit haar zak; papieren zakdoekjes zijn veel te gewoon voor haar. Ze veegt haar ogen af.

'Ik wilde dat je bij mij zou wonen, in de Hall,' vervolgt

ze. 'Dat heeft Penny me ook aangeraden. Ik had een leuke nanny kunnen nemen en de kamer van je ouders kunnen laten opknappen, dan had ik zelf een oogje op je kunnen houden. Maar Gwen was in de dertig, een veel geschiktere leeftijd om een kind groot te brengen. Mrs. Bodger was net van de oude portierswoning naar een bejaardenhuis gegaan – ontelbare generaties kinderen zijn in dat huisje opgegroeid. Ik weet nog dat de kleintjes van Mrs. Bodger in de tuin speelden. Zoveel gezinnen zijn gelukkig geweest in dat huisje. Ik hoopte dat Gwen en jij een band zouden krijgen, samen een gezinnetje konden zijn. Als troost voor wat er was gebeurd.' Ze onderdrukt een snik. 'Ik heb het met de beste bedoelingen gedaan, Scarlett. Als ik afstandelijk tegen je was, dan deed ik dat omdat ik Gwens gezag niet wilde ondermijnen; zij was immers in loco parentis. Ik wilde haar niet voor de voeten lopen.'

Wat vermoedt ze precies? Ze snuit elegant haar neus. Lady Wakefield zou prinsessen etiquette kunnen bijbrengen. Uit de dingen die ze zegt, maak ik op dat ze enig idee moet hebben van wat er gisteren tussen mij en tante Gwen is voorgevallen. Als ze geloofde dat het werkelijk een tragisch ongeluk was geweest, zou ze heel anders praten, zou ze me er vragen over stellen. Ze zou rouwen om haar dochter. Ze zou zich bezorgd afvragen of ik nog in shock was over tante Gwens afschuwelijke dood, of ik getraumatiseerd was geraakt doordat ik haar heb zien vallen.

Maar daar hoor ik niets over. In plaats daarvan zegt mijn grootmoeder dat ze mij nooit bij tante Gwen had moeten laten wonen. Dat ze vaag vermoedde dat tante Gwen niet geheel betrouwbaar was jegens mij.

'Ik had geen idee dat er iets niet goed zat.' Ze slikt. 'Goed dan, het zou eerlijker zijn om te zeggen dat ik het niet wilde weten, Scarlett,' geeft ze toe. 'Mijn zoon was er niet meer, en zijn vrouw ook niet. Gwen was mijn enige dochter, mijn enige nog levende kind. Hoe kon ik mezelf ertoe brengen om te denken dat zij...' Haar stem sterft weg en ze knijpt in mijn hand. 'Ik had nooit gedacht dat jou iets zou kunnen overkomen,' zegt ze met vastere stem. 'Helemaal nooit.'

Gisteren vertelde mijn tante me dat haar moeder een vermoeden moest hebben gehad van haar daden. Dat wilde er bij mij niet in, want als mijn grootmoeder mij had laten opvoeden door de vrouw die ze verdacht van de moord op mijn ouders – een vrouw die een motief zou hebben om mij ook uit de weg te ruimen – zou dat hoogst onverantwoordelijk van haar zijn geweest. En als lady Wakefield nou iets níét is, dan is het onverantwoordelijk.

Ik til mijn hoofd op en kijk in haar blauwe ogen. Ik voel aan dat ze ergens heel diep vanbinnen heeft vermoed dat tante Gwen in staat was om iemand te vermoorden, maar ook dat ze sinds de dood van mijn ouders altijd haar uiterste best heeft gedaan om dat vermoeden de kop in te drukken. Mijn grootmoeder zou me nooit bij mijn tante hebben laten wonen als ze werkelijk in dat vermoeden had geloofd. Ze zou mijn leven nooit op het spel hebben gezet.

Nee, ze heeft zichzelf al die jaren voorgehouden dat het voor mij het beste was om bij mijn tante te wonen, dat we aan elkaar gehecht zouden raken. Dat is heel erg triest, want mijn grootmoeder wilde eigenlijk liever dat ik bij haar zou wonen, in de Hall, en ik zou dat ook fijn hebben gevonden. Wat mijn tante zei, dat ik haar was opgedrongen als een soort bizarre straf voor haar misdrijf, was niet meer dan een voor haar typerende valse opmerking waarmee ze mij een rotgevoel wilde bezorgen.

Mijn grootmoeder houdt van me, en ze heeft altijd het beste voor me gewild. Ze wilde dat ik een hechte band zou krijgen met mijn tante, zodat ik nog een liefhebbend familielid zou hebben als zij er niet meer zou zijn. En ik kan het haar niet kwalijk nemen dat ze tante Gwens ware aard niet heeft willen zien: welke moeder kan nou geloven dat haar dochter haar zoon heeft vermoord?

'Ik heb het verkeerd gedaan, Scarlett,' concludeert ze, 'maar mijn bedoelingen waren zuiver. Dat wil je toch wel geloven, hè?'

Ik kan geen woord uitbrengen, maar ik knik heftig, zittend op dat voetenbankje, en met mijn mouw veeg ik mijn ogen af. Dat ze me niet onmiddellijk berispt omdat ik geen zakdoek heb, bewijst hoe zeer ze van streek is. Nee, ze zegt niets, haalt diep adem, maakt haar rug kaarsrecht, vouwt het zakdoekje op en stopt het in de zak van haar vest.

'Ik heb meer dingen verkeerd gedaan,' zegt ze, nu weer een stuk gedecideerder, 'en dat kan ik op geen enkele manier goedmaken. Mijn dochter is dood.' Ze slikt, maar heeft zichzelf nu weer onder controle, en de kleur komt terug op haar wangen. 'Gwen is nooit gelukkig geweest,' voegt ze eraan toe. 'Ze had niet op Wakefield moeten blijven. Ze werd beschouwd als een van de beste docenten aardrijkskunde van het land, en ze had overal werk kunnen krijgen. Ze heeft vaak genoeg een baan aangeboden gekregen. Eton... Winchester... Cheltenham... Op een gemengde school had ze meer mensen kunnen leren kennen.'

Mannen, bedoelt ze, docenten die misschien belangstelling voor haar hadden gehad.

'Ik had haar moeten aanmoedigen om haar vleugels uit te slaan en een andere baan aan te nemen,' vervolgt ze. 'Het was misschien haar redding geweest. In plaats daarvan ontwikkelde ze een ongezonde obsessie voor Wakefield, ben ik bang. Ik dacht dat ze begreep dat jij, als dochter van je vader, mijn erfgenaam zou zijn.'

'Dat lijkt me niet helemaal fair,' zeg ik voorzichtig, denkend aan Callums familie: Dan zou alles erven, alleen maar omdat hij een paar minuten eerder was geboren dan zijn tweelingbroer. Het is alsof je door puur toeval de jackpot wint.

'Zo gaat het nu eenmaal in Engeland, Scarlett,' zegt ze, en ze kijkt me ernstig aan. 'In adellijke families gaat alles naar het oudste lid van de volgende generatie. De titel, het landgoed. Dan beschikt de erfgenaam over genoeg land en kapitaal om het familiebezit te onderhouden. Dankzij die wet hebben we nu nog steeds zoveel prachtige, statige huizen – denk maar aan Chatsworth of Castle Howard. De landgoederen zijn nog intact doordat ze van de oudste zoon zijn overgegaan op de oudste zoon, en niet over de rest van de familie zijn verdeeld.' Ze raakt het parelsnoer aan dat ze altijd draagt. 'Zelfs dit is een erfstuk,' voegt ze eraan toe. 'Ik beheer het om het aan de volgende generatie te kunnen doorgeven. Ik zou het niet kunnen verkopen, zelfs niet als ik dat wilde.'

'Dus als ik een jongere broer had gehad, zou hij Wakefield Hall hebben geërfd,' zeg ik. 'En de titel, terwijl ik de titel níét erf.'

'Een adellijke titel kan alleen door een man worden geërfd,' bevestigt mijn grootmoeder, die lady Wakefield is doordat ze met sir Alexander Wakefield was getrouwd.

'Dat is ook niet fair,' zeg ik. 'Als tante Gwen het daar moeilijk mee had, kan ik dat wel een beetje begrijpen.'

Mijn grootmoeder neemt mijn hand opnieuw in de hare. 'Ik ben het gewend om de dingen op de traditionele manier te doen, Scarlett,' zegt ze zacht. 'Jong geleerd, oud gedaan, zo gaat dat nu eenmaal. Maar een goede ouder of grootouder hoopt altijd dat zijn of haar nakomelingen het beter zullen doen. Als jij het niet fair vindt – en arme Gwen dacht er vermoedelijk net zo over – dan kun je daar zelf een oplossing voor bedenken. Als jij de Hall hebt geërfd, kun je ermee doen wat je wilt. Misschien vind je wel dat je jongste dochter de aangewezen persoon is om het landgoed te erven, in plaats van je oudste zoon. Of je wilt graag dat het onder trust komt voor je kinderen. Hoe dan ook, jij beslist.'

Kennelijk staar ik haar stompzinnig aan, want ze glimlacht naar me. Dat is de eerste glimlach die ik vandaag op haar gezicht zie.

'Je zou jezelf eens moeten zien als ik het heb over de kinderen die je misschien zult krijgen,' zegt ze met een twinkeling in haar ogen. 'Je kijkt alsof je water ziet branden! Wees maar niet bang, Scarlett, ik vind je opleiding op dit moment veel belangrijker dan voortzetting van onze bloedlijn.'

Ik ben bezig dit te verwerken, maar ze is nog niet klaar.

'Je kunt natuurlijk niet in je eentje in de portierswoning blijven wonen, maar ik neem aan dat je dat ook helemaal niet wilt.'

Ik heb er nog geen moment bij stilgestaan waar ik moet

gaan wonen nu mijn tante er niet meer is. Het is niet te bevatten dat ik in mijn eentje in haar huis zou wonen en alles
zelf zou moeten doen; ik stel me voor dat het huis van mij
zou zijn en dat Jase bij me op bezoek zou komen. Dat idee
is eerder angstaanjagend dan spannend. Het is te veel, te snel.

'Ik denk niet dat ik dat zou kunnen,' zeg ik eerlijk. 'De verantwoordelijkheid is te groot. Het zou me wel lukken om
mijn eigen kleren te wassen, maar...'

Ik bedenk dat ik boodschappen zou moeten doen, dat er
voortdurend dingen op zouden zijn doordat ik altijd van
alles vergeet, zoals tabletten voor de vaatwasmachine, of
vloeibaar schuurmiddel voor het bad, de antischimmelspray
die ik van tante Gwen altijd voor de douche moest gebruiken... Het is niet glamoureus, het is afschrikwekkend. Ik heb
een bizar dramatisch jaar achter de rug, en nu wil ik eindelijk
weleens een tijdje een meisje van zestien-bijna-zeventien zijn.
Zo onverantwoordelijk mogelijk, bedoel ik.

'Vooral met al het schoolwerk,' voeg ik er nerveus aan
toe. Ik vind mezelf een lafaard, maar als ik naar mijn grootmoeder kijk, zie ik dat ze vol begrip naar me knikt.

'Ik vind het enorm belangrijk dat jonge mensen verantwoordelijkheid nemen,' zegt ze, 'maar het zou absurd zijn
om van jou te verwachten dat je van de ene dag op de andere het leven van een volwassene gaat leiden. Het lijkt me
het beste als je tijdens het schooljaar een kamer krijgt in de
vleugel met de slaapzalen, samen met de andere leerlingen.
Als je daar nu je intrek neemt, hebben we genoeg tijd om kamers voor je uit te kiezen in de Hall, bij mij. Daar kun je dan
in de vakanties wonen. Je weet dat ik hoop dat je hier zult
komen wonen, Scarlett. Dit zou de eerste stap kunnen zijn.'

'Dank u wel,' zeg ik zacht.

'We geven je een kamer naast Taylor,' voegt mijn grootmoeder eraan toe. 'Ik weet dat jullie goed bevriend zijn.'

Ik knik, compleet overdonderd.

'Je hebt het afgelopen jaar zoveel meegemaakt,' verzucht ze. 'Meer dan een gemiddeld meisje van zestien aankan. Maar ik denk dat je wijs bent voor je leeftijd, Scarlett.'

Deze laatste woorden zegt ze heel beslist; ze klinkt weer als de indrukwekkende lady Wakefield die ik altijd heb gekend. Maar als ik haar aankijk, lees ik voor het eerst twijfel in haar blik, alsof ze zichzelf probeert te overtuigen.

'Ik red me wel, oma,' verzeker ik haar. 'Geloof me.'

Ze slaakt een heel erg diepe zucht, een zucht die uit haar tenen lijkt te komen. 'Ik hoop het voor je, liefje,' zegt ze warm.

'Kom,' vervolgt ze, 'ga jij maar op zoek naar Taylor. Misschien kun je vanmiddag nog beginnen met het inrichten van je nieuwe kamer. Maak maar een lijstje van de spullen die je uit de portierswoning wilt hebben, meubels en dat soort dingen, en geef dat aan Penny. Maar misschien wil je liever alles achterlaten en met een schone lei beginnen, een frisse start maken. Jij mag het zeggen.' Ze glimlacht naar me. 'Ik heb plannen voor dat huisje.'

Dan steekt ze haar armen naar me uit, ze neemt mijn gezicht tussen haar beide handen en drukt een kus op allebei mijn wangen. 'Ik hou heel veel van je, Scarlett,' zegt ze zacht. 'Ik hoop dat je daar nooit zelfs maar een moment aan zult twijfelen.'

Met een tollend hoofd verlaat ik haar werkkamer. Lady Wakefield, mijn grootmoeder, heeft in mijn bijzijn emoties getoond. Ze heeft gehuild. Ze heeft me over haar gevoelens verteld. Ze heeft gevraagd wat ik wil, ze behandelt me als iemand die ertoe doet. Ze gedraagt zich als een grootmoeder.

Ik heb een tante die me haatte verloren, en een grootmoeder die van me houdt gevonden. Niet slecht.

18

DAT ER GEEN DÁT IS

Taylor zit op me te wachten in Penny's receptieruimte. Ze springt enthousiast overeind zodra ze me ziet.

'Ik heb het net gehoord,' flapt ze eruit. 'Je komt naar de vleugel waar iedereen woont. We krijgen kamers naast elkaar! Ik vind het zó cool!' Ze pakt het handvat van mijn koffertje. 'Geef maar aan mij, en dan gaan we de rest van je spullen halen. We mogen het steekwagentje gebruiken.'

Penny glimlacht naar me. 'Lady Wakefield laat morgen een aannemer komen om naar de kamers in de oude vleugel van de Hall te kijken,' vertelt ze me. 'Om te zien wat er opgeknapt moet worden. We dachten dat je het fijn zult vinden om je eigen keukentje te hebben. En een badkamer uiteraard.'

Het is echt belachelijk dat kleine dingen soms alle verschil maken. Het is een waanzinnig fijn idee om een eigen badkamer te hebben die ik met niemand hoef te delen, zodat ik net zo lang in bad kan liggen als ik wil, zonder dat tante Gwen op de deur komt bonzen, en eindelijk een keer kan experimenteren met een kleurspoeling, zonder dat ik bang hoef te zijn dat mijn tante gehakt van me maakt als ik een paar druppels op de badmat mors. Ik straal als ik wegloop uit de receptie.

'Ik ben echt helemaal door het dolle,' zegt Taylor, bubbelend van blijdschap. 'Kamers naast elkaar, denk je eens in!'

'Ik krijg mijn eigen badkamer,' zeg ik dromerig. 'Zou ik de tegels zelf uit mogen zoeken? En ik wil graag zo'n bad dat in het midden staat...'

Ze is even van haar à propos. 'Ja, gááf,' beaamt ze dan. 'Súperromantisch!'

Ik slaak een gelukzalige zucht.

'Moet je horen, Scarlett.' Beneden aan de trap blijft ze staan, en ze kijkt me aan. 'Ik ben niet meer met je alleen geweest voordat je gisteren eh... plat ging, en vandaag was Miss Carter de hele tijd in de buurt. Ik moet met je praten over Seth.' Ze tilt mijn koffertje op als ik de achterdeur voor haar openhoud. 'Ik wil uitleggen waarom ik zo raar deed.'

'Ik geloof dat ik het wel begrijp,' zeg ik als ze voor me uit naar buiten loopt. 'Ik heb er een hele tijd over kunnen nadenken.'

We zijn aan de zijkant van de Hall en lopen over het smalle stenen paadje dat om het hele gebouw heen loopt en uitkomt op het hoogste van de brede terrassen die trapsgewijs omlaag voeren naar het grote gazon. Ik ga naar het stenen balkon aan de andere kant van het terras, hijs mezelf op de brede balustrade en kijk met mijn benen bungelend naar de Italiaanse siertuin op het terras pal eronder.

Taylor zet mijn koffertje neer en komt naast me zitten.

'Je hebt Seth gevraagd of hij naar Edinburgh wilde komen,' begin ik, 'omdat je je zorgen maakte over mij.'

'Hij was in de States. Hij studeert aan Cornell,' legt ze uit. 'Hij heeft speciaal verlof gekregen.'

'Wauw.' Ik kijk haar aan.

'Ik hád het niet meer, Scarlett.' Taylor springt van de balustrade en begint heen en weer te lopen; ze kan niet stilzitten als ze zich ergens over opwindt. 'Toen jij van de trap was geduwd, en we dat briefje vonden op onze kamer, dacht ik dat Alison en Luce het hadden gedaan, oké? Alles wees in hun richting. Spoken uit het verleden, weet je wel?'

Ik knik. 'Ik dacht ook dat zij het waren,' geef ik toe.

'Maar de volgende dag ging ik twijfelen,' gaat ze verder. 'Ze waren niet triomfantelijk of lacherig. Ze deden nog even verwaand als de dag ervoor, alsof wij lucht voor ze waren. Zo gedragen meiden zich niet als ze zo'n streek hebben uitgehaald, als iedereen uit bed is getrommeld en de brandweer is uitgerukt. En als ze óók nog eens hun vroegere beste vriendin van de trap hebben geduwd. Dat is echt gíga.' Ze zwijgt even en legt haar handen op de balustrade alsof ze zich opdrukt. 'Nou, toen heb ik goed naar de andere meisjes gekeken. En ik zag níémand die zich anders gedroeg dan de dag ervoor. Dat klopte niet.'

Ze buigt zich naar voren en zakt een eindje door haar armen, terwijl ze haar lichaam rechthoudt, alsof ze gaat planken.

'En toen dacht ik: als het geen meisje was, dan moet het een van de docenten zijn geweest. Bespottelijk natuurlijk. Totdat ik de lijst afwerkte van de docenten die mee waren. En zo kwam ik bij je tante terecht.'

Taylor kijkt niet naar mij. Ze staart strak voor zich uit, naar het gazon. Het is nog steeds vakantie, en de meeste andere meisjes die mee waren naar Edinburgh zijn terug naar huis, totdat de lessen volgende week weer beginnen. Er is niemand op het gazon, er vliegen alleen een paar reigers over, die uit het zicht verdwijnen achter het met klimop begroeide hek om het meer.

'En dat leek in eerste instantie net zo krankzinnig,' zegt ze zacht. 'Maar mijn ouders zeggen altijd dat je het ondenkbare moet bedenken. Ik vond het wel héél ver gaan om jou over de trapleuning te duwen. Zeker, je hebt je vriendinnen gedumpt om naar een feestje te gaan. Dat is een rotstreek. Ze hadden het volste recht om kwaad op je te zijn en de vriendschap op te zeggen. Maar je had dood kunnen vallen toen je over de leuning werd geduwd, en dat staat totaal niet in proportie tot wat je hebt gedaan. Nou, toen ben ik dus gaan nadenken over het motief. Wie zou ervan profiteren als Scarlett er niet meer was?'

Ze draait haar hoofd opzij en kijkt me aan. 'Het antwoord op die vraag kon niet missen,' besluit ze. 'Het was zo klaar als een klontje.'

'Je wordt later vast een steengoeie geheim agent,' zeg ik.

'Ik wist het alleen niet zeker, ik heb eeuwen getwijfeld,' zegt ze. 'Er was met je water geknoeid – het moest het water zijn, want dat was het enige wat je na het ontbijt had gedronken of gegeten, en het ontbijt was voor iedereen hetzelfde geweest – en je tante had de sleutels van de bus. Ze had makkelijk iets in je water kunnen doen. En Alison ving je op toen je viel. Oké, misschien voelde ze zich schuldig omdat ze de vorige avond een beetje te ver was gegaan, maar het leek me veel waarschijnlijker dat ze doodgewoon onschuldig was.'

Ik knik. Er is geen speld tussen te krijgen.

'Je tante had dus een motief en de gelegenheid.' Taylor gaat weer rechtop staan en telt af op haar vingers. 'Twee pogingen in twee dagen – en dat gebeurde allebei waar ik bij was, dus kennelijk kon ik je in mijn eentje niet beschermen.' Haar mond krijgt een grimmige trek als ze zich de stress herinnert. 'Ik heb Seth een bericht gestuurd en verteld wat er aan de hand was. Enórme paniek. Hij was fantastisch, echt fantastisch: hij sprong meteen op een vliegtuig. Maar Scarlett,' voegt ze er met een verwrongen gezicht aan toe, 'ik kon je niet vertellen wat ik vermoedde! Ze was je tánte! Je vader en moeder zijn dood en jij en je grootmoeder zijn niet bepaald close – je zou niemand meer over hebben als ik gelijk had. En als ik ongelijk had, zou je een nóg grotere hekel hebben gekregen aan je tante...'

'Het is oké!' Ik steek mijn hand op om haar vloed van verontschuldigingen te stoppen. 'Ik snap het, heus. Waarschijnlijk zou ik precies hetzelfde hebben gedaan.'

Haar schouders zakken van pure opluchting omlaag.

'Het probleem was alleen,' zegt ze terwijl ze het haar uit haar ogen strijkt, 'dat Seth blunderde toen hij je probeerde te volgen zonder dat jij het merkte.' Ze rolt met haar ogen. 'Hij was te bezorgd voor mij. Hij dacht dat ik ook gevaar liep. Uit angst dat iemand ons zou aanvallen, kwam hij veel te dichtbij, zodat hij kon ingrijpen als het nodig was. Dus zag je hem. Die súkkel,' voegt ze eraan toe met het bijtende sarcasme dat je alleen voor een familielid gebruikt, 'volgde ons als een kudde búffels. Ik kon hem van een kilometer afstand horen! Hij had net zo goed naast ons kunnen lopen. Toen we terugliepen van de Shore, en ik tegen je zei dat je gewoon ritselende bladeren hoorde, schaamde ik me kapot voor mijn broer. Jeetje, wat maakte hij er een bénde van.'

Taylor kijkt zo verontwaardigd dat ik in lachen uitbarst.

'Wat een amatéúr! En nog een slechte ook.' Ze steekt haar handen in haar zakken. 'En tijdens de rondleiding door de krochten. Je hebt hem twéé keer gezien. Hij stond daar gewoon, levensgroot. Ik had hem wel kunnen vermoorden! Wat kon er nou gebeuren zo lang we met een hele groep meiden en docenten waren? Achterlijke idioot.'

'Hij heeft anders wel mijn leven gered,' voer ik aan ter verdediging. 'En daarna was hij ook geweldig. Ik ben bang dat ik hem niet genoeg heb bedankt. Hij wás er voor me toen ik hem nodig had.'

'Dat ook,' geeft ze zuinig toe. 'Jezus, Scarlett, ik ben nog nooit van mijn hele leven zo verschrikkelijk wanhopig geweest als toen je tante je aan het eind van die rondleiding mee terug nam naar Fetters. Eíndelijk kon ze met je alleen zijn. En jij was zo opgefokt dat ze je had kunnen vermoorden zonder dat er een haan naar kraaide – alle docenten en meiden zouden de politie hebben verteld dat je totaal hysterisch was. Als het je tante was gelukt om je uit het raam te duwen, zou er geen lijkschouwing zijn geweest en zou niemand de antihistamine in je bloed hebben ontdekt. Ze zouden hebben gezegd dat je labiel was, misschien dat je aandacht wilde, en dat je was uitgegleden en uit het raam gevallen.'

Ik knik langzaam. 'Toch vond ik het geen goed idee dat je met ons mee zou gaan,' zeg ik. 'Niet omdat ik je niet vertrouwde...'

'Natuurlijk wel,' valt ze me in de rede. 'En terecht. Je had geen enkele reden om me te vertrouwen. Ik had tegen je gezegd dat iets wat je met je eigen ogen had gezien verbeelding van je was. Ik had tegen je gelogen. Je moet hebben gedacht dat je gek werd.'

'Ik wist gewoon niet meer wat ik moest denken,' geef ik toe. 'Ik was ontzettend in de war.'

'Ik heb Seth direct een sms gestuurd,' zegt ze, 'en hem verteld dat je samen met haar wegging. Dat hij je moest volgen en ervoor moest zorgen dat zij niet met jou alleen kon zijn. Hij heeft een taxi genomen en de school uitgekamd totdat hij jullie had gevonden. Dat is zo ongeveer het enige verstandige dat hij al die tijd heeft gedaan. En ik heb begrepen dat hij geen seconde later had moeten komen,' besluit ze met een huivering.

Ik knik. 'Ik was compleet versuft door de pillen. Seth was bang dat de politie zou denken dat ik aan de drugs was.'

'Nou, gelukkig is het goed afgelopen,' zegt Taylor. 'Hij is vanochtend vanuit Edinburgh teruggevlogen naar de States. De politie had hem niet meer nodig. Het was een ongeluk, zaak gesloten.'

'Het wás ook een ongeluk,' benadruk ik. 'Hij weerde haar alleen af. Ze is gestruikeld en gevallen, zélf.'

We denken een poosje zwijgend na over de krankzinnige gebeurtenissen van de afgelopen paar dagen. Hier, op het terras van Wakefield Hall, waar alles zo rustig en stil is, kan ik me bijna niet meer voorstellen wat ik in Edinburgh heb meegemaakt.

'Ik wil slapen, een week lang alleen maar slapen,' verzucht ik als ik me van de balustrade laat glijden. 'Kom, dan brengen we mijn spullen naar mijn nieuwe kamer. En dan kunnen we misschien de fiets nemen naar het dorp en iets te eten scoren. Het eten is hier in de vakanties nog erger dan tijdens het schooljaar.'

'Eh... Scarlett?' Taylor komt naar me toe. 'Er is nog iets waar ik het met je over wil hebben...'

Ik kijk naar haar, en mijn wenkbrauwen schieten van verbazing omhoog. Haar houding is – het is even zoeken naar het juiste woord, want dat zou ik nooit met Taylor associëren – onzéker. Ze staart naar haar voeten als we over het terras lopen, weigert me aan te kijken. Haar handen zijn in haar zakken gestoken alsof ze door wil stoten naar Australië.

'Oké,' zeg ik, opeens brandend van nieuwsgierigheid.

'Jij en Jase,' begint ze, 'dat gaat eh... allemaal goed. Toch?'

Ik voel dat ik begin te blozen als ik aan onze nacht onder de sterren denk. 'Heel goed,' beaam ik blij en verlegen tegelijk. 'Beter dan ooit. We hebben eh... dingen gedaan. Niet hét, hoor,' voeg ik er snel aan toe, 'maar eh... dingetjes. En het was fantastisch.'

'Cool,' zegt ze terwijl ze een steentje tegen de muur schopt. 'Ik ben blij voor je.'

'Taylor?' Ik blijf boven aan de trap die helemaal naar beneden voert staan, geleund op het handvat van mijn koffer. 'Wat klink jij opeens raar.'

'Dat komt doordat ik op dat feest ook dingetjes heb gedaan,' zegt ze, en tot mijn verbijstering zie ik dat haar wangen ook rood kleuren. Knalrood. Tomaatrood.

'Cool! Waarom kijk je dan zo schuldig? Je hebt niks met Jase gedaan,' zeg ik vol vertrouwen. Ik heb geen idee wat er aan de hand is, maar dáár ben ik in elk geval zeker van, en ik kan geen enkele andere reden bedenken waarom ze zo schutterig doet.

'Nee!' roept ze ontzet. 'Jézus, nee!' En ze wordt zo mogelijk nog roder. 'Met eh...'

'Met Ewan!' vul ik opgewekt aan. 'O, Taylor, wat geweldig! Ik kon merken dat hij je heel erg leuk vindt!'

'Néé,' blijft ze koppig volhouden. Haar hele gezicht heeft nu de kleur van een brievenbus. 'Met Cállum.'

'Wát?'

Ik ben zo verbluft dat ik tegen het handvat van mijn koffer stoot, en het koffertje valt om, naar Taylor toe. Ze springt weg, maar onhandiger dan normaal, stoot tegen een grote stenen vaas met pioenen, en valt er achterover in, met haar billen eerst. Het koffertje tuimelt omver en dendert de trap af voordat ik het kan grijpen.

De uitdrukking op Taylors gezicht is onbetaalbaar. Ze vindt het vreselijk om de controle kwijt te zijn, om onhandige dingen te doen. Haar ogen zijn wijd opengesperd van schrik, haar mond hangt open, en ze staart me met haar hoofd net boven haar knieën aan, want haar billen zijn diep in de aarde in de vaas gezakt. Ik begin hysterisch te gieren.

'Haal me eruit!' roept ze woedend, wriemelend in de vaas; hoe meer ze beweegt, des te meer bloemen ze plet. 'Haal me erúít!'

Hikkend van het lachen loop ik naar haar toe en ik pak haar handen beet. Het is behoorlijk lastig om haar eruit te trekken zonder dat de vaas omver kiepert doordat ze er zo diep in is weggezakt; ik moet mijn voet tegen de vaas planten en tegelijkertijd kracht zetten. Als ze weer naast me staat, zijn de pioenen compleet verwoest. Ik kijk ernaar en begin opnieuw te lachen.

'Mijn billen zitten onder de blaadjes,' zegt ze nijdig, en ze draait zich half om en begint met wilde gebaren haar broek af te kloppen, wat ik erg lachwekkend vind. 'Het ís niet grappig!'

Ik bijt op mijn lip, probeer me te beheersen, en schud mijn hoofd.

'Het is jouw schuld,' bitst ze. 'Jij gooide je koffer naar me.'

'Sorry,' zeg ik gedwee.

'Ik vertelde je iets wat voor mij heel belangrijk is, en dan gooi jij je koffer naar me!' Ze is nu klaar met het afkloppen van haar broek.

'Daar zitten nog een paar blaadjes...' Ik steek mijn hand uit naar een takje dat in haar achterzak is blijven steken, maar ze mept mijn hand weg.

'Oké,' zeg ik, en ik begin de trap af te lopen, in de hoop dat ze achter me aan zal komen. 'Dus je hebt met Callum gezoend?'

'Het ging per ongeluk,' zegt ze met een klein stemmetje vanachter mijn rug.

Ik raap het koffertje op, dat zo te zien niet kapot is, en trek het achter me aan als ik over het pad in de richting van de nieuwe vleugel loop.

'Dat klinkt boeiend,' zeg ik zo neutraal mogelijk.

Dan komt ze snel naast me lopen en brandt los.

'Ik heb hem altijd leuk gevonden,' bekent ze. 'Al toen we op Castle Airlie waren. Maar daar ontstond natuurlijk een enorme toestand, dat weet je zelf... en jij had op het vliegveld met hem gezoend, dus dacht ik niet meer aan hem. Niet zo vaak, dan,' voegt ze er in alle eerlijkheid aan toe. Taylor is altijd oprecht. 'Ik dacht dat we hem nooit meer zouden zien, en jij had met hem gezoend, dus ik moest hem uit mijn hoofd zetten. Toen waren we bij die gig, en ik vond hem echt zó knap. Maar het was een soort van uit tussen jou en Jase, en je had Callum al eens gezoend, dus leek het mij het beste om gewoon af te wachten wat er tussen jullie ging gebeuren.'

'Ewan had een oogje op je,' merk ik op.

'Ik weet het. Op het feest, toen we samen op verkenning uit gingen, sloeg hij een arm om me heen en kuste hij me in mijn nek, dus moest ik tegen hem zeggen dat ik niet op hem viel en dat hij dat niet meer moest doen.'

'Wauw. Heb je dat echt gezegd?'

'Natuurlijk!' Taylor klinkt verbaasd. 'Ik zeg tegen jongens altijd waar het op staat.'

'Knap van je,' zeg ik als we langs het gebouw lopen, het koffertje bolderend achter me aan. 'Ik zou allemaal slappe smoezen verzinnen. Jouw manier is veel beter.'

'Het was natuurlijk een beetje pijnlijk,' gaat ze verder. 'We zijn bij een paar andere mensen gaan zitten en hebben een tijdje bongo gespeeld...'

'Daar ben je erg goed in,' complimenteer ik haar.

'Dat weet ik,' zegt ze voldaan. 'Ik ben beter dan Seth. Daar heeft hij ontzettend de pest over in. Na een tijdje zijn we teruggegaan om te zien wat jullie aan het doen waren, en Callum vertelde dat jij was gaan plassen. We hebben een tijdje gekletst, en toen ben ik bongo gaan spelen en Callum viool, en Ewan zag een paar mensen die hij kende en hij is met ze meegegaan. Heel relaxed allemaal.' Ze schraapt haar keel. 'Ik wist natuurlijk dat je tante je op dat feest niet stiekem kon aanvallen, dus daar hoefde ik me geen zorgen over te maken.'

'Was Seth er?'

Taylor snuift. 'Duh. Ik ga het mijn oudere broer echt niet vertellen als wij ertussenuit knijpen om met jongens naar een feest te gaan dat de hele nacht duurt. Soms is het zó duidelijk dat jij geen broers hebt.'

Ik buig mijn hoofd, want ze heeft gelijk. We zijn bij de branddeur van de nieuwe vleugel gekomen, en die houdt Taylor voor me open. Ik rol mijn koffertje naar binnen en draag het de trap op.

'Nou, toen hielden we op met spelen, en Callum zei dat we samen een geweldige sound creëerden, en dat was ook zo,' vertelt ze. 'We hebben elkaar een tijdje alleen maar aangekeken, en opeens eh... opeens voelden we een klik. Het kwam door de muziek, denk ik. En hij keek heel erg verbaasd. Alsof hij het helemaal niet had verwacht. Maar toen boog hij zich zo'n beetje naar me toe, en ik vroeg, je weet wel, of er iets met jou was gebeurd. Omdat ik steeds had gemerkt dat hij jou leuk vond. En hij zei ja, jullie hadden elkaar gekust, en het was zo raar omdat er niets was, geen gevoel. En hij dacht dat jij daarom weg was gegaan. En ik geloofde hem.'

'Het is waar,' beaam ik. Boven aan de trap blijf ik staan om haar aan te kijken, en ik kan zien hoe opgelucht ze is. 'En het wás ook raar. Alsof je een apparaat aanzet dat niet werkt.'

'Dat heb ik weleens met jongens gehad,' zegt Taylor. 'Dat er geen dát is.'

Ik giechel.

'Precies.'

'En... nou, toen zoenden we opeens,' besluit ze met gloeiende wangen. 'Ik denk eigenlijk dat ik hem het eerst kuste.'

'En er was een dát,' concludeer ik vrolijk.

'Eh... já. We vergaten echt al het andere. En toen raakte ik opeens in paniek en heb ik jou gebeld, en jij was samen met Jase, en ik zei tegen Callum dat jij terug was bij je ex, en hij vond het vreemd dat je nooit iets over hem had gezegd, en ik zei dat de situatie nogal verwarrend was, en toen zei hij...' Haar stem sterft weg.

'Ga door.'

'Hij zei: "Waarom praten we over hen terwijl we dit kunnen doen?" en hij kuste me weer. Héél vaak,' besluit ze, grijnzend van oor tot oor.

'O, Taylor.' Ik sla een arm om haar schouders en omhels haar nogal stuntelig. 'Ik ben zo blij voor je.'

'We gaan proberen elkaar te blijven zien.' Ze haalt zo'n beetje haar schouders op en probeert cool te klinken, terwijl ze dat duidelijk helemaal niet is. 'Zien wat er gebeurt. Maar het was...' Ze geeft het cool doen op en kijkt me aan, haar ogen glanzend, haar wangen brandweerwagenrood. 'Het was...' Ze slikt. 'We hebben allebei nog nooit zoiets gevoeld. We zeiden het allebei.'

'Arme Ewan,' zeg ik met een zucht.

'Ja, Callum voelde zich er rot over,' geeft Taylor toe. 'Hij zei dat Ewan het de hele tijd over me had.'

'Het gaat om chemie,' zeg ik, denkend aan mij en Callum, en aan mij en Jase. 'Ik dacht dat er chemie was met Callum, maar dat had misschien meer te maken met het drama van de situatie. Of misschien was het er daarvoor wel, maar nu kan ik alleen nog maar aan Jase denken, dus kan ik het niet ook met iemand anders voelen. Hoe dan ook, dat is chemie – je kunt het niet faken en je kunt het niet veranderen.'

'Helemaal waar,' zegt Taylor dromerig.

'Zeg, ik rammel van de honger,' zeg ik als ik opeens besef dat ik al in geen eeuwen iets heb gegeten. Wat niets voor mij is. Alle opgekropte spanningen van de afgelopen dagen ebben weg; Jase en ik zijn sterker dan ooit, er ontstaat een nieuwe relatie met mijn grootmoeder, en Taylor en ik hebben elkaar alles verteld en we hebben geen hard feelings.

Taylor ziet eruit alsof het gewicht van de wereld van haar schouders is gevallen.

'Ik ook! Hé, we hoeven niet naar het dorp te fietsen. Ik was vergeten dat ik koekjes heb op mijn kamer,' biedt ze aan. 'Chocolate chip.'

'Ik kan een hele zak naar binnen werken.'

We lopen door de gang naar haar kamer, als de deur van een van de andere kamers opengaat en Plum haar hoofd naar buiten steekt.

O néé, denk ik. Stráál vergeten. Plum moest met ons mee terug naar school, want haar ouders zijn aan het skiën in Verbier en komen pas over twee dagen terug. De andere meisjes van Wakefield Hall zijn op station King's Cross door hun ouders opgehaald. Ik was ervan uitgegaan dat we elkaar zoveel mogelijk uit de weg zouden gaan, maar door alle andere dingen die er gebeuren was ik niet meer met haar bezig.

Zo te zien heeft ze gehuild. Haar ogen zijn dik en rood, en volgens mij is het de eerste keer dat ik Plum zonder make-up zie.

'Ik heb op jullie gewacht,' zegt ze als ze uit haar kamer naar buiten komt. Ze draagt een groot T-shirt tot halverwege haar dijen, zo'n shirt waar je in slaapt, en een wijde pyjamabroek. Haar haar is vettig en in een slordige paardenstaart vastgezet. Plum ziet er nooit uit alsof ze net zo oud is als wij, maar alsof ze jaren ouder is en ontelbare ervaringen rijker.

'Ik wilde met jullie praten over...' Ze slikt. 'Je weet wel. Wat jullie laatst hebben gezien. Het was niet wat jullie dachten.'

'O, *please*,' zegt Taylor vernietigend. 'Er mankeert niets aan onze ogen.'

'Susan had een nachtmerrie gehad,' zegt Plum weinig overtuigend. 'Ik wilde haar alleen troosten...'

'Denk je nou echt dat wij gek zijn?' valt Taylor haar in de rede. Ik kijk Taylor aan, en met een blik naar mij zegt ze: laat-dit-maar-aan-mij-over.

Ik knik. Zíj is heel lang het mikpunt van Plums spot geweest; ze pestte haar door te zeggen dat Taylor gay was, alsof dat een misdaad is. Plum bleef maar honen dat ze zo stoer was, een echte pot. Het komt Taylor toe dat ze eindelijk een keer iets terug kan zeggen. Ze plant haar handen in haar zij: ze is er klaar voor.

'Er is niks mis mee om gay te zijn!' zegt ze tegen Plum. 'Geef het gewoon toe!'

Plum haalt heel diep adem. 'Ik ben misschien bi,' zegt ze beschaamd.

'Het kan niemand iets schelen wat je bent,' zeg ik.

'Het is gewoon stom als je erover moet liegen,' zegt Taylor kil. 'En dan noem jij andere mensen gay, alsof het een belediging is. Dat is ontzettend zielig.'

Plum laat haar hoofd hangen. 'Vertel het alsjeblieft aan niemand,' fluistert ze.

'O, ja, Scarlett en ik hebben echt niets beters te doen dan roddelen over jouw privéleven,' snuift Taylor. 'Geen onderwerp zo fascinerend als jij! We hebben het nooit ergens anders over als we met z'n tweeën zijn. Wij vinden jou en Susan bijna nét zo boeiend als jullie Scarlett en mij!'

Plum is bijna in tranen. 'Peper het maar in,' mompelt ze. 'Ik verdien het. Ik verdien het dubbel en dwars. Ik ben tegen jullie allebei een vreselijke bitch geweest. Jullie mogen me kwellen zoveel jullie willen, maar hou alsjeblíeft je mond...'

'Wat maakt het nou uit?' vraag ik. 'Volgens mij ben jij de enige die het een big deal vindt. Toen je eindeloos bleef zeiken dat Taylor en ik een stel waren, was geen van de andere meisjes ervan onder de indruk.'

'Zelfhaat,' zegt Taylor. 'Zielig, zoals ik net al zei.'

Nu tilt Plum haar hoofd op, en haar ogen zijn groot van angst. 'Mijn vader zou uit zijn vel springen,' mompelt ze op een graftoon. 'Hij verwacht dat ik een goeie partij aan de haak zal slaan. Níémand is gay in onze wereld. Of in elk geval niet uit de kast,' voegt ze eraan toe. 'Als mijn vader het wist, zou ik nooit meer een cent van hem krijgen.'

'O,' schampert Taylor, 'dus jij vindt geld belangrijker dan dat je jezelf kunt zijn.'

'Eh... nee, maar...' Haar stem sterft weg en ze kijkt me hulpeloos aan.

'Ik had nooit gedacht dat ik dit op een dag zou zeggen,' merk ik op, 'maar ik heb met je te doen.'

Plum slikt alsof ze een baksteen wegwerkt. 'Van nu af aan doe ik alles wat jullie zeggen,' belooft ze als Taylor en ik ons omdraaien. 'Eerlijk waar.'

'Getver!' roep ik vol weerzin uit. 'Dat wil ik helemaal niet!'

De gedachte dat Plum gaat slijmen, zoals ze deed tijdens

die rondleiding, de gedachte dat ze als een Lizzie-achtig hondje achter me aan loopt, maakt me misselijk.

'Wees gewoon geen bitch,' zeg ik. 'Hou op zo'n vreselijke bitch te zijn. Niet alleen tegen ons. Tegen iedereen.'

Uit haar geschokte uitdrukking maak ik op dat ze dat veel moeilijker vindt dan slijmen.

Ik pak mijn koffertje en wil doorlopen, maar dan komt er nog een laatste gedachte bij me op en blijf ik staan. 'En Plum, voor wat het waard is,' voeg ik nog toe, 'ik vond dat jij en Susan er samen heel mooi uitzagen.'

Dat is de druppel. Achter me hoor ik Plum in tranen uitbarsten, met lange uithalen. Ik vraag me af of ik terug moet gaan, of ik moet proberen haar te troosten, maar ik kan niet bedenken wat ik tegen haar zou moeten zeggen, althans niks waarmee ik haar kan troosten. Het is misschien een tekortkoming van me. Misschien ben ik harteloos. Of misschien heb ik doordat ze me jarenlang zo afschuwelijk heeft behandeld voor háár geen gevoel meer over.

Toch raakt het me om iemand zo te horen huilen, zelfs al is ze mijn ergste vijand. Maar niet genoeg om naar haar toe te gaan. Ik loop met Taylor mee, parkeer mijn koffertje op de gang naast Taylors kamer en ga naar binnen.

'Je mag kiezen wat je mee wilt nemen uit het huis van je tante, dan wordt alles hierheen gebracht.' Taylor laat zich op haar bed vallen en maakt een zak koekjes open. 'Ik mis Oreos,' mijmert ze. 'Deze zijn lang niet zo lekker. Ik had Seth gevraagd of hij Oreos voor me mee wilde nemen uit de States, maar hij was nogal overhaast vertrokken.' Ze propt een koekje in haar mond. 'De FunStix zijn echt helemaal te gek,' vertelt ze, waarbij ze kruimels in het rond sproeit. 'Het zijn een soort rietjes. Je kunt er iets door drinken. Lijkt je dat niet leuk? Koekjes waar je melk mee kunt drinken!'

'Ik snap niet waarom Amerikanen zo'n obsessie hebben voor melk,' merk ik op, en ik graai een handvol koekjes uit de zak.

'Daar worden we groot en sterk van.' Weer sproeit ze kruimels.

'Hoor eens,' zeg ik, gebarend naar de kruimels, 'als ik op je viel, zou ik nu totaal op je afknappen. Zorg er maar voor dat Callum je nooit ziet eten.'

Taylor wordt knalrood als ik zijn naam noem. Ha, denk ik vrolijk, hier kan ik nog een hoop lol aan beleven. En dan denk ik: O, néé! Was ik ook zo toen Jase en ik net verkering hadden?

'Wat is er?' wil Taylor weten. Haar boezem is nu bezaaid met kruimels.

'Niks,' zeg ik. Op dat moment piept de telefoon in mijn zak: ik heb een bericht ontvangen. Gretig trek ik hem eruit. En ik ben niet teleurgesteld.

'Ooo!' roep ik stralend. 'Ik moet ervandoor!'

'Ik hoef niet te vragen waarom,' zegt Taylor. 'Je bent zo rood als een Londense bus.'

Altijd het laatste woord. Typisch Taylor.

19

SAAI EN NORMAAL

Ik prop de koekjes die ik uit de zak heb gegraaid in mijn mond, want ik wil (a) voorkomen dat Jase me ziet schransen, en (b) mijn gezicht de tijd geven om weer een normale kleur te krijgen. Hoewel (a) een geslaagde operatie is, was (b) ijdele hoop: zodra ik hem naast zijn motor zie staan, leunend tegen het smeedijzeren hek van het landgoed, voel ik dat ik opnieuw knalrood word.

Het is zo oneerlijk dat Jase donkerder is dan ik; met zijn karamelkleurige huid valt een blos lang niet zo op als bij mij. Maar zodra hij me ziet, lichten zijn goudkleurige ogen op en spreidt hij zijn armen. Ik neem een aanloop en stort me in zijn armen, zó onstuimig dat de lucht uit zijn longen wordt gestoten, en hij slaat lachend zijn armen om me heen, zo strak dat ik geen lucht meer krijg. Ik gil van vreugde, voor zover dat nog gaat, als hij me optilt en in het rond zwiert, met mijn benen haast horizontaal. Mijn haar wappert rond mijn gezicht, en opeens komt er een herinnering boven: mijn vader die me zo door de lucht zwaaide toen ik klein was, mijn handjes om de kraag van zijn overhemd geklemd, mijn mond wijd open, gillend van verrukking en angst.

Ik kan de herinnering niet vasthouden. Ik probeer me zijn gezicht voor de geest te halen, maar dat vervaagt alweer. Sinds ik klein was, bedenk ik, heeft niemand dit meer met me gedaan. Na de dood van mijn ouders was er geen volwassene meer die met me speelde. Sindsdien ben ik altijd naar intimiteit blijven hunkeren, naar iemand met wie ik kon knuffelen, iemand in wiens armen ik weg kon kruipen. Geen wonder dat ik zo dol was op turnen; je wordt altijd door grote sterke handen geduwd en in de lucht gegooid.

Ik moet Alison en Luce bellen, neem ik me voor als Jase me weer neerzet. We kunnen een keer samen koffie gaan drinken, praten over alles wat ze hebben meegemaakt sinds ik weg ben gegaan van St. Tabby. Misschien kunnen we een keer met z'n allen naar een gig in Londen gaan. Wauw. Ik grijns. Wat klinkt dat volwassen.

'Ik ben blij dat je glimlacht,' zegt Jase als hij me aankijkt.

Ik ben duizelig, maar dat is niet de reden dat ik mijn armen om zijn nek sla. Ik trek zijn hoofd omlaag en kus hem, en nog een keer, en nog een keer, ik duw hem met zijn rug tegen het hek, ik wikkel mezelf als een slang om hem heen, ik kus hem alsof er niets ter wereld belangrijker is dan dat.

'Wauw,' zegt hij als we elkaar eindelijk loslaten, allebei opnieuw snakkend naar adem, onze lippen tintelend en vochtig, onze ogen glinsterend. 'Ik ben geen moment te vroeg teruggekomen...'

'Besef je wel dat dit de eerste keer is dat we elkaar bij daglicht hebben kunnen kussen!' zeg ik blij. 'Is het niet fantastisch?'

'Ja,' zegt hij, met zijn armen nog steeds om me heen, en zijn stem klinkt nu opeens serieus. 'Ik kan het nog helemaal niet bevatten. Ik blijf bang dat mijn vader of jouw tante uit de struiken komen stormen, schreeuwend dat we bij elkaar uit de buurt moeten blijven.'

We kijken elkaar aan, en nu pas dringt het volledig tot ons door dat zowel Mr. Barnes als tante Gwen echt dood zijn.

'Ik zou wel willen zeggen dat ik het niet kan geloven,' zeg ik met een klein stemmetje. 'Maar ik kan het wél geloven. Ik blijf voor me zien dat ze valt, telkens weer.'

'O, *baby*...' Jase trekt me weer tegen zich aan, met mijn hoofd in de holte van zijn sleutelbeen. 'Heb je nachtmerries?'

'Nee,' zeg ik naar waarheid. 'Ik ben blij dat ze er niet meer is. Ik voel me er zelfs niet naar over. Ze heeft altijd een hekel aan me gehad, en ze heeft zelfs geprobeerd me te vermoorden. Ik kan maar één ding voelen: opluchting.'

Jase slaakt een diepe zucht. 'Heel begrijpelijk,' zegt hij. 'Ik moet bekennen dat ik wel nachtmerries heb. Ik blijf maar zien dat er een ambulance stopt voor de school. En dat ze een lichaam op een brancard naar buiten brengen, helemaal bedekt.'

'O, Jase...' Ik til mijn hoofd op en kijk naar zijn gezicht.

Zijn volle lippen zijn op elkaar geperst, en zijn huid is strak over zijn jukbeenderen gespannen. Doordat ik zo versuft was door de antihistamine die mijn tante me had toegediend en het me zoveel moeite kostte om tijdens het gesprek met de politie bij de les te blijven, ben ik zo ongeveer buiten bewustzijn geraakt zodra het voorbij was. Ik had totaal geen besef meer van tijd. Mijn telefoon stond uit – dat moest voor de rondleiding door de catacomben – en door alle commotie was ik vergeten hem weer aan te zetten. Jase, die rondhing bij de school in de hoop dat hij mij kon zien, zag me samen met mijn tante terugkomen in een taxi, en veertig minuten later arriveerde er een ambulance. Geen wonder dat hij in paniek raakte.

'Ik dacht dat jij het was,' zegt hij zacht. 'Ik dacht echt dat jij het was.'

'Het spijt me heel erg dat ik je niet heb gebeld,' zeg ik schuldbewust. 'Ik was echt van de wereld...'

Hij knijpt in mijn handen. 'Ik heb het ze gevraagd,' zegt hij. 'Die broeders. Ze wilden maar weinig loslaten. De een zei alleen dat ik me geen zorrrgen hoefde te maken, dat het niet mijn vrrriendinnetje kon zijn.' Hij bootst het Schotse accent overtuigend na. 'En toen zei de ander: "Als-ie ten-minste geen Oedipus heet." En daar moesten ze allebei heel erg om lachen.'

'Hm,' zeg ik met opgetrokken wenkbrauwen. 'Zwarrrte humor.'

'Oedipus trouwde toch met zijn moeder?' zegt Jase. 'Dat weet ik nog van school.'

Ik knik. 'Ze bedoelden dat tante Gwen een stuk ouder was dan jij.'

'Hé!' Hij grijnst nu weer. 'Ik heb niet op een particuliere school gezeten, en toch wist ik dat.'

'Wist je dat het tante Gwens lichaam was?' Ik hijs me op het stenen muurtje.

'Nee.' Hij schudt zijn hoofd. 'Ik mocht haar niet zien. Ze zeiden dat ze nogal in de kreukels lag. Intussen piekerde ik me suf. Ik wist niet wat ik moest doen. Het leek me geen goed idee om bij de school te staan als de politie kwam – dat heb ik van alle gedoe met mijn vader geleerd. Ik ben dus een eind verderop blijven wachten en jou gaan bellen. Ik heb je úren achter elkaar gebeld.'

'Het spijt me!' zeg ik kreunend. Toen ik mijn telefoon van-ochtend weer aanzette en naar zijn nerveuze berichten luis-terde, kon ik wel door de grond gaan van schaamte – ik wist zelfs niet dat mijn telefoon zoveel gemiste oproepen kon opslaan. 'Ik ben Taylor zó dankbaar,' voeg ik eraan toe. Toen ze terugkwam, zag ze Jase aan de overkant van de weg staan met zijn motor, en ze heeft hem gebeld zodra ze een beetje wist wat er was gebeurd.

'Nee, het spijt míj,' zegt hij heftig. 'Ik was er niet om op je te passen. Dat vind ik heel erg. Het is vreselijk dat Taylors broer je heeft moeten redden. Ik had onraad moeten rui-ken... Ik had er voor je moeten zijn...'

Zittend op het muurtje steek ik mijn armen naar hem uit, en ik spreid mijn benen, sla ze om hem heen. Hij verroert zich niet, is nog steeds woedend op zichzelf.

'Jase, hoe had je het kunnen weten?' vraag ik. 'Je zag me samen met mijn tante terugkomen. Hoe had je nou kunnen weten wat ze van plan was?'

Hij laat zijn hoofd hangen. Ik strijk over zijn krullen; ze zijn geplet door zijn motorhelm, en ik voel ze loskomen onder mijn vingers. Jase is ook vanochtend uit Edinburgh vertrokken, maar op de motor doe je er veel langer over dan met de trein. Hij is nog maar net terug op Wakefield.

Dat dacht ik tenminste.

'Ik heb je grootmoeder gesproken,' vertelt hij me. 'Daar-net.'

Ik zet grote ogen op. 'Echt waar?'

'Ze belde me toen ik nog onderweg was,' zegt hij. 'Ze vroeg

waar ik was, en of ik zin had om een keer langs te komen als ik in de buurt was. Ik zei dat ik naar Wakefield onderweg was, om jou te zien.' Hij krijgt een uitdagende glinstering in zijn ogen. 'Ik vond dat ik het beter meteen kon zeggen. Dat we nog bij elkaar zijn.'

Oeps.

'Zij heeft er nooit moeilijk over gedaan,' gaat hij verder. 'Je oma is altijd aardig tegen me geweest.'

'Ze vindt je een nette jongen en een harde werker,' zeg ik, waarbij ik mijn best doe om haar onberispelijk deftige accent te imiteren.

'Nou, dat ben ik toch ook!' zegt hij breed grijnzend. 'Ze slaat de spijker op zijn kop.'

'Waarom wilde ze je spreken?'

'Hou je vast,' zegt hij nu weer ernstig. 'Ze heeft me gevraagd of ik daar zou willen wonen.' Hij gebaart naar de portierswoning.

'Wauw,' zeg ik. 'Ze laat er geen gras over groeien.'

Hij grijnst. 'Die oma van jou weet altijd precies wat ze wil. Ze zei dat jij er weg zou gaan. Ik kan niet terug naar mijn vaders cottage, maar ze wil wel graag dat ik op het landgoed blijf. Ik kan hier mijn hele leven blijven werken, dat weet ik. Als hovenier.'

Ik knik. Jase houdt van tuinieren; het is het enige wat hij van zijn vader heeft geërfd.

'En wat heb je gezegd?' vraag ik, en mijn hart begint sneller te kloppen.

Ik weet niet of Jase op Wakefield wil blijven, zeker niet op de lange termijn. Een paar maanden geleden zei hij tegen me dat hij niet wist of hij ooit terug zou komen, dat hij zich zo schuldig voelde over wat zijn vader mijn ouders heeft aangedaan dat het een relatie tussen ons in de weg zou kunnen staan. Nu lijkt het weer koek en ei tussen ons, maar mijn toekomst is verbonden met Wakefield, mijn erfenis, en als Jase er niet aan moet denken om hier te blijven, voorspelt dat weinig goeds voor ons als stel.

Hij haalt langzaam en heel diep adem, en ik voel het bloed wegtrekken uit mijn vingers en tenen terwijl ik nerveus op zijn antwoord wacht. Ik word helemaal koud vanbinnen. Zoveel hangt af van wat Jase wel of niet wil, en ik kan zijn gevoel op geen enkele manier beïnvloeden.

'Het is nu allemaal veranderd,' zegt hij peinzend, kijkend naar de statige Hall.

'Wat bedoel je?' vraag ik zachtjes.

Hij kijkt nu weer naar mij. 'Nou, jouw tante was net zo slecht als mijn vader. Ze speelden onder één hoedje.'

Ik knik. We hebben elkaar vanochtend heel even gesproken voordat hij op weg ging, net lang genoeg om hem te vertellen wat mijn tante gisteren heeft opgebiecht.

'Snap je het dan niet?' Hij kijkt me doordringend aan, zijn ogen glinsterend als sterren. 'Jouw familie is net zo waardeloos als de mijne. In elk geval de rotte appels. Mijn moeder, jouw ouders – met hen is niets mis. Maar mijn vader en jouw tante deugden niet. Ze hebben er alles aan gedaan om ons leven kapot te maken.'

Ik slik moeizaam als Jase mijn ouders noemt, maar ik ben het roerend met hem eens.

'Mijn vader en jouw tante waren allebei verdorven,' legt hij uit. 'Begrijp je wat ik bedoel? Mijn vader heeft jouw ouders vermoord. Jouw tante heeft geprobeerd jou te vermoorden.

We hebben allebei een weerzinwekkend familielid. We staan quitte.'

Het bloed stroomt terug naar mijn gezicht als ik besef wat hij zegt.

'Ik hoef me dus niet langer schuldig te voelen,' concludeert hij triomfantelijk. 'Of te denken dat ik het recht niet heb om hier te zijn vanwege de verschrikkelijke dingen die mijn vader heeft gedaan. Ik hoef niet weg te blijven van Wakefield.' Hij kijkt me stralend aan. 'Ik vind het hier fijn, Scarlett, ik ben hier geboren en getogen. Hier hoor ik thuis. En ik barst van de ideeën. Mijn vader wilde niet naar me luisteren, die wilde alles laten zoals het was. Maar ik vind dat we hier groente en fruit zouden moeten verbouwen om het landgoed onafhankelijker te maken. Er is zoveel ruimte, en die kan op allerlei manieren worden gebruikt. We zouden de oude moestuin en de boomgaard in ere kunnen herstellen, we kunnen kippen houden, misschien een paar varkens en schapen... De meisjes zouden mee kunnen helpen om hun eigen voedsel te verbouwen...'

Hij breekt zijn verhaal af, strijkt met een hand over zijn haar en lacht om zichzelf. 'Wauw, wat laat ik me meeslepen! Het komt gewoon doordat ik het gevoel heb dat ik vlieg sinds ik het weet van je tante. Ik voel me bevrijd.' Hij spreidt zijn armen, zodat zijn motorjack openvalt, en glimlacht stralend. 'Het ligt niet aan mij! Ik ben niet de enige met een familie waar van alles mis mee is! Jij hebt ook een zwart schaap in je familie! We zijn hetzelfde!'

Van puur geluk begin ik te giechelen. 'We moeten een feestje geven om het te vieren,' zeg ik. 'We nodigen alleen mensen met nare familieleden uit.'

'Ze moeten wel héél erg zijn,' zegt Jase. 'Door en door slecht.'

'Oké, klein en zeer exclusief,' beaam ik. 'O jakkes, ik klink net als Plum.'

En dan bedenk ik dat Plum waarschijnlijk de enige zou zijn die voor een uitnodiging in aanmerking zou komen. Taylor heeft fantastische ouders, anders zou ze nooit dat benijdenswaardige zelfvertrouwen hebben. De ouders van Alison en Lucy zijn ook schatten. Zelfs Lizzie wordt vertroeteld en aanbeden door haar vader, al is hij nog zo vaak weg.

De angstige uitdrukking op Plums gezicht toen ze het over haar vader had, spreekt echter boekdelen. Gelukkig heeft ze Susan, maar *viscount* Saybourne zou de fiolen van zijn toorn over haar uitstorten als hem ooit ter ore zou komen dat zijn dochter gay is. Terwijl Jase en ik vrij zijn, en elkaar eindelijk in het openbaar kunnen kussen.

Ik heb het veel beter getroffen dan Plum. En dat voelt heel vreemd.

Jase knipt voor mijn gezicht in zijn vingers. 'En als ik dit doe, ontwaak jij uit je trance!' zegt hij als een illusionist voor een groot publiek.

'Sorry,' zeg ik. 'Oké, geen feestje. Wij zijn de enige leden van de club.'

'Ik vind het best,' zegt hij glimlachend.

Ik kijk naar de portierswoning achter hem. Als ik de herinneringen aan tante Gwen opzijschuif, als ik probeer te vergeten hoe ongelukkig ik daar ben geweest, hoe vreselijk ik het vond dat dat mijn thuis was, terwijl het niet zo voelde, kan ik zien dat het een pittoreske cottage is, als een huisje uit een sprookje. Rode luiken voor de ramen, blauweregen rondom de deur. Niet bepaald een huisje voor een jongen van bijna achttien, maar het is bijzonder genereus van mijn grootmoeder om deze woning aan hem aan te bieden.

'Ga je er wonen?' vraag ik met een knikje naar het huisje.

Hij kijkt om, draait zijn hoofd dan terug naar mij. 'Nog niet,' zegt hij ernstig, en bij mij slaat de moedeloosheid weer toe. 'Ik ben er nog niet aan toe.'

'Waar ben je nog niet aan toe?' vraag ik, opnieuw met een heel klein stemmetje.

'Zelfstandig wonen. Volwassen zijn. Omdat het huis van je grootmoeder is. Dat is een grote verantwoordelijkheid. Ik zou heel erg voorzichtig moeten zijn. Stel nou dat ik vrienden wil uitnodigen voor een feestje?' Hij trekt een gezicht. 'Dat zou niet netjes zijn. Ik zou de hele tijd bang zijn dat er iets stuk gaat.'

'Wat wil je dan wel gaan doen?' vraag ik, en ik ben verbaasd dat hij me kan horen, want mijn stem klinkt nu zo hoog en schril dat alleen honden de frequentie zouden kunnen oppikken.

Hij legt zijn handen tegen mijn wangen en kijkt me vertederd aan. 'Maak je geen zorgen, Scarlett. Ik ga niet ver weg. In het najaar ga ik natuur- en landschapstechniek studeren in de buurt van Havisham. Ik heb een paar jongens gesproken met wie ik dit jaar de parttimeopleiding heb gedaan, en ze hebben zich allebei aangemeld voor hun master. Het zijn leuke jongens, we hebben veel lol met elkaar. We hebben besloten om op zoek te gaan naar een huis in Wakefield waar we met z'n allen kunnen gaan wonen. Het wordt waarschijnlijk een bende, drie jongens bij elkaar, maar we zorgen ervoor dat we allemaal onze eigen kamer hebben, en jij kunt me opzoeken zo vaak als je wilt. We wonen straks zo ongeveer bij elkaar om de hoek.'

De paniek spuit uit me weg, als een heldere fontein. Ik besef dat ik mijn adem al die tijd heb ingehouden. En dan, als ik een zucht van verlichting slaak, besef ik nog iets anders: ik ben niet alleen opgelucht dat Jase niet aan de andere kant van het land wil gaan wonen, maar ook dankbaar dat hij niet naar de portierswoning gaat.

Hè? Waarom dat? Ik zou juist niets liever moeten willen dan dat hij zo dichtbij was...

'We hebben zulke krankzinnige dingen meegemaakt sinds we verkering hebben,' zegt Jase. 'Je zei het net zelf, we hebben nooit hand in hand kunnen lopen, we hebben elkaar nooit kunnen kussen zonder bang te zijn om door jouw tante of mijn vader betrapt te worden. We hebben nooit de kans gehad om samen leuke dingen te doen, dingen waar we zin in hebben. We hebben nooit de kans gehad om onszelf te zijn.'

Ik knik heftig.

'En als ik in het oude huis van je tante zou gaan wonen,' vervolgt hij, 'zou dat voor mij heel raar voelen. Het is jouw oude huis! Ik zou voortdurend het gevoel hebben dat jij elk moment binnen kunt komen.'

Eindelijk begrijp ik wat hij bedoelt. 'Alsof we het ene moment alles stiekem deden en het volgende moment samenwonen.'

'Precies,' beaamt hij. 'We zijn nog zo jong. We zouden dingen moeten doen die... die normale tieners doen.'

Ik trek een gezicht. 'Ik zou niet weten hoe dat is,' beken ik verdrietig, en ik laat me van het muurtje glijden.

'O, schatje...' Hij slaat zijn armen om me heen. 'We gaan het samen ontdekken, oké? Van nu af aan doen we alleen nog maar saaie en normale dingen.'

Ik omhels hem net zo stevig. Het klinkt totaal niet romantisch, saai en normaal; waarschijnlijk ben ik zowat de enige persoon ter wereld die een golf van liefde en dankbaarheid voelt opkomen als haar vriendje dat tegen haar zegt.

Maar ik heb dan ook het gevoel dat Jase en ik vastgesnoerd zijn geweest in het wagentje van een achtbaan. We zijn het gewend geraakt om met een duizelingwekkende snelheid omhoog en omlaag te roetsjen, om in steile afgronden te duiken, en nu is het alsof we eindelijk de veiligheidsgordel af kunnen doen en uit dat wagentje kunnen stappen, nog tollend op onze benen, maar blij dat we weer vaste grond onder de voeten hebben. We durven het nog niet helemaal te geloven en zoeken veiligheid bij elkaar, klampen ons aan elkaar vast.

Ik glimlach tegen zijn borst, voel die rijzen en dalen door zijn ademhaling, hoor het krachtige kloppen van zijn hart. Dit is zo nieuw en fijn, dat ik hier kan staan met Jase, in het volle daglicht. Geen paniek, geen angst voor boze vaders of tantes. Mijn oor is tegen zijn hart gedrukt, ik luister naar zijn ademhaling, en ik geniet intens van zijn omhelzing.

Als dit saai en normaal is, dan mag het van mij mijn hele leven blijven duren.

'Kom op!' Hij laat me los en kijkt me aan, zijn hele gezicht stralend van puur geluk. Zijn gouden ogen glinsteren, zijn volle mond lacht me toe. 'Laten we een eindje gaan rijden.'

'Cool!' zeg ik enthousiast, en ik rits mijn jack dicht.

Jase klapt het zadel open en gooit een helm naar me toe.

'Waar gaan we naartoe?' vraag ik terwijl ik de helm opzet.

'Nergens heen,' zegt hij opgewekt. 'Niet hierheen en niet daarheen. Overal heen. We kunnen doen wat we willen. Je hoeft toch niet snel terug te zijn?'

Ik schud mijn hoofd. Geen strenge regels, geen tante Gwen met haar toverballenogen. Ik ben zo vrij als een vogeltje in de lucht.

'We kunnen ergens een hapje eten,' stelt hij voor. '*Fish and chips* of zo.'

Ik wil net knikken, maar dan bedenk ik iets. 'We moeten iets te eten meenemen voor Taylor. Het is de eerste avond dat we terug zijn, en ik wil niet dat ze in haar eentje zit.'

Jase steekt al een hand omhoog. 'Natuurlijk. We halen gewoon iets en dan nemen we het mee terug. Sorry, dat had ik zelf moeten bedenken. We laten haar niet alleen.'

Er welt een warm gevoel van liefde in me op; volgens mij heb ik het liefste en meest attente vriendje van de hele wereld.

'Ik ben zo blij dat ik je heb,' zeg ik met een brok in mijn keel. 'Ik hou zoveel van je, Jase. Je bent de aardigste, de liefste...'

'Genoeg!' Hij pakt me beet, zwaait me in de lucht alsof ik niets weeg (het tegendeel is het geval) en zet me neer op het zadel van zijn motor. 'Geen sentimenteel gedoe meer! We gaan nu lekker een eindje rijden.'

Ik lach als hij zijn been over de motor zwaait en voor me komt zitten, het sleuteltje in het contactslot steekt.

'Ga je me lesgeven?' vraag ik, en ik leun tegen hem aan. 'Motorrijles?'

'Héél misschien,' zegt hij. 'Als je tenminste belooft dat je ophoudt met dat sentimentele gedoe, oké?'

'Oké,' zeg ik.

'En noem me alsjeblieft nooit meer lief.'

'Beloofd,' zeg ik, maar ik kruis mijn vingers.

'Ik hou van je, Scarlett,' zegt hij. Hij start de motor door op het pedaal te trappen, en het grind spat op onder de wielen als we wegrijden over de oprijlaan.

'En ik hou van jou, Jase!' schreeuw ik in zijn helm, en ik weet dat hij me heeft gehoord, ondanks het brullen van de motor, want hij geeft nog meer gas, wetend dat ik mijn armen stijf om hem heen heb geslagen, en laat het voorwiel omhoogkomen.

Een paar verrukkelijke seconden lang hangen we achterover, nog steeds ronkend maar alleen op het achterwiel. Ik leg mijn hoofd in mijn nek en kijk naar de lucht, duizelig van extase terwijl Jase deze stunt uithaalt.

Het voorwiel landt weer op de grond, en als Jase het gas helemaal opendraait, spuiten we weg. Ik doe mijn ogen dicht en nestel mijn hoofd tegen zijn rug, uitzinnig van geluk. Wakefield Hall ligt voorlopig achter ons; we racen erbij vandaan en wíj bepalen waar we heen gaan.

Hierheen. Daarheen. Overal heen, maar niet terug naar het verleden.

Het verleden is verleden tijd.

Dankwoord

Hoe jammer ik het ook vind om afscheid te nemen van Scarlett, het was enorm bevredigend om de raadsels op te lossen en alle personages samen te brengen voor de finale – vooral omdat ik mijn zus en haar gezin in Edinburgh kon opzoeken toen ik locaties wilde bekijken. Holyroodhouse, het Schotse parlementsgebouw, Arthur's Seat en de begraafplaats zijn allemaal waarheidsgetrouw beschreven, net als Leith en de Shore, een bestaande pub. Mijn neef Ewan Macintyre heeft me meegenomen naar de locatie van de *quarry parties* en de Ewan in dit boek is naar hem genoemd; net als die Ewan is hij een getalenteerd gitarist, en hij maakt prachtige marionetten. Je kunt hem vinden op www.ewan-macintyre.co.uk. Bedankt aan Kim en Symon, bij wie we mochten logeren – als je van poppenspel houdt, ga dan eens naar hun site, www.puppetlab.com. Omdat ik niemand uit deze zeer artistieke familie weg wil laten, noem ik ook het online tijdschrift van mijn nicht Rachel, *Brikolage* (www.brikolage.co.uk). Ben je een beginnend kunstenaar of wil je gaan schrijven, dan is dit dé plek om je werk te publiceren. Nuala Kennedy bestaat echt, en haar muziek is inderdaad prachtig, zoals ik in het boek heb beschreven; je kunt haar vinden op www.nualakennedy.com. De grootste dichterlijke vrijheid die ik me heb gepermitteerd, is het verplaatsten van het tijdstip en de locatie van het Celtic Connections-festival, dat in werkelijkheid in januari in Glasgow wordt gehouden. Het is geweldig, ik kan het van harte aanbevelen.

Dat was het wat betreft de info over Edinburgh.

Nu is het de hoogste tijd voor bedankjes. Stephanie Lane Elliot, Krista Vitola en Beverly Horowitz van Delacorte Press hebben de avonturen van Scarlett Wakefield altijd van harte gesteund. Delacorte is echt een uitgeverij uit duizenden, en ik mag van geluk spreken dat ze mij onder hun vleugels hebben genomen. Mijn Amerikaanse agent, Deborah Schneider, en haar rechterhand Cathy Gleason gaan voor me door het vuur, en ik houd verschrikkelijk veel van ze. Chanchal, Gabrielle, Bonnie, Lauren, Cecilia, Damaris, Heather, Brooke, Amanda, Paula, Maggie, Dyanhea, Rebecca, Erin, Carlie, Dyana, Kelly, Cynthia, Nikki, Lucia, CNH, Zoe, Gabriella, Magda, Starr, Chelsie, Stephanie, Laura, Lisa Marie, Tia, Carolina – jullie leuke berichten op MySpace waren een bron van inspiratie tijdens het schrijven van dit boek – enorm bedankt! Random Burns, bedankt voor je steun en enthousiasme voor mijn YA-boeken. En Claudia Gabel, zonder jou zou Scarlett nooit hebben bestaan. Bedankt voor al je hulp en liefde.

Nu ik Scarletts avonturen heb afgesloten, vind ik het enorm spannend om aan een nieuwe serie te beginnen: gesitueerd in Italië, met vier Engelse en Amerikaanse meisjes als hoofdpersonen, boordevol raadsels en avonturen, zonnige dagen en zwoele nachten, en natuurlijk een paar razend knappe Italiaanse jongens! Kijk er maar vast naar uit...